요단출판사

로버트 콜만 교수가 추천하는

목·회·자·가 제자 삼아야 교회가 산다

빌 헐 저/ 박경환 역

요단출판사

The Disciple Making Pastor

Bill Hull

Translated by

Park, Kyung Hwan

Jordan Press

Translated and used by permission of

Fleming H. Revell Company
Tarrytown, New York

Published by the Fleming H. Revell Company

Printed in the United States of America

랜디 넛슨에게,

우정을 위하여, 그리고 이 책에

제시된 여러 원리들의

실현을 위하여

차례

서론

현대 교회가 문제에 빠져 있다는 것은 결코 비밀스러운 일이 아니다. 그 추진력뿐만 아니라 전반적으로 그 방향감각조차 잃어버렸다. 교회가 새롭게 변혁되도록 – 이 일은 목회자에게 무거운 짐을 얹는 – 이끌 사람들이 나서지 않는다면 현재상태가 더 나아질 기미라고는 거의 찾아볼 수 없다.

불행하게도 사도적인 열정을 가진 목회 지도자들이 부족한 형편이다. 실제로 많은 경우에 있어서 목회를 해야 할 특권적 위치에 있는 성직자들 자신이 오히려 목적의 부재성과 좌절감 속에서 표류하고 있다.

이것은 교회에 성실한 사역자들이 부족하다거나 또는 무가치한 일들만 연출된다는 말은 아니다. 우리가 목격하듯 온갖 일들이 진행되고 있다. 하지만 본인이 보건대 교회 사역에 관한 프로그램과 교인의 숫자만을 늘리고자 하는 활동 등은 지상명령을 완수하는 일과는 아무 상관이 없이 진행되고 있다. 하나님의 사랑에 강권받아 모든 족속으로 제자를 삼기 위해 나가야 할 추수할 일꾼들은 어디에 있는가? 진정한 초대교회의 모습이 잊혀지지는 않았다 해도 많은 경우로 미루어 보건대 흐릿해져 버린 것이 아닌가 염려스럽기만 하다. 실제로 우리는 그리스도의 지상명령에서 너무도 멀리 표류해서 그리스도의 명령대로 살기 원하는 사람들을 광신자처럼 여기게끔 되었다.

빌 헐이 아마 그런 취급을 받는 사람일 것이다. 그는 제자를 삼으라는 주님의 명령이 현재에도 그 권위와 타당성을 여전히 지니고 있음을 확신하고는 자신의 사역방향을 그 회복에 두었다.

이 책은 자신의 선택에 대한 합당한 이유와 그것이 지교회에 의미하는 바를 서술하고 있다. 그 내용은 성서적이며 실제적이다. 또한 저자는 직선적인 어조를 사용하지만 다른 이들을 향한 깊은 동정심을 갖고 이해하는 입장에서 서술한다.

또한 자신의 주장에 진실성을 더 부여하는 점은 바로 자신의 개인적인 경험이다. 그는 한 이론가로서가 아니라 실천가, 즉 제자 삼기를 중점으로 교회를 구축해 나가는 적극적인 목회자로서 말하고 있다. 그의 사역을 뒷받침하는 것은 교회 성도들의 숫자와 비전에 있어서 더욱 성장한 것과 여러 지교회들을 통해 그 사역이 재생산되고 있다는 사실이다.

이 책에는 교회 지도자격인 모든 이들이 귀를 기울이고 깊이 묵상해야 할 메시지가 담겨져 있다. 모든 이들이 저자의 결론에 동의하지 않을는지 모르나, 이 책을 읽는 모든 이가 제자 삼는 목회자에 대한 새로운 인식을 갖게 될 것은 틀림없는 일이다. 또한 이 책은 누구에겐가 사역에 대한 새로운 개념을 형성시키는 내용이 될 것이다.

로버트 콜만

머리말

심장부의 위기

교회가 위기에 봉착해 있다는 사실은 새로운 뉴스가 아니다. 교회는 위기 속에서 태어났고 현재까지 위기 속에서 그 맥을 이어오고 있다. "위기"란 단어는 "분열되다" 혹은 "전환점에 놓이다"의 의미이다. 위기는 결정을 요구하는데, 그 결정이 지극히 중요한 이유는 잘못 내린 결정은 우리를 파멸로 이끌 수 있기 때문이다.

수많은 교회 지도자들이 교회 내에서 벌어지는 수많은 위기에 대해 언급할 수 있을 것이다. 설교, 전도, 가정, 사역자 및 예수를 믿는 사업가들의 인격의 온전함에 관한 위기에 대해 많은 책들이 출간되었고 많은 메시지가 전해졌다. 어떤 이들은 세계선교, 신학교육, 신학교의 위기에 대해서, 또 다른 이들은 주일학교의 점차적인 붕괴에 대해 지적하기도 한다.

"위기"란 말이 너무 남용된 결과 많은 이들이 현대의 예언자적인 경고들을 도외시하게 되었고, 소위 "위기"라고 언급되는 많은 것들의 타당성에 대해서 심각한 의심을 품게 되었다. 성도들은 이제 인생이 막다른 국면에 놓여 있다는 열정을 다한 목회자들의 호소에 염증을 느끼게 되었다. 가까이 다가오고 있다는 계시가 전혀 실현될 것 같지 않기에 임박한 위험에 대한 경고는 더욱더 허위보도인 양 느껴지는 것이다.

그런 냉소에도 불구하고 필자는 교회 심장부의 위기는 더욱 깊고, 위협적이며, 다른 어떤 위기들보다도 더 심각하다고 주장할 수밖에 없다. 교회가 그 파생되는 문제들을 다루지 않고 그냥 지나친다는 것은 매우 위험한 일이다. 위기를 도외시하는 것은 어떤 사람이 심장에 문제가 있으면서도 아무런 조처를 취하지 않는 것과 같다. 그 사람은 쉽게 계단을 올라가지 못한다든지, 운동 시에 통증이 있다든지, 숨쉬기가 곤란하다는 등의 경고적인 증세들을 무시하는 것이다. 물론 그런 상태에서도 생명은 어느 정도 제한된 범위 내에서는 진행될 수 있다. 그러나 언젠가 그의 심장은 갑자기 멎을 것이고 심장병을 정상으로 되돌리기에는 이미 늦어버릴 것이다.

교회를 그리스도의 몸으로 표현한 바울의 비유를 따르자면, 위기는 손이나 발 같은 수족에 있지 않다. 다시 말해서, 그것은 직접적인 기능과 일에 대한 위기가 아닌 것이다. 사실 진정한 위기는 교회의 심장부에 있다. 교회의 가장 중요한 부분인 심장부위야말로 온몸의 건강을 결정한다. 정맥과 동맥을 통한 혈액의 정상적이면서도 자유로운 흐름이 있는 심장 상태가 온몸으로 하여금 정상적인 기능을 발휘하게끔 해주는 것이다.

복음주의 교회는 나약해졌고, 무기력하고, 진정한 영적 능력을 흉내만 내는 인위적인 수단들에 너무 많이 의존하고 있다. 성도를 훈련시키는 장소로서의 모습은 거의 없고 인근 병원의 심폐병동처럼 되어버렸다. 우리는 자기 욕심에 빠진 소비자적 종교성 - "교회가 내게 무엇을 해주는가" - 이라는 증세에 만연되었고, 우리는 너무 쉽사리 전통적인 성공 개념 - 사람 숫자, 예산 증가, 그리고 건물 - 등에 만족한다. 웬만한 성도들은 이런 생각을 한다. "나는 목회자가 설교하고, 교회를 운영하고, 신도들을 상담하는 일에 대한 사례를 하는 것이다… 나는 목회자에게 돈을 지불하고, 그는 나를 돌본다… 나는 소비자고 목회자는 상점 주인인 것이다… 나의 필요를 목회자가 채운다… 바로 이것들이 내가 그에게 대가를 지불하는 이유이다."

우리는 초대형 교회에 대한 우상숭배적인 예배자세 속에서 이런 모습들을 분명히 살펴볼 수 있다. 크면 클수록, 그리고 그 운영방법이 대기업의 그것과 더욱 흡사할수록 더 좋다고 생각한다. 이 유혹은 더욱 큰, 더욱 창조적인, 그리고 더욱 "성공적인" 교회들의 모습이 다른 모든 교회들을 평가하는 절대치가 되어버릴 때 그 극치에 달한다.

교회 규모를 측정하는 상식화된 개념은 바로 예배에 참석하는 숫자이다. 만약 삼천 명이 모였다면, 어떤 사람들은 "정말 대단히 큰 교회"라고 즉각적으로 판단을 내릴 것이다. 규모를 이런 식으로 측정하는 방법은 두 가지의 심각한 결점을 내포한다. 첫째로, 숫자 그 자체가 진정한 규모를 의미하지는 않는다는 것이다. 큰 집단들이 여러 목적 - 즉 린치를 가하려고 모였거나, 폭동이거나, 또는 터퍼웨어 파티(서로 간단히 음식을 장만해 즐기는 회합 - 역자주) 등 - 으로 모일 수도 있다. 이보다 나은 시각은 "여기 모인 사람들의 숫자가 의미하는 것은 그 교회를 이끄는 사람들, 즉 목회자와 성가대 지휘자가 매우 은혜롭다는 것을 말한다"라는 식으로 해석하는 것이다.

두번째 결점은 "성도가 몇명이나 되는가?"라는 잘못된 질문이다. 올바른 질문은 "이 사람들은 어떠한 사람들인가?" 하는 것이다. 그 가족은 어떤 사람들인가, 그들은 정직하게 사업을 하는가, 복음 증거를 위해 훈련받는가, 성경을 얼마나 아는가, 그들은 일터에서나 이웃을 통해 복음을 전파하고 있으며, 그리스도를 위해 친구들과 여러 단체들을 접촉하는가? 그들은 그리스도께서 기대하시듯 그분을 위해 이 세상을 변화시키고 있는가? 바로 이런 것들이 올바른 질문이고 심장 건강의 관건이며 크다는 것에 대한 기준이다.

복음주의 교회들은 올바른 질문을 하려는 의지와 그에 대한 대답에 직면할 수 있는 용기를 상실했다. 교회가 당면한 주요 결정 사항들은 이것이다. "심장부의 문제 해결에 진정 전념할 것인가, 우리의 어리석은 방법들을 회개하고 그리스도께서 명하신 바대로 따를 것인가, 어떤 것들이 심장부의 문제들인가, 또는 무엇이 교회의 심장부인가?"

조지 오웰은 "명백한 것을 재언급하는 일이 지성인의 첫번째 의무가 되어야 할 지경에 우리는 처해 있다"고 피력한다. 오늘날 교회에 있어서는 명백한 것이 혁명적으로 느껴질 정도이다. 명백하다는 것처럼 불안정한 것은 없다. 마치 거센 바람 속에서 팽팽한 줄 위를 걷는 것과 같이 명백한 것을 이해하고 실행하는 것은 위험스러운 일이다. 재언급되고 적용될 때, 그 명백한 일은 교회의 기초부터 흔들어댄다. 당신이 그것을 말할 때, 그것을 듣는 교회 지도자들은 졸린 듯 머리를 끄덕거릴 것이고 그것을 실제로 적용하려고 할 때, 그들은 냉소하며 당신을 과격하고 경험이 부족하며 교회가 아닌 선교 단체 같다고 명명할 것이다.

어떤 명백한 진리가 성도들로 하여금 번민하도록 만드는가? 진리란 이것이다. "교회는 선교를 위해 존재한다." 교회는, 마치 불이 산소가 있어야 존재하듯, 선교로 인해 존재하는 것이다. 교회는 교회 그 자체를 위해 존재하는 것이 아니다. 이 사실은 복음주의를 지배하고 있는 이기적인 자기 만족과 자기 욕구의 얄팍한 심리 상태와 정면으로 충돌하게 된다. 베스트 셀러인 기독교 서적들을 보라. 텔레비전 설교자들의 설교를 들어보라. 평범한 신도들과 얘기를 나눠보라. 공통적인 맥락은 그들의 모든 관심이 표면적인 필요에 치우쳐 있다는 것이다. 만약 교회가 그리스도께 순종하기로 한다면 이러한 모습은 사라져야만 한다. 믿는 자들에게 있어서 실제적이건 피상적이건 간에 사실상 필요는 계속 있게 마련이다. 그러나, 그리스도께서 명하신 사역에 앞서서 피상적인 필요에 사로잡혀 그것에 우선권을 양보하는 행위는 중지되어야만 한다.

교회의 교역자들과 지도자들과 핵심적인 신도들의 초점은 내부 지향적이 되어서는 안되고 외부 지향적이어야 한다. 교회의 사명은 그것과 연관되는 비유들에서 알 수 있듯이 세상을 침투해 들어가는 것이다. 소금, 빛, 누룩, 군대, 대사, 순례자 등등의 이 모든 표현들은 역동성과 침투성을 함축하고 있다. 교회는 그 구성원들이 보다 더 효과적으로 침투할 때 성장하게 된다.

심장부에 닥치는 위기가 그런 것처럼, 교회가 직면하고 있는 위기는 교회를 약화시켜왔고 의존적이 되게끔 만들었다. 이 위기는 또한 목회자들이 마치 환자들의 병동에서 농구팀을 만들어 지도하는 것 같은 힘겨운 코치의 역할을 감당하도록 만들었다. 선수들이 아무리 열심이고 최선을 다한다고 해도 그들은 NBA(미국의 농구 협회로서 필자가 여기에서, 의도하는 바는 근본적인 문제 때문에 아무리 열심을 낸다 해도 불가능한 것을 뜻함. - 역자주)에 끼지는 못할 것이다. 교회의 기능은 심각한 손실을 입게 되고 그 결과 교회는 하나님께서 의도하신 바에 미치지 못하는 슬픈 결과를 초래할 것이다. 비극적인 사실은 이것이 불가피한 것이 아님에도 불구하고 그러한 일들이 일어나는 것이므로, 우리는 합력해서 그러한 비극과 싸우고 또한 그것을 변화시켜야 한다.

치료법의 소개

오직 한 부류의 사람들만이 세상을 침투할 수 있는데, 교회가 이러한 사람들을 생산해 내지 못하는 것이 현재 교회가 위기에 봉착하게 된 원인인 것이다. 교회 심장부의 위기는 교회가 생산하는 사람으로 말미암은 위기이다. 교회는 어떤 사람을 생산하고 있는가? 그리스도께서 명하신 소산물은 제자라고 불리는 사람이다. 그리스도는 교회를 향해 "제자를 삼으라"(마 28:18-20)고 명하셨다. 그는 제자를 묘사하시기를, 제자는 그분 안에 거하고 순종하며 열매를 맺고 하나님께 영광을 돌리며 기쁨이 있고 사랑하는 자(요 15:7-17)라고 말씀하셨다.

이것은 너무도 당연하다. 하나님께 영광을 돌리는 자가 제자라 일컬음을 받는 것이다. 그리스도께서 그의 제자들에게 "제자를 삼으라"고 명령하신 것은 제자들이야말로 세상을 침투하기 때문이다. 제자들은 자신들을 재생산하고 이 재생산은 배가생산으로 이어진다. 배가생산은 세상을 전도하는 일과 예수님의 지상명령을 완수하는 일의 열쇠인 것이다.

교회가 이 명백한 사명을 망각하고 있었던 것은 오직 사단의 계략에 의한 것일 수밖에 없다. 교회 심장부의 위기는 말로만 떠들었지 실제적인 면은 없었던 탓이다. 교회는 사명에 대한 성실함을 상실했다. 교회 심장부는 이 세상을 침투할 건강하고 재생산을 하는 성도들을 생산하는 데 그 우선순위를 두고 방법을 수정하기 전에는 상태가 향상되지 않을 것이다. 교회 심장부는 올바른 제자를 생산하는 근원이다. 교회가 올바른 제자를 생산 또 재생산할 때 건강한 몸처럼 그 기능을 수행할 수 있게 될 것이다. 우리가 그리스도의 사명에 순종할 때 두 가지 좋은 일이 생긴다. 그것은 건강한 그리스도인을 배출하는 것과 또한 그들이 다른 그리스도인들을 재생산하며 그리스도의 몸이 자라가고 배가해서 마침내 세상이 복음화되는 것이다.

이런 것들에 대해 우리가 의의를 제기하고 논란을 일으키지 않고서는, 교회가 지상명령을 심각하게 받아들이지 않고서는, 목회자들이 다른 이들을 통해 자신들을 재생산하고 스스로 양분을 섭취하는 그리스도인들이 되게끔 그들을 준비시키지 않고서는, 동기가 결여되어 있고 불순종적인 다수의 일시적 의견이나 바람을 채우기보다는 비록 소수이지만 영적으로 온전한 이들을 가르치며 훈련하는 일에 목회자들의 대부분의 시간이 투자되도록 신도들의 지지가 있지 않고서는, 그리고 목회자가 일상 "바쁜 일들"로부터 해방되지 않고서는, 교회에는 큰 변화가 오지 않을 것이다. 우리는 현재 교회의 상태가 이런 식으로 계속 진행되도록 방관할 수는 없다. 분명 변화가 있어야만 한다.

제 1 장
필요성

교회의 자격요건

필자는 현대 교회들을 향해 정식으로 도전장을 내었다. 필자는 복음주의 교회가 약화되어 있고 방종하며 피상적이어서 그 문화 속에 완전히 젖어 버렸다고 주장한다. 예수님께서 "제자가 그 선생보다 높지 못하나 무릇 온전케 된 자는 그 선생과 같으리라"(눅 6:40)고 말씀하신 바와 같다. 더 나아가서 필자는 교회의 위기는 교회가 생산하는 사람들의 모습이라고 믿는다. 그 위기에 대한 해결책으로 그리스도인들이 그리스도께서 명하신 "제자를 삼으라"고 하신 명령에 순종할 것과 그리스도께서 명하신 모든 것을 지켜 행할 것을 제안한다.

교회에 대한 이러한 비판적인 분석이 비단 필자만의 생각이라고 여겨지는가? 사실 더 많은 경험과 지혜로운 사람들이 필자와 같은 생각을 가지고 그것을 역설하고 있다. 엘톤 투루블러드(Elton Trueblood)

는 이와 같이 말한다.

아마도 현대 교회의 가장 큰 취약점이라면, 수백만으로 추정되는 교인들이 실제로 교회사역에 관련하지 않고 있다는 것이고 그보다 더 심각한 것은 그들이 사역에 관련하지 않는 것을 조금도 이상하게 여기지 않는다는 점이다. 교회를 호전적인 전투부대로 만들려는 그리스도의 뜻을 인식하게 된다면 우리는 종래의 배치가 만족스럽지 못한 것임을 즉각적으로 알게 된다. 만일 부대 중 90%의 병사들이 훈련이 안되어 있고 그저 순진하기만 하다면, 실제 전투에서 승리를 거둘 수 있는 기회란 있을 수 없다. 바로 이런 상태가 현재 우리들이 놓여있는 상태인 것이다. 대부분의 그리스도인들은 그리스도께 충성한다는 의미가 그리스도의 사역에 개인적으로 참여한다는 것과 상황이 요구하는 대로 가거나 머무르는 것임을 모르고 있다."[1]

1980년 갤럽 여론조사에 의하면, 복음주의 교회에 출석하는 2,200만 교인들 중에서 단지 7%만이 어떤 형태로든 전도 훈련을 받았고, 2%만이 다른 이들에게 그리스도의 복음을 전했다는 것이다. 도대체 7%의 훈련받은 병사들과 단지 2%에 불과한 전투 경험을 가진 병사들만으로 어떻게 전장 속으로 돌진하겠는가? 필자는 이러한 통계가 8년 동안에 변했기를 기도하지만 현재도 여전히 같을 것으로 추측한다.[2]

이것은 올바른 질문의 필요성을 보여준다. 만약 7%만이 다른 사람들에게 그리스도를 소개했다면 3,000명이 모이는 교회인들 그것이 큰 교회라고 어떻게 말할 수 있는가? 개개인의 거룩함은 제외하고라도 신도들을 시험해 볼 수 있는 것은 그 교회 성도들이 얼마나 효과적으로 세상을 향해 침투해 들어가는가 하는 것이다. 교회들은 그저 자리를 채우고, 설교 듣는 것으로 만족하고, 영적으로는 과대망상적이며, 믿는 것과 행하는 것이 불일치하는 사람들로 붐빈다.

그리스도인들이 잘 훈련되지 않은 것의 실제 커다란 이유는 목회자가 성도들에게 행해야 할 바를 말하지만 성도들이 진정 그렇게 행할 수 있는 수단을 마련해 주지 않았다는 점이다. 그 결과, 성도들은 엄청난 좌절감과 죄의식을 느끼고 있다.

대부분의 교회는 성도들의 이동에 따른 성장인데, 그 공식은 바로 성도들의 순환이다. "진정 위대한 교회들"에 의해서 거듭나는 성도들의 숫자는 빈약하다. 대신, 훌륭한 설교와 뛰어난 음악 프로그램이 있는 교회는 많은 이들에게 매혹적이다. 그러므로 사람들은 이런 교회는 훌륭한 교회이고, 그 교회의 전담 사역자들은 맡은 바 책임을 다하고 있다고 여기는 것이다. 실제로 뛰어난 프로그램을 갖춘 교회들은 훌륭한 음식점과 극장처럼 사람들로 붐비는데, 이것은 사람들의 흥미를 만족시키기 때문이다.

성직자와 평신도의 관계는 어떤 면에서 본다면 전문 배우와 관객의 관계처럼 되어버렸다. 그 공연이 좋으면 좋을수록, 더욱 많은 군중이 모이게 된다. 이런 모든 것이 보여주는 것은 뛰어난 공연이 사람들을 매혹시킨다는 것이다. 이러한 사실 이외에는 그 이상의 아무 것도 의미하지 않는다. 이 속에는 절대로 주님께서 교회를 향해 세우신 우선순위가 충실하게 반영되어 있지 않다. 엘톤 투루블러드(Elton Trueblood)가 밝히듯, "싸구려 기독교(Cheap Christianity)는 보통 높은 출석률을 주일날 아침에 보인다. 사람들이 자신을 관중으로 생각할 때마다 그것은 싸구려인 것이다."[3] 그는 더 나아가, 예배참석 인원이 몇 명인가 하는 것에 중점을 두는 것은 기독교 이전적(pre-Christian)이고 이교도적인 모습이라고 말한다. "우리는 얼마나 많은 사람들이 예식을 위해 성전에 모였는가 하는 것만을 보는 구약적인 사고방식으로 낙후되어 버린다. 구약의 계약 아래에서는 이것이 가장 중요한 것이었다. 반면에 우리는 '성전보다 더 큰 이가 여기 있느니라'는 예수님의 마태복음 12:6 말씀을 잊고 있는 것이다.[4] 우리가 만일 거의 요구하는 바 없이 그저 공연만 한다면 항상 군중들을 모을 수 있다.

교활하게도 그런 성공이 진정한 문제들로부터 우리의 시선을 가린다. 그리스도인들은 건강한 상태에 있는가? 재생산은 이루어지고 있는가? 성도들이 제자 삼는 자가 되기 위한 훈련을 받고 있는가? 무엇이 성도들에게 요구되고 있는가? 성도들이 하나님께서 계획하시는 뜻을 좇아 그들의 삶을 영위하며 섬김의 삶을 사는가? 그리스도인들이 모이는 이유는 그들이 이 세상을 침투해 들어갈 수 있는 능력을 향상시키려는 훈련을 받기 위한 것이다.

현대의 교회를 관찰하며 조지 바나(George Barna)는 그의 의견을 아래와 같이 피력했다.

그리스도인들 사이에 매우 강력한 지지를 받는 일반적인 견해는 다른 사람들에게 피해를 입히지 않는 한도 내에서는 무엇이든 자신을 만족시키는 행위를 해도 그것은 그 개인의 자유라는 생각이다. 다섯 명 중에 두 명이 그러한 생각이 적절하다고 주장한다. 따라서 그들은 성경에서 가르치는 절대적인 윤리와 도덕법들을 사실상 거부하는 것이다. 열 명 중 세 명의 그리스도인들은 인생에 있어서 향락과 재미보다 더 중요한 것은 없다고 말한다. 그들의 돈에 대한, 소유물과 다른 물질들에 대한 사랑을 표현하는 것으로 미루어 볼 때 기독교 정신이 그들의 양심을 지배하고 있다고는 말할 수 없다. 예를 들자면, 반수 이상의 그리스도인들은 그들이 원하는 것이나 또는 필요로 하는 것을 살 만큼 충분한 돈을 소유한 적이 없다고 믿는다. 그런 사람들의 네 명 중 한 명은 많이 소유하면 소유할수록 더욱 성공적인 삶이라고 생각하고 있다. 이런 식의 생각을 가진 그리스도인들의 비율과 같은 생각을 품고 있는 비그리스도인들의 비율이 동등하다는 사실이 기독교가 얼마나 피상적인 고백만을 하는 수많은 사람들의 삶 속에서 무의미하게 되었는가 하는 사실을 입증하는 것이다."[5]

그리스도인들은 주변세상을 향해 침투해 들어가도록 훈련을 받지 못했을 뿐만 아니라 그들의 가치관조차도 약화되었다. 그리스도인과 비

그리스도인간의 차이는 흐릿해져 버렸고 또한 빠른 속도로 사라져가고 있다. 목회자로서의 내 경험이 이를 입증한다. 그리스도인들의 돈 사용법, 시간 순위, 일과 휴식에 대한 태도, 이혼 및 재혼 등은 점점 더 성경의 가르침보다는 세상의 생각을 따른다. 그러므로 교회는 그 기능과 특성에 있어서 나약해져 있는 것이다.

오스 귀네스(Os Guiness)는, "우리는 본질을 삭제해 버렸다. 교회는 더 이상 가장 성스러운 곳이 아니라 허무 중의 허무이다… 우리는 자신들의 가장 최근의 경험보다 조금도 더 심오할 바 없는 자기 배짱이라는 신을 섬긴다."[6] 라고 교회가 나약해졌음을 역설한다. 조지 갤럽(George Gallup)의 발견 또한 이 같은 견해를 지지한다. 단지 42%의 그리스도인들만이 예수님께서 산상수훈을 선포하셨다고 알고 있으며 그나마도 그들 중 대부분은 그 사실을 텔레비전을 통해 알았다는 것이다. 공관복음의 저자들이 누구인가 하는 것과 십계명을 말할 수 있는 사람들은 더욱 적었다. 현대 복음주의자들은 기가 막힐 정도로 성경에 대해서 무지하다. 성경을 가르치는 것과 배우는 것은 다르다. 복음주의 목회자들의 커다란 근시안적인 부분이 바로 이 부분이다. 설교가 사람들로 하여금 효과적인 그리스도인의 삶을 살도록 예비해 주지는 않는다. 그리스도인들은 성경지식의 심각한 결핍과 좋은 경험의 부족함을 여실히 보이고 있는 것이다.

프란시스 쉐이퍼(Francis Schaeffer)는 우리들에게 다음과 같이 경고하였다. "복음주의 교회가 진리를 진리로 인정하지 못하는 것이 복음주의의 가장 심각한 재난이다. 그 이유에 대해서는 오직 하나의 단어만으로 설명할 수 있을 뿐이다. 그것은 타협, 즉 복음주의 교회가 그 시대의 세상 조류와 타협해버린 것이다."[7]

우리는 성경에 대한 무지와 그에 따른 세상과의 타협이 몰고온 쓰디쓴 결과를 직면하고 있다. 최근에 조지 바나(George Barna)가 복음주의 교회의 청소년들 10,000명(이 연구는 미국의 청소년들을 대상으로 실시한 것임-역자주)을 대상으로 연구한 결과, 우리는 경종을 울리는 저하된 청소년 가치관을 보게 된다. 18세가 되기도 전에 43%가 성경험을 했고 24%는 혼전 성관계를 당연스레 받아들였으며 39%는 그외 기타 성관계에 대해서 정상적이라고 생각한다는 것이다. 55%는 혼전 성관계가 잘못된 것이라는 지적을 하지 못했다. 놀라운 사실은 성관계의 경험이 있는 청소년들에게 혹시 자신의 의지가 아닌 친구들의 압박감에 의한 성관계였는가 하고 질문했을 때 남자 청소년의 47%와 여자 청소년의 65%가 그렇다고 대답한 사실이다.

부모들이 그 자녀에게 가치관과 우선 순위를 이식하는 것이 미약한 이유는 복음주의 교회에 출석하는 부모들 대부분이 세상과 타협적인 가치관을 갖고 있기 때문이다. 그들은 전적인 헌신을 하지 않으며 그런 결과 그들의 자녀들도 헌신하는 데 있어서 같은 하락상을 보이는 것이다.

조지 갤럽(George Gallup)은 전체 복음주의자들 중에 헌신적인 사람들은 10% 정도 된다고 한다. 사실상 바로 이들이 짐을 짊어지며 변화를 일으키는 것이다. 세상과 타협하지 않는 이 사람들은 "영광을 위한 저돌적인 그룹"이다. 그들 중 7%가 전도 훈련을 받았다. 그러면 10%의 매우 헌신적인 그룹이 의미하는 바는 무엇인가? 실제적인 가치관의 이식은 오직 10%의 능률로만 이루어지고 있다는 것 아닌가?

이 점에 대해서는 나중에 충분히 언급하겠지만 지금으로서는 단지 우리가 생산품의 품질에 대한 명령에 헌신하는 것이 진리라고만 얘기해둔다. 예수님의 지상명령이 숭배시되어 왔으나 지켜지지는 않았다. 교회가 제자 삼는 사역 없이 전 세계 복음화를 시도해 왔던 것이다. 인간 본성의 성급함과 즉각적인 결과를 원하는 세상의 압박은 목회자들이 온갖 편법을 택하도록 만들었다. 그러나 편법은 통하지 않는다. 대부분의 경우, 결국은 처음부터 다시 시작하게 되는 것이다. 오직 한 길만이 전 세계 복음화로 우리를 인도하는데 그것은 바로 그 사역이 재생산과 배가생산의 열쇠이기 때문이고, 이 진리는 우리가 곁길로 빠지는 것을 단호히 막는다. 우리는 제자 삼는 사역을 현세적 성공과 자아만족과 눈앞의 필요라는 제단 위에 희생시켜 왔다. 이 사실이 복음주의의 심각한 재난에 대한 필자의 견해이다.

필자는 'Christianity Today'의 전 편집장이자 트리니티(Trinity) 복음주의 신학교의 명예 학장인 케네스 캔처(Kenneth Kantzer)의 의견에 동의한다.

> 본인의 의견을 증명해 보일 수는 없다고 인정하지만 복음주의가 15년이나 50년 전보다 나약해졌다는 것은 사실이다. 사람들은 공공매체를 통해 더 많이 교회들에 대해 듣고 있기 때문에 교회가 더욱 튼튼해졌다고 종종 생각한다. 현대는 분명히 일차대전 이후 그 어느 때보다도 월등한 보도기관을 소유하고 있다. 게다가 복음주의자들은 20세기 초의 그리스도인들보다 자신들의 동질성에 대해 더욱 뚜렷한 의식을 가지고 있다. 그러나 사회에 대한 복음주의적 신조와 윤리적인 영향력은 약화되었다. 그 문화에 있어서 미국과 서구는 기독교로부터 점점 멀어져가고 있는 것이다."[8]

지금 필자가 언급하는 바과 같이 복음주의 교회가 많은 문제점을 가지고 있다는 것을 증명해 보일 수는 없다. 하지만 필자는 엘톤 투루블러드(Elton Trueblood), 도날드 블로쉬(Donald Bloesch), 조지 바나(George Barna), 오스 귀네스(Os Guinness), 프란시스 쉐이퍼(Francis Schaeffer), 하워드 스나이더(Howard Snyder), 케네스 캔처(Kenneth Kantzer), 또한 그 외의 사람들과도 의견을 같이한다. 몇년 전, 필자는 빌리 그래함(Billy Graham)으로부터 모든 그리스도인들 중 95%에 해당하는 이들이 패배적인 삶을 살고 있다는 얘기를 들었다. 그 당시에는 그렇게 높은 숫자에 대해 의심쩍었지만, 지금은 아니다. 기독교가 지닌 병에 대해 무엇인가 행해져야만 하며 또한 그

치료책은 분명하다고 생각한다. 그것은 바로 성도의 질을 높여야 한다는 것이다. 이는 즉, 그리스도를 위해 이 세상을 변화시키는 건강한, 재생산을 하는 성도들을 생산해야 하는 것을 의미한다. 이 책은 바로 이 재생산의 사역을 어떻게 하는가에 대한 내용이다.

목회자들이 밝힌 요망 사항들

목회자들은 올바르게 행하기 원한다. 필자가 아는 어떤 목회자도 건강한 그리스도인을 생산하지 않으려는 이는 없다. 그들 모두 복음주의 교회에 재활성화가 필요하다는 이 책의 주제에 동의한다. 그들은 제자를 삼기 원하고 지상명령이 완수되도록 돕기 원하지만 그들 중 많은 사람이 어떻게 해야 하는지를 모르고 있다. 이 사실에 필자도 놀랐다. 필자는 처음에 제자를 삼기 위한 교회의 구조는 어떤 것인가에 대해서 그다지 가르칠 필요는 없다고 생각했다.

종종 우리 목회자들은 강연회와 서적과 또 다른 전문적인 도움들에 대해서 염증을 일으키는데 그 이유는 우리가 교회를 바라보는 것이 "성공적"이라는 협소한 렌즈를 통해 보기 때문이다. 우리는 전도에 관한 주요 성공 사례를 연구하고는 교회가 매우 바람직한 형편에 있다고 결론짓는다. "저기 모든 성공적인 교회들을 보라. 그 교회들은 제자 삼는 사역에 대한 방침이 없지만 교인들이 더 많고 여러 선교사들을 파송하며 모든 집단들을 위한 대단한 사회 복지 프로그램들이 있다"라고 말이다. 그러나 이와 같은 견해는 커다란 맹점을 안고 있다. 왜냐하면 교회를 "성공적"이라는 시선으로 바라볼 때 우리는 전체 교회의 단지 5%만을 보기 때문이다.

확실히 밝혀두지만 필자는 그 5%를 겨냥하지 않는다. 다재다능하고 창조적인 대기업가적 목회자들이 그 5%를 점유하고 있다. 그들은 매우 효과적이고 하나님께서는 그들을 대중사역에 크게 쓰시며, 또 그들은 다른 목회자들에게 그들의 사역 현장에서 도울 수 있는 여러 가지 원리와 힌트를 제공할 수도 있다. 그러나 그들은 본보기로서 도움을 주기보다는 오히려 해를 끼친다. 대부분의 목회자들은 그 5%의 사역자들에 대해 듣거나 알 기회가 전혀 없었더라면 더 좋았을 것이다.

그 5%는 평범한 목회자의 사역을 위협하는 비현실적이고, 실현 불가능하며, 죄책감을 유발시키는 모델을 목회자에게 보여주는 것이다. 그러한 압박은 많은 이들을 파멸시켰다. 물론 그 5%의 사역을 비난하는 대신 오히려 우리는 그들로 인해 하나님께 감사해야 할 것이다. 본인은 그 5%의 사역자들도 이 책의 추구하는 바를 받아들이기 원하지만 그들은 필자가 겨냥하는 사람들은 아니다. 필자의 메시지는 건강하고 효과적인 교회를 건축하기 원하는 95%의 목회자들을 위한 것이다. 본인은 평범한 사역자들이 충분히 수행할 수 있는 단순명료한 명제를 제시한다.

그 상위 5% 중에서 도움을 애타게 기다리는 목회자들은 드물 것이다. 그러나, 95% 내에서는 도움이 될 만한 교재를 소화시킬 준비가 되어있는 굶주린 군사 같은 목회자들이 있다. 이러한 발언은 본인이 접해본 목회자들의 이야기에 그 기반을 둔 것이다. 필자의 첫번째 책인 "제자사역자-예수 그리스도" (*Jesus Christ, Disciple Maker*)가 출판된 이래 관심있는 목회자들의 전화, 편지, 방문 등이 있었는데, 그들의 얘기는 대략, "당신이 얘기하는 것에는 공감하지만 어떻게 그런 생각을 교회에 시도할 수 있는가?" 하는 것이었다. 총회 후에 나누는 대화나 교단 지도자들과의 대화 후에도 또다시 이러한 의견 - "이것이 우리가 원하는 사역인 것에 동의한다. 하지만 어떻게 해야 하는가?" - 이 등장하곤 했다. 그들의 요망과 그들이 알고 있는 실행 지식간에는 큰 차이가 있음을 발견했고 이 사실이 필자가 다음과 같은 세 가지를 시행하는 동기가 되었다.

첫번째 한 일은 교회를 개척한 것이다. 1984년 6월, 기존의 교회를 떠나 샌디에이고에서 새로운 교회를 시작했다. 그 동기는 교회 심장부에 제자 삼는 사역을 자리잡게 하기 위한 것이었다. 이 작업에는 세 가지가 요구된다.

1. 목회자는 제자 삼는 사역에 대한 확고부동한 신념을 소유해야 하며 강단을 통해 제자 사역이 교회의 가장 최우선이라는 점을 선포해야 한다.
2. 그 사역에 대한 이념과 목표는 교회 문서를 통해 진행되어야 하며 성공 여부를 측정하는 기준으로서 교회 헌법에 들어 있어야 한다.
3. 제자 삼는 사역 이념은 교회 지도층에서 그 본보기가 행해져야 한다. 목회자와 교회 지도자들 자신이 먼저 효과적인 제자 삼는 사역자들이 되어야 한다.

필자는 이러한 원리들이 사역의 맨 처음부터 지켜지기를 원했다. 하나님께서는 이 원리들 위에 풍족한 복을 내리시는데 이것은 바로 이 원리들이 하나님의 원리인 까닭이다. 현재, 그 교회는 건강하고, 성장하고 있으며, 많은 훌륭한 프로그램을 진행하고 있다. 교회를 시작하는 일로부터 두번째 사업이 탄생했다.

두번째 사업이란, 다른 목회자들을 모집하고 더 많은 교회를 세우는 것이었다. 그러한 교회들을 세우는 데 있어서 새로운 교회들을 개척하는 것처럼 하지는 않았다. 필자는 교회들 - 제자 사역에 대해 같은 철학을 나누고, 재생산하며, 사역을 통한 건강한 제자와 모든 천하에 자신들을 배가시키는 - 을 원했다. 그리하여 우리는 우리 생각에 동조하는 사람들을 적극적으로 모집했다. 그들은 재정적인 지원을 확보하고는 우리가 있는 샌디에이고로 합류했다. 즉시 안 사실은 이들도 다른 목회자들과 마찬가지로 우리의 생각에는 동의는 하지만 어떻게 그 사역을 실천하는가에 대해서는 알지 못하고 있다는 사실이었다. 그들도 필자가 편지나 전화 등을 통해 받았던 동일한 질문을 하는 것이었다.

그 결과 우리는 목회자들의 현장실습을 위한 기관을 설립하게 되었다. 그 지역의 기존 목회자들과 새로 모집한 사람들, 이렇게 열 명으로 시작하게 되었고, 훈련 분위기는 역동적이며 도전적이었다. 또한 현재 목회를 하고 있는 목회자들을 가르친다는 것은 필자가 지닌 모든 능력, 아니 그 이상을 요구하는 일이었다. 제자 삼는 사역에 대한 이념을 개발하는 데 이 훈련에 참가한 사람들로부터 헤아릴 수 없는 많은 도움을 받았다. 조만간 우리는 이 훈련기관의 개념을 다른 지역에서의 제자 사역 촉진을 위해 전파하기 원한다.

그 훈련은 목회자들에게 매우 효과가 있어서 그 세번째 사업이 불가피하게 되었다. 독자들은 지금 그 세번째 단계인 이 책을 읽고 있는 것이다. 이 책의 목표는 목회자들에게 사역의 철학적 기반과 각자 속해 있는 교회에 제자 삼는 사역을 실행할 수 있는 모델을 제공하는 것이다. 이것만이 유일한 제자 삼는 사역 방법이라는 것이 아니라 단지 우리가 행한 방법을 말하는 것이다.

필자는 예수님께서 행하신 훈련 방법들을 중심으로 그 모델을 구성했다. 이 책의 제9장 "지교회에서의 제자 삼기 성취법"은 예수님의 훈련 방법들을 적용하기 위한 네 단계 훈련 계획으로 독자들을 차근차근 인도할 것이다. 여기에 대한 보충 설명은 필자의 첫번째 책인 "제자사역자 - 예수 그리스도"(가제)에서 발견할 수 있을 것이다. 이 네 단계 훈련 계획은 그리스도께서 행하신 훈련의 주된 단계들이 대부분 교회에 기존해 있는 전형적인 구조와 어떻게 조화하며 작용할 수 있는지를 보여준다. 교회에서 어떻게 제자 훈련을 하는가를 다른 사람들에게 가르친 경험은 필자에게 두 가지 - 목회자는 사역 철학의 체계와 그 체계에 대한 확고부동한 신념이 반드시 있어야 한다는 것과, 그 체계를 실행하기 위한 모델, 치밀한 사업, 수단 등이 필요하다는 것 - 를 보여주었다.

필자가 확고히 믿는 바는 제자 삼는 사역이 지교회의 심장부가 되기를 하나님께서 원하신다는 사실이다. 필자가 겪은 목회자들과의 경험은 대부분의 목회자들이 여기에 동의한다는 것을 실증한다. 본인의 가르침은 세상적인 개념에서의 성공적인 교회를 건설한다거나 목회자들에게 대형교회를 안겨주기를 보장하는 모델을 제시하는 것이 아니다. 사실 필자는 제자 사역을 시작하는 단계에 있어서는 오히려 교회의 숫적 성장이 저하되리라는 타당한 이유를 가지고 있다. 필자는 하나님의 백성과 하나님의 교회에서 하나님이 중요시하는 원리들을 지금 제시하고 있는 것이며, 교회가 이러한 원리들을 우선순위에 놓고 목회자들이 제자 삼는 자라는 맡겨진 역할을 부활시킬 때 교회는 건강해지고 하나님께 영광을 돌리게 되리라고 제안하는 것이다. 그러기에 필자는 건강한 그리스도인들과 재생산을 하는 역동적이고 순종하는 교회를 갈망하는 95%의 목회자들을 향하여 발언한다.

제자 삼기를 교회 심장부에 자리잡게 하는 데에는 두 가지 주목해야만 하는 이유들이 있다. 첫째, 그 필요성은 교회의 상태에서 알 수 있는데, 교회의 나약함은 그에 대한 교정 행위를 필요로 한다. 둘째, 목회자들이 그런 교정 행위와 교회 심장부에 제자 삼기를 자리잡게 하기 원한다는 사실을 강력하게 표현해 온 점이다. 목회자들이 그 방법들에 대한 모델을 요청하고 있고 바로 이 책은 이 두 가지를 제공하기 원한다. 그러나, 이제 우리가 돌입하기에 앞서서 방해가 되는 요소들을 살펴보기로 하자.

제 2 장

갈등

"너희 중에 누가 망대를 세우고자 할진대 자기의 가진 것이 준공하기까지에 족할는지 먼저 앉아 그 비용을 예산하지 아니하겠느냐 그렇게 아니하여 그 기초만 쌓고 능히 이루지 못하면 보는 자가 다 비웃어 가로되 이 사람이 역사를 시작하고 능히 이루지 못하였다 하리라"

누 14:28-30

제자 삼는 사역은 교회의 그 어떤 사역보다도 더 큰 믿음을 요구한다. 이 사역은 하나님에게 있어 최우선적인 것이기에 사단도 이 사역에 최우선적인 관심을 두는 것이다. 하나님의 종으로서 감당하는 그 어떤 사역도 제자 삼는 사역보다 더 많은 반발을 받는 것은 없다.

이 누가복음 14:28-30의 말씀이 제자 삼는 목회자들에게 취임 계약서가 되는 이유이다. 거의 대부분의 사람들이 마무리를 짓기 전에 그만두고 싶은 유혹을 받는다. 예수께서는 마무리를 짓지 않으려거든 시작조차 하지 말라고 말씀하셨다. 예수님 사역의 본질은 장기적인 사역을 요구한다. 그러므로 우리의 대적은 제자 삼는 목회자들이 가지고 있는 성급함과 즉각적인 결과라는 치명적인 약점을 강타하는 것이다. 비용을 예산하라는 경고는 실망에 대비한 강장제요 사역을 계속 진행시키는 이유이기도 하다. 그러나 전갈처럼, 사역은 그 끝에 침을 가지고 있다. 제자 삼는 사역을 시작하기 전에 비용을 예산하라. 그리고 마무리를 짓겠다는 각오 없이는 시작조차 하지 말라. 왜냐하면 도중에 흐지부지해지면 조소라는 침에 쏘일 것이기 때문이다. 대부분의 연구에 의하면 평균적인 목회 기간은 약 3년 내지 4년 정도라고 한다. 참으로 많이 시작하나 극소수만이 끝맺음을 하는 사실을 감안해 보면 사역의 결과인 성도가 연약한 것이 그다지 놀랄 만한 일도 아니다. 시작은 있지만 마무리가 없는 기묘함이 제자 삼는 사역자들을 항상 따라다니며 괴롭히는데 그것은 오직 마무리된 사역만이 측정 가능하기 때문이다.

제자 삼는 사역의 특성들은 의도적이고, 측정이 가능하며, 명확하게 전달되는 것이다. 사역을 통한 결실은 그 사역이 무르익었을 때, 즉 적어도 5년은 지난 다음에야 알 수 있다. 연구 결과에 의하면 가장 생산적인 목회 연도는 4년에서 7년 사이인 것으로 밝혀졌다. 제자 삼는 일은 더 오랜 시간을 요구하고, 결과는 더디게 나타나며, 사역의 유효성은 장기적인 작업을 요구한다.

많은 영향력들이 제자 삼는 사역에 불리하게 작용한다. 이론적으로는 제자 삼는 사역이 인기를 끈다. 왜냐하면 그 사역은 하나님께 영광을 돌리는 양질의 소산을 약속하기 때문이다. 그러나, 실제로 현대 문명 속의 목회자들에게는 어려운 시간과, 헌신과, 인내를 요구하는 것이다. 여기에서는 제자 삼는 사역을 교회 심장부에 자리잡게 하는 일을 방해하는 갈등들에 대해서 살펴보고자 한다. 그와 더불어 왜 제자 삼는 목회자가 자신의 사역에 완전히 헌신해야 하는지를 밝힐 것이다.

제자 삼는 목회자가 되는 일은 교회의 사역 중 가장 어려운 일인 것이다.

자유주의적인 교회

"자유주의 신학은 신학교에서 시작되었고, 교파의 지도자 계층을 파고들었으며, 그 다음으로 목회자들 그리고 드디어는 성도들에게까지 파급되었다."[1]

자유주의적인 교회는 자유주의 신학의 소산물이다. 맨 먼저 성경에 근거한 절대적 진리를 파괴하고는 합리주의적이고 인본주의적인 기반을 남겼다. 그러한 표류적인 기반을 가진 다원론적 성격은 복음전도를 사회문제를 다루는 것으로 재차 정의를 내리고, 가난, 기아, 인종차별 등등 하여 그 계통의 원인들을 해결하려 했다.

명백한 증거를 무시한 채, 현대 자유주의는 인간의 본성은 선하다고 외치면서, 보다 나은 환경과 진화의 진전은 더 개선된 삶으로 인도할 것이라고 주장한다. 상식적으로도 이것이 사실이 아님은 분명하다.

자유주의적 교회는 세상에 변화를 가져오기 원했고 그 일을 위한 열쇠는 바로 자신들이 직접 사회문제들에 대해 발언하는 것이라고 그릇 판단하고는 무기 협상, 시민의 권리, 가난과 세계 기아와의 투쟁 등에 저돌적으로 빠져들어갔다. 그것들이 매우 실제적인 문제들이고, 타당한 것들이었던 반면, 그들은 그 문제들에 거꾸로 접근해 갔다. 즉, 그들은 교회의 내적이며 근본적인 성서적 문제에 앞서 교회의 외적인 사업에 그 우선순위를 두었던 것이다.

1966년 세계교회협의회(World Council of Churches)는, "교회가 교회이도록"이라는 표어를 채택했다. 이 훌륭한 표어가 의미하는 바는 무엇이었는가? 이 표어가 뜻하는 바는 결국 1986년에 협의회가 수정한 내용처럼, "세상이 교회를 위한 안건을 세운다"는 것이다. 교회를 교회되게 하자는 훌륭한 표어는 결국 세상이 교회를 위한 안건을 세운다는 표어로 변질, 수정된 것이나 다름없다. 이 터무니없는 표어는 자유주의 교회의 타락과 쇠퇴를 보여준다.

교회가 세상을 변화시키고자 하면 할수록, 세상이 교회를 변화시킨다는 사실을 자유주의 교회에서는 잊었던 것이다. 교회가 세상 속에는 있어야 하지만, 그 세상에 속한 것은 아니다. 교회는 배에 비유될 수 있다. 배는 물 가운데 있어야 하지만 물이 배 안에 있어야 하는 것은 아니다. 자유주의적인 교회는 너무 많은 물을 그 안에 담는 양상을 보였고 그들의 배가 가라앉고 있음을 알아차렸을 때에는 이미 그 물을 퍼낼 만한 충분한 인원과 양동이가 없었다.

자유주의적 교회들의 실수를 타산지석으로 삼자. 교회가 교회다울수록 세상에 최선의 영향을 끼칠 수 있는 것이다. 리처드 뉴하우스(Richard Neuhaus)는 자유주의자들이 무시했던, 교회에 필요한 요소에 대해 다음과 같이 말한다. "교회가 세상에 영향을 끼치게 되는 열쇠는 교회가 가지는 하나님과의 깊은 교제이다."[2] 하나님과의 깊은 교제야말로 교회가 교회다울 수 있는 그 모든 것이다. 교회가 세상을 변화시키지 못했던 것은 세상과, 육신과, 마귀와의 교전(warfare) 때문이 아니다. 책임은 복음주의자들에게도 있는데, 그것은 그들이 건강한 성도를 생산해 내는 일을 실패했기 때문이다. 자유주의적 교회가 성서의 절대 명령인 제자 삼기와 세계의 복음화를 삭제해 버렸던 반면에 복음주의 교회들은 나태함과 교회의 바쁜 업무와 "싸구려 기독교", 즉 약속은 많이 하고 아주 조금만 요구하는 식으로 그 명령에 불순종했던 것이다.

자유주의 교회들에 있어서 제자 삼는 사역은 복음주의 교회에는 없는 특수한 문제점들을 지닌다. 복음주의 교회의 논쟁점은 전도나 성경공부나 세계 복음화가 행해져야 하는가 마는가의 문제가 아니라, 이런 것들을 수행하기 위해서 어떤 방법들이 사용되어야 하는가 하는 점이다. 자유주의 교회에서는 이런 것들이 행해져야 하는가 아닌가 하는 문제를 놓고 전쟁을 한다. 이런 교회에서 제자 삼는 사역을 하는 목회자는 신학적인 면과 방법적인 면에서 싸움을 치르게 된다.

자유주의 교회에서 치르게 되는 대가는 매우 크다. 존재 목적이 흔들리는 단체는 지상명령을 순종하기에 가장 어려운 곳이다. 어느 누구건 간에 이 사역의 모험을 시작하는 사람은 거기에 드는 대가를 신중하게 고려하고 위험을 감수하며 사역에 착수해야 한다.

제자도에 대한 잘못된 생각들

제자도가 복음주의적 유행어처럼 되어 버렸다. 대부분의 사람들은 제자도를 그리스도에 관하여 진지해지는 것 정도로 생각한다. 그러나 많은 이들은 진지해진다는 의미에 대한 자신들의 이해로 말미암아 제자도를 꺼려한다. 그들은 제자도를 성경암송과 반나절에 걸친 기도, 분석적인 성경공부와 각 가정 방문 전도, 그리고 삶의 즐거움을 버려야 하는 매우 협소한, 그리고 일률적인 생활로만 여긴다. 계속해서 그들이 주장하는 것은, 그러한 엘리트 의식은 선교단체의 사역으로서는 훌륭한 것이지만 평신도들에게는 실제적이 아니라는 것이다.

그러한 잘못된 생각을 치유하기 위해서 성서적인 제자의 자격요건을 제시한다(3장을 참고하라). 이 제자의 자격요건은 다름아닌 긍정적이고 창조성이 충만한 삶인 것이다. 이것은 그리스도인이라면 어떤 기본 원리를 숙지해야 하는지를 분명하게 전달한다. 이런 점들이 제자리를 잡으면 이제 제자에게 연관된 영적 은사들과 생활 환경과 여러 가지 상세한 점들이 등장하게 된다. 하나님께서는 모든 그리스도인들이 제자가 되기 원하신다는 사실에 대한 확실한 선언이 이 장애물을 극복하는 데 있어서 필수적이다. 확실한 제자의 자격요건과 함께 이 선언은 장애물을 극복하게 해줄 것이다.

후에 더욱 상세히 논의할 다른 잘못된 생각들이란 제자도를 단지 기술을 습득하는 훈련이나 교회의 한 가지 프로그램, 또는 오직 젊고 활기찬 사람들을 위한 것으로 여기는 것이다. 사람들은 "목회자나 선교사나 전담 교역자가 되기 원한다면 제자도가 필요하다"고 말한다. 모든 제자 삼는 목회자는 이러한 오래된 기묘한 관점과 마주치게 된다.

미약하고 비전문적인 지도력

비록 반갑게도 다수의 예외가 있고 필자도 독자들이 자신들의 교회 지도력은 강하다고 자신있게 말할 수 있기를 바라지만, 일반적으로 복음주의의 지도층은 불구자와 같다. 좋은 평신도 지도자가 부족하다. 삶의 현장에서 결실을 맺는 신도들이 드물다. 제자인 동시에 또한 제자를 삼는 지도자들, 그리고 자신들이 속한 곳에서 왕성하게 성장하는 자들에게 모범이 되어주는, 자신들을 재생산하는 남녀들이 부족하다. 그리고 바로 이러한 사실들이 지교회를 연약하게 만드는 것이다.

이 점에 있어서 목회자는 지도자적 위치에 있는 사실상 자격 미달인 사람들과 함께 일을 해야 하는 장벽에 부딪치게 된다. 많은 경우, 하나님과 동행하지 않는 지도자들이 목회자에게 어떻게 교회의 시간을 사용할 것이며 어떻게 일할 것인가에 대해 얘기한다. 그들은 기도나 성경묵상, 성경공부 또는 성구암송 등을 하지도 않는다. 그들 중 많은 이들은 단 한 사람에게조차 예수님을 소개한 일이 없다. 세상 구원을 목적으로 삼는 단체를 인도하는 자들로서 어떻게 단 한 사람도 그리스도 앞으로 인도하지 않는가 하는 것이 교회가 가진 수수께끼인 것이다. 이러한 표리부동함은 심지어 실업계에서도 존재할 수 없는 것들이다. 게다가 그런 지도자들은 훈련이나 재생산이나 배가생산에 대한 아무런 지식 및 경험이 없다. 이러한 병리가 지역교회를 지배하고 있다는 사실은 비극이다. 경건치 않은 자가 경건한 자들을 명령하는 것은 제도화된 교회의 커다란 죄악 중 하나이다.

제자 삼는 목회자는 제자 삼는 사역을 교회 심장부에 자리잡게 하는 일에 전념한다. 이 일은 세 가지를 요구한다.

1. 제자 삼는 사역을 강단에서 선포하며, 하나님께서 명하신 "해야 할 일"의 목록 중 최우선에 자리잡게 하라.
2. 교회 문서에 발간하고 교회 건강의 평가치로 사용할 수 있는 측정이 가능하고 문서화된 목표들을 설정하라.
3. 지도층에서 먼저 제자 삼는 사역의 본을 보이라. 이것은 지도자들을 가르치고 지도자들 자신이 제자 삼는 사역자가 될 것을 요구함을 의미한다.

이것은 상당한 요구이며, 특히 기존의 교회에 있어서 더욱 그렇다.

목회자는 교회의 지도층이 배우는 것이 개방적인지 아닌지 알지 못한다. 그들의 심령은 책임감을 갖는 것과 성경공부, 기도, 전도 등에 관한 기술을 배우는 데 순순히 응하는가? 교회 지도력의 전체적인 회복은 "피비린내 나는 전장"이다. 제자 삼는 목회자는 반대에 부딪칠 것이고 영적인 전쟁이 일어날 것이다.

어떤 경우, 목회자는 그 교회 지도자들의 제자도에 관한 진정한 태도를 알 수가 없는데 이는 그들이 그들 스스로를 알지 못하기 때문이다. 어떤 목회자가 제자 삼는 사역에 대한 이념을 가지고 한 교회에 부임하게 되었다. 교회의 인선위원회는 그들 교회의 성도들이 사역을 위한 훈련을 받아야 하는 단계라고 인식하고는 자신들의 생각과 기가 막히게 어울리는 듯한 생각을 가진 사람을 불렀던 것이다. 그러나 그 목회자가 제자도를 위한 모임을 시작했을 때, 그들 중 아무도 거기에 참석하지 않았다. 그 지도층의 사람들은 자신들에 대해 생각하기를 이미 그들은 책임감이 있고 하나님을 경외하는 지도자들이므로 자신들을 제외한 다른 교인들만이 그런 제자도가 필요하다고 여겼던 것이다. 이 기존의 지도자들은 이러한 제자도 모임으로부터 부상하는 새롭고 영적인 지도력에 대해 의식하기 이전까지는 만사가 순조로웠다. 그러나 이제 권력 다툼이 시작되었고 편애와 파벌에 대한 비난이 뒤따랐다. 새로운 지도력이 기존 세력을 전복시키기 위해 무슨 꿍꿍이가 있지 않을

까 해서 "첩자들"을 성경공부반에 불쑥 집어넣기도 했다. 제자들이 교회에서 시작하는 새로운 방향들을 바꾸지 못하는 기존의 지도층은 비켜나든가, 아니면 이 제자도의 모임에 참여하든가, 또 그렇지 않으면 싸우게 될 것이다.

목회자는 기존 지도층의 품위를 손상시키지 않고, 교회가 분열되지 않게 하면서 그들의 인격을 회복시킬 수 있다. 회중들에게 절대로 그들의 지도자들이 자격 부족이라거나, 그들의 품위를 손상시키는 언사는 삼가라. 현재 지도자들은 새로운, 더 좋은 자격을 갖춘 지도자들로 구성되었다고 하지 말라. 해결책은 그들을 사랑하고 그들에게 하나님의 말씀을 가르치며 하나님께서 그분의 일을 이루시도록 하는 것이다.

여기에 있어서 중요한 것은 문제의 존재성을 인정하는 일과 이 어려운 문제를 결단과 지혜로써 직면하는 것이다. 교회 개척은 온전한 자격이 갖추어진 지도자들과 함께 시작할 수 있다. 필자는 교회를 시작했을 때 오직 사역 이념과 기술에 있어서 자격을 갖춘 자들만으로 첫 번째 목회단(지도 및 감독하는 장로들을 일컫는 직함 - 역자주)을 모집했다. 기존 교회에서는 그러한 과정이 여러 해가 걸릴 것이다. 장기간 체류할 준비를 하라.

교회들은 지상명령을 진지하게 실행하지 않았다

얼마나 많은 교회 제직회들이 그들의 지상명령에 대해 관계를 가지고 고민하는가? 아니 심지어는 얼마나 되는 제직회들이 지상명령에 대해 의논이라도 하는가? 그들은 지상명령에 대해 이해하고 있는가? 그들이 지상명령을 분명히 말할 수 있는가? 지상명령이 무엇이고 성경 어디에 있는지도 알고 있는가? 지교회 지도자들이 그 명령을 준행하기 위해 얼마나 심사 숙고하고, 계획을 세우는 데 그들의 시간을 할애하는가? 필자가 교회 제직회를 언급하는 이유는 바로 그들이 교회의 방향과 활동을 지시하기 때문이다.

만약 교회의 지도층이 교회 "살림살이"에 관한 문제들에 쏟는 시간과 정력만큼 지상명령을 고찰하고 그 실행에 헌신한다면 그 교회는 원기왕성하고 효과적인 교회가 될 것이다. 대부분의 교회 제직회는 95%의 시간을 교회 내의 "살림살이"에 소비하는데, 사실 이런 일들 중 많은 것들은 지도층의 개입이 불필요한 일들이다. 재정문서들을 분석하고 교회 건물과 부지 등을 숙고하며, 교회 헌법을 암송하고, 다음 총회에서 어떻게 자신의 실수를 감출 것인가에 대해 계략을 짜는 것들이 "교회교"(진정한 기독교가 변질된 상태를 비꼬아 교회교라고 칭함 - 역자주)의 가장 중요한 주제들인 것이다.

그런데 아이러니인 것은 그런 무의미한 일에 관련하는 당사자들 스스로도 그 일에 대해 무척이나 싫어한다는 사실이다. 회의에 참석하는 일조차도 싫어하는데, 그 이유는 그들이 지도층에 가담했을 때에는 무언가 참으로 중요한 일을 하게 되리라고 생각했지만 그렇지 않은 사실에 실망하고서는 그 일이 지루해지고 무미건조해진 것이다.

보통 교회 지도자들이 지상명령을 심각하게 받아들이지 않는 것은 그들이 지상명령에 대해 제대로 배우지 못했기 때문이다. 그들도 여러 차례에 걸쳐서, 가서 복음을 전하라는 명령에 대해 들었고, 세계 복음화의 중요성에 대해서도 의문을 품지 않지만, 그것이 과연 그들에게도 적용된다는 것을 알지 못한다. 그들은 교회 선교에 지상명령을 거의 완벽하게 적용해 왔다. 선교 위원회가 선교 계획에 예산을 편성하도록 허락함으로써 그들은 지상명령을 온전히 행하고 있다고 믿는다.

또한 선교 대회에 엄청난 비용을 사용하도록 허가해 줌으로써 지상명령을 이루는 데 도움을 준다고 생각한다. 물론 이런 일들도 세계 선교에 있어서 매우 중요하고 활기를 주는 일이다. 하지만 사실 그들은 지상명령을 진지하게 실행하고 있지 않았다. 왜냐하면 그들 자신의 삶과 사업 속에 그 사명을 적용시키지 않았기 때문이다. 물론 약간의 전도 훈련을 포함한 방문 프로그램이 있기는 하다. 그와 더불어, 그들은 목회자가 매주일 아침 설교에서 구원의 메시지를 선포하여 구원의 역사가 있기를 당부하기도 한다.

지상명령을 진지하게 실행한다는 의미는 교회 지도자들 스스로가 전도자라는 뜻이다. 그들은 자신들의 믿음을 나누며 제자를 삼는다. 사실, 그들은 오직 제자 삼는 사역자들로서 그들이 봉사한 연수로 인하여 지도자들로 고려되었다. 그들의 주된 사역은 지금도 여전히 제자 삼는 사역이다. 그들은 교회 심장부에 제자 삼는 사역을 세웠고, 그 사역의 진정한 가치를 전달하는 가장 중요한 일인 본보기가 되었다.

지상명령을 진지하게 실행할 때 고려해야 할 것은 배가생산을 향한 교회 지도력의 의도적인 지도인데, 그것은 사람이 중생한 후 훈련된 제자 삼는 자가 되기까지의 과정이어야 한다. 이 과정이야말로 지도자들의 시간과 창조적인 에너지의 대부분을 차지해야 한다. 지도자들은 실제로 제자 삼는 사역에 관해 지도력을 발휘해야 한다. 지상명령을 진지하게 받아들인다는 것은 교회 지도자들이 그들의 대부분의 시간과 노력을 그 사역에 둔다는 것을 의미한다.

교회의 통상적인 지도력은 현상유지(보존) 위원회의 역할만을 할 뿐이다. 그렇기 때문에, 그들이 가지고 있는 자신들의 역할에 대한 이해라든지, 훈련 및 교회에 대한 개념 등에 관한 인식은 제자 삼는 목회자에게 심각한 도전이 될 것이다. 제자 삼는 목회자의 사명은 교회 지도층이 지상명령을 진지하게 실행하도록 설득시키는 일이다. 그것이 그리스도께 순종하고 결실을 맺는 사역의 시작이 될 것이다.

교권주의

전문 직업인 같은 목회자는 교회의 건강에 치명적인 위협이 된다. 토니 월터즈(Tony Walters)는 "목회자나, 교역자나, 사제의 지배 아래 있는 교회가 그 어려움으로부터 벗어날 수 있는 기회는 아이가 엄마의 지배에서 벗어나거나, 의료기관이 의사로부터 벗어나거나, 경제가 대중 소비시장으로부터 벗어나게 되는 기회보다도 적다"[3]고 기술한다.

성도들이 전문적으로 훈련받은 목회자에게 사례한다는 것이 위험하다는 말이 아니다. 전문적인 목회자와 평신도간의 기능적인 면에도 당연히 차이가 있는 것이고, 또한 목회자와 교역자간의 간격도 전혀 이상한 것이 아니다. 목회자는 전문적인 훈련을 받은 교회의 지도자로서 평신도나 교역자가 그리스도를 섬기는 역할을 다하도록 그들을 훈련시킨다. 간단히 말해서, 목회자가 교회의 성도들로 하여금 봉사하도록 지도하는 일은 전혀 잘못된 것이 아니다. 목회자는 그런 일을 하도록 훈련받았고, 또한 그것이 그의 직무인 것이다. 그러한 적법적인 구분은 항상 있을 것이다.

하지만 빈번하게 거론되는 성직자와 평신도간의 간격은 정돈되어야 할 필요가 있다. 교권주의란 전문적인 성직자만이 사역하도록 하는 것이다. 비록 성도들이 그들의 사역을 감당하도록 목회자가 준비시킨다는 가르침은 널리 퍼져 있고 또 잘 알려져 있지만 실제로는 매우 드물게 실행되고 있다. 목회자라면 누구나 다음 세 가지를 해야만 한다는 기대가 여전히 존재한다.

1. 목회자는 설교를 준비하고 선포한다. 이 기대는 바람직한 것이고 또한 성서적인 기반에 입각한 것이다.
2. 목회자는 경영자의 역할도 담당해야 한다. 이것은 목회자가 교회의 주된 행정가로서의 역할을 한다는 기대를 포함한다. 목회자는 교회의 기능을 유지하고 운영한다. 지도자적 역할과 행정가적 역할간에는 밀접한 관계가 있는 반면, 너무도 많은 경우, 교회는 비현실적으로 신학자인 동시에 기업 경영인인 목회자를 요구한다.
3. 목회자는 그 양무리를 돌보아야 한다. 이는 병원 및 가정심방, 상담, 그리고 결혼식과 장례식을 주관할 것을 요구한다. 또한, 목회자는 여러 일들, 즉 위원회 모임이나 모금행사나 청소년들의 피자 파티(서로간

의 친교를 위한 비공식적인 사교 모임 - 역자주) 등등에 참석한다.

목회자는 설교를 하고, 행정도 담당하며, 심방과 성도를 돌보는 일과 상담을 한다.

위에 나열된 기대사항 중의 몇몇은 성서에 그 뿌리를 둔 반면, 대부분은 그렇지 않다. 여기에서의 문제점은 바로 목회자를 만능인으로 인식하는 점이다. 목회자는 목회를 해야 한다. 위에서 열거된 목회자에 대한 기대들은 진정 목회자가 해야 할 일인, 하나님의 백성들이 그들의 사역을 잘 감당하도록 준비시키는 일을 수행할 조금의 여유도 허락하지 않는다. 과다한 기대들에 의해, 제자 삼는 사역에 대한 명령이나 시간이 없어지는 것이다.

해결책은 있다(4장을 참고하라). 그러나, 그 장애물들은 부동적으로 버티고 있다는 것을 잊어서는 안된다. 필자가 할 수 있는 최선의 조언은 교회 인선위원회에 당신의 우선순위를 확실히 밝히라는 것이다. 그들에게 하나님께서 주신 당신의 과제를 말하라. 또한 그들이 이러한 점들에 대해 어떤 것을 요구하는지 그들 자신의 말로써 설명해 줄 것을 요구하라. 만일 서로 가진 생각이 너무 다르거나 서로가 양보할 수 없는 경우라면 떠나라.

극단적인 교회체제

영성이 부족하고 순종하지 않는 이들이 교회의 방향을 지시하는 것을 허용하는 교회조직은 잘못된 것이다. 이성적인 사람이라면 이 말에 동의할 것이다. 그러나 사실 이런 일이 종종 일어난다. 즉 영적이지도 않으며, 불순종하는 자들이 거들먹거리는 지도자의 위치에서 교회의 방향을 지시한다. 이에 대한 두 가지의 극단적인 형태가 있을 수 있다.

첫째, 의사 결정권이 소수에게 있을 수 있다. 이 자체는 위험스러운 것이 아니다. 사실, 능력과 인격을 갖춘 소수의 사람들이 교회를 이끌어 갈 때, 그 조직은 더욱 잘 운영된다. 위험한 것은, 그 소수에 대한 견제나 책임을 묻는 일이 없을 때에 발생한다. 만일 그 소수가 온전치 못한 경우, 그리고 그들의 직분이 종신직일 경우, 그 교회는 상처를 입을 수 있는 것이다.

둘째, 더 흔한 경우인데, 극단적인 다수의 사람들이 많은 결정에 관여하는 예이다. 이것은 교회에 다툼을 일게 하는 요인이다. 영적인 지도자들이 결정해야 할 것들을 부적합한 자들이 결정할 때, 하나님께서 인도하시는 방향이 아닌 쪽으로 교회를 이끄는, 잘못된 많은 결정들을 내리게 된다. 그러한 체제는 "온전한 자격을 갖춘 성도"로서 갖추어야 할 자격요건들을 줄이고, 오히려 성경에 무식하고 자기 고집이 강하고, 호전적이며, 당파색이 짙은 자들을 좋은 자격 소지자로 만든다. 자격이 부족한 자들이 복잡한 영적 문제들을 다루기 시작할 때, 비극을 초래하게 된다. 사람들이 좋아하는 민주주의와, 탄원과, 전 교인회의에서의 예상 밖의 제안들과, 힘의 정책 등등을 더해 보라. 그러면 전 교인회의에서 인선위원회의 위원들을 임명할 수도 있는 체계가 되어버린다. 종종 이러한 자격미달인 사람들이 차례로 교회의 지도자들을 선택한다. 지도자들을 선출하던 기존의 방법들 중 가장 터무니없는 수단인 이러한 방법은 교회를 지도하는 일이 거의 불가능하게까지도 만든다.

그런 상황 속에서 제자를 삼는다는 것은 어려운 일이며, 최악의 상태가 되면, 그곳은 지뢰밭 같이 된다. 제자 삼는 목회자가 교회를 인도할 수 있어야만 한다. 목회자의 책임감도 요구되지만 회중이 그에게 교회를 이끌 수 있는 자유를 부여해야 한다. 훈련받지도 않고, 영성도 부족한 지도자들을 뽑아 목회자의 손을 묶어버리는 교회 체제는 잘못된 것이다. 지도력과 책임감간에는 균형이 있어야 한다. 회중은 자신들의 지도자를 따라야 할 의무가 있고(히 13:17), 지도자들은 교회를 돌보고 인도할 의무(벧전 5:1-3)가 있다. 양측이 최선을 다하는 모습이란 바로 지도자들이 온전한 인격으로 회중을 인도하고, 회중은 온전한 판단으로 지도자들을 따르는 것이다. 그러한 모습의 기쁜 결과는 바로 효과적인 교회이다.

많은 교회들의 현재 극단적인 체제는 교회가 효과적일 수 없게 만든다. 제자 삼는 사역을 위해서는 지도자들에게 개방적이고 자유스러운 분위기가 주어져야 한다. 목회자가 안건을 수립하고 그 계획을 실행할 수 있는 여유가 필요하다. 균형적인 교회 체제를 추구하라. 그러면 제자 삼는 사역이 가능하게 될 것이다.

세상 문화를 수용함

필자가 의미하는 세상 문화란, "사회의 믿음 체계 및 그 믿음의 음악, 미술, 문학, 영화 및 텔레비전을 통한 표현"을 뜻한다. 기술과 사회과학의 가공할 만한 영향, 돈, 운동, 호화 프로그램을 통해서 얻는 위력 등에 대한 찬미 등이 여기에 포함된다. 세상 문화가 제자 삼는 일을 방해하는 방법들은 복잡하고 또한 다면적이다. 이 중에 몇 가지를 살펴보기로 하자.

대중매체와 사람의 마음. 미국인들은 자는 것과 일하는 것 외의 시간을 일상적인 어떠한 활동보다도 대중매체와 함께 보낸다. 평상시에 사람들은 8시간을 근무하고 7시간의 수면을 취하며 거의 5시간 동안 대중매체로부터 흘러나오는 소식을 접한다. 텔레비전은 이제 사람들의 습관 중 중요한 것이 되어 버렸다. 또한 그들은 대중매체를 확고히 신임한다. 사회 분석 학자들은 대중매체가 사람들의 가치관, 태도, 습관, 그리고 세상에 대한 인식에 가공할 만한 영향을 끼친 사실에 널리 동의한다.

만일 필자가 사단이라면 필자는 하나님의 기준들에 대해 도전할 것이다. 영화와 텔레비전이라는 강력한 대화 수단을 마음껏 사용할 것이고, 당신의 감정을 통해 당신에게 영향을 주기 원할 것이며, 인생을 극화시켜 당신의 감정을 자극시키고는 필자가 원하는 데로 끌고 갈 것이다. 또한 당신이 여러 사악한 형태들에 대해 둔감해질 때까지 계속 수천 번의 살인과 강간과 침실 장면을 퍼부어 댈 것이다. 만일 필자가 사단이라면 에덴 동산에서 하와에게 했던, "하나님이 참으로 너희더러 …먹지 말라 하시더냐?" 하는 말에 귀가 솔깃하다는 듯한 태도를 보이기를 바라고 또한 환상과 현실간의 한계를 흐릿하게 만들어 당신을 혼동시킬 것이다.

텔레비전이 세상을 제자화시키고 있는 중이다. "제자가 그 선생보다 높지 못하나 무릇 온전케 된 자는 그 선생과 같으리라"(눅 6:40). 대중매체는 이 땅의 도덕 기반을 침식시키고 악에 대해 당신과 내가 둔감해지도록 만들며, 옳고 그른 선을 흐릿하게 만든다.

교회 걸상에 앉아 있는 사람들은 하나님 말씀이 빚어낸 소산이라기보다는 텔레비전의 소산이다. 그들의 세상관은 성경적인 기반이 없다. 오히려 그들은 이 세상 문화의 제자들인 것이다. 대중매체가 책임에 대해 언급할 때 그것은 도덕적인 책임감에 대해 말하는 것이 아니라 피임기구 사용에 대해 말한다. 대중매체가 전하는 것들은 임신 중절(살인)이 여성의 권리요, 성적으로 활발한 것(음란)도 피임기구를 사용하는 한도 내에서는 괜찮은 것이며, 정사를 범하는 것(간음)은 정상적이고, 인습에 속박받지 않는 사람이라면 조만간에 있을 수 있는 일이며, 좁은 소견을 가진 극단주의자들(그리스도인들)은 학교나 공공건물 내에서 함께하기에는 위험한 존재들이어서 사람들이 그들을 자신들의 이웃으로서는 원치 않을 것이라는 내용들이다.

교회 걸상에 앉아 있는 사람들이 그런 대중매체의 이야기를 모두 다 믿는 것은 아니지만, 그리스도인들은 절대적인 도덕적 개념들로부터 탈선하고 있는 중이다. 목회자가 선포하는 복음은 세상 문화라는 곡식의 낟알을 비벼댄다. 하나님의 말씀이 현실 속에서 분명하게 제시될 때, 그 말씀은 마찰을 일으킨다. 사람들의 마음은 나약해져 버렸다. 비판적으로 생각하지 못하기 때문에, 많은 성도들이 자기 모순적인 믿음 체계들을 소유하고 있다.

필요에 대한 윤리성. 목회자들은 크면 클수록, 장대하고 호화로울수록 더 좋고, 인생에 있어 가장 중요한 것은 즐길 수 있는 인생이며, 기본적인 필요들은 멋진 집과, 2대의 차와, 3주간의 유급휴가와, 여러 차례의 주말여행이고, 카리브 해의 유람선과, VCR과, 조깅복이 없다면 그들의 삶은 문제가 있다고 생각하는 사람들을 향하여 말씀을 선포하는 것이다. 사람들은 필요에 대해 부패한 생각을 가지고 있다. 필요들이 아예 사회적인 가치관들이 되어버리고 거기에 적당한 윤리관을 낳는다. 탐욕이 필요를 대치한 것이다.

헌신을 이끌어내기란 수월한 일이 아니다. 제자 삼는 목회자가 장기적 목표들을 위한 장기적인 헌신을 요구할 때, 목회자는 가파른 언덕을 오름과 같다. 기독교의 메시지 그것만 가지고도 충분한 마찰을 일으키지만, 이 메시지가 제자 삼는 사역이라는 방식 속에 한데 어우러져 있을 때, 마찰은 더욱 증가한다. 제자 삼는 목회자가 전하는 메시지의 참 본질은 장기적인 헌신을 요구한다. 자동차로부터 정원용 가구에 이르기까지, 한꺼번에 소유하기를 원하는 사람들의 욕심은 그리스도인의 그 의미심장한 삶의 추구를 방해한다. 자신들이 선택한 생활수준을 유지해 나가기 위해 받아야 하는 압박감 때문에 헌신하지 못하는 사람들의 모습은 그리스도인들이 물질주의에 빠져 있음을 보여주는 증거인 것이다. 제자 삼는 사역의 열쇠는 자기 자신의 만족을 기꺼이 뒤로 미루는 사람들의 자원하는 마음이다. 제자도가 기운차게 흐르고 교회 내에 그 결실이 맺어지기까지는 약 5년이란 세월이 걸린다. 많은 목회자들과 감독들은 그만한 여정도 버틸 만한 영적인 용기가 없다.

세속적 방법론들의 수용. 현 사회의 홍보수단과, 사회 과학과, 현대적 기술 등이 그리스도를 세우는 데에 도움이 된다면, 교회는 그것들이 지닌 장점들을 이용해야 한다. 인구통계나, 심리파악법이나, 텔레비전을 통한 광고나, 전문화된 마케팅을 사용하는 것도 바람직한 일이다. 하지만 인구통계가 목회자의 교회 개척 장소에 대한 결정적인 요인이 될 때, 인구통계는 성령님의 사역을 대신하게 된다. 성장 추세에 있는 교회들의 몇 가지 특성들이 성서적으로 온전하기 때문이 아니라, 단지 효과가 있다는 이유만 가지고 "성배"(Holy Grail, 예수께서 최후의 만찬에 쓰셨다는 잔, 그 후로 기사들의 끊임없는 추적의 대상이 됨. 필자의 의도는, 성장중인 교회의 특징들이 그만큼 많은 교회들에게 인기를 끈다는 것임 - 역자주)가 될 때, 실용주의가 우상으로 등장하는 것이다.

심리파악법이 목회자의 설교 내용과 그 태도를 결정할 때, 목회자는 "대중 조종법"(button pushing, 사람들의 심리를 파악한 후, 거기에 꼭 맞는 내용을 통해 사람들을 자신이 원하는 대로 조종함. - 역자주)이라는 바알에게 무릎을 꿇고 경배하는 것과 같다. 세속적 방법론들이 너무도 많은 교회 지도자들의 의식 속에 급속하게 번졌다. 복음주의자들은 그것이 텔레비전 마케팅이건, 재빠른 전단물이건, 화려한 음악회이건 간에, 사람들을 접촉할 수 있는 최신의 방법에 너무도 쉽사리 넘어가 버린다. 이러한 모든 접근 방법들은 성도들이 그리스도를 위해 효과적으로 세상을 침투할 수 있도록 하는 일보다는, 교회 지도층이 창조적이고 기금을 모으도록 하는 것이다.

우리는 빠르고 쉬운 것을 원한다. 18개월 이내에 1명도 없는 상태에서 1,000명이 되기까지 성장한 교회들에 관한 잇달은 이야기들을 듣는데, 그 교회들은 텔레비전 광고와 심리적인 분석을 이용한 설교와, 전문적으로 시장화된 음악과 연극 등을 통해서 성장했다는 것이다. 이러한 용감무쌍한 위업을 달성한 대기업적인 목회자들은 그러한 일들을 경이롭게 청종하고는 즉시 나가 그 "효과적인 일들"을 시도하려는 목회자 지망생들 앞에서 자신들을 과시한다. 성공을 위한 현재의 열정이 다수의 "평범한" 목회자들로 하여금 성공을 위해 그들의 확신들을 저

버리게 만들었다.

목회자가 오래 전부터 해온 일들, 즉 충실한 강해설교라든지, 기도라든지, 제자 삼기라든지 하는 일들은 구식처럼 되어버렸다. 우리는 주일날 아침 예배에 얼마나 많은 사람들이 참석하는가에 따라 교회의 성공 여부를 결정한다. 설교자는 얼마나 훌륭한가? 성가대 지휘자는 얼마나 재능이 있는가? 분위기는 얼마나 열정적인가? 헌금 액수는 얼마인가? 교회 건물이 얼마나 아름다운가? 이러한 사항들이 사람들의 마음을 흥분시킨다. 많은 이들은 이제 더 이상 올바른 질문들을 하지 않는다. 올바른 질문들이란, 예배에 참석한 자들은 어떤 사람들인가? 그들은 그리스도를 위해 자신들의 주변을 침투해 들어가고 있는가? 그들은 온전한 인격으로 하나님과 동행하는가? 금전적인 면에서도 하나님을 먼저 의식하는가? 그들은 세계 복음화를 위해 헌신하는가? 하는 것 등이다.

필자는 세속적인 방법들을 사용하는 것에 대해서 아무런 반론을 제기하지 않는다. 필자가 주지하는 바는 그러한 방법들과 함께 어떤 내용이 중요한 사항들로서 전달되는가 하는 점이다. 교회는 사람들을 모으는 일에 있어서, 특히 교회를 개척하는 일에 있어서 보다 효과적이 되었다. 그러나 진정한 안건은 일단 사람들을 모은 후, 우리가 그들에게 무엇을 하는가 하는 점이다. 이것이 바로 목회자의 진정한 일이고 세속적인 어떠한 방법들도 그 진정한 일을 하는 데에는 도움을 주지 못할 것이다. 사람들로 하여금 제자가 되는 일에 관심을 갖게 하고 재생산하는 방법과 그리스도를 위해 세상을 향해 나가는 법을 배우기 원하도록 만드는 일은 성령님의 초자연적인 역사를 요구한다.

세상에서 얻을 수 있는 도움들을 꺼려하지 말라. 그러나 자칫 잘못하면 실용주의자가 되어버리기 쉬운 유혹에 대해서는 경계하라. 당신이 가진 성서적인 확신들을 의지하고 흔들리지 말라. 그리스도께서는 그분의 교회가 그분을 위해 세상을 향해 침투해 들어가며, 건전하며 재생산하는 성도들로 구성되기를 원하신다.

피상적인 기독교. 크리스천 라이터스의 사무처장인 엘톤 투루블러드(D. Elton Trueblood)는 1979년에 있었던 한 인터뷰에서 복음주의의 "깊은 뿌리가 결핍된 절단된 꽃송이 같은 헌신은 이 사회 속에서 더욱 더 값싼 희생을 치르며, 복음주의라는 명칭을 얻기 원하는 사람들은 계속 줄어만 간다"[4]고 언급한 바 있다.

위대한 작가인 체스터톤(G. K. Chesterton)은 과학 공상 작가인 웰즈(H. G. Wells)의 작품들을 불과 2인치 정도의 깊이밖에 안되는 그저 넓은 바다로 표현하였다. 만일 누군가가 현대 복음주의라는 바다에 빠진다면, 익사할 위험은 없다. 웰즈의 작품처럼 복음주의라는 바다에 빠진 자는 발목까지만 올라오는 물 속에 서 있는 자신을 발견할 것이다. 오늘날의 그리스도인들은 곤경에 처했을 때 펴올릴 만한 인격의 영적 깊이가 결핍되어 있다.

세속적 심리학의 영향이 자기 숭배라는 새로운 이단을 창조해냈다. 사람들은 자기 자신들에게 심취해 있으며, 어떻게 사회가 고안해낸 필요들을 채울 것인가 하는 생각에 몰두한다. 심리학은 사람들을 필요 속으로 끌고 들어감으로써 존재하는데, 사실 이런 필요는 사람들이 예전에는 존재하는지조차 몰랐던 것들이다. 광고업계가 사람들을 야외로 나가게끔 만들고는, 거기에 필요한 물건들을 구입하는 일에 돈을 쓰게끔 유도하는 그릇된 필요를 만들어내는 것같이, 사람들은 심리학계가 만든 감정적인 필요의 새로운 종류를 채우기에 분주하다.

방송 아나운서가 우리들에게 끔찍스런 사실을 전하는 것은 현실이고, 성경이 드러난 진리를 전하는 것은 계시이지만, 심리학이 숨겨진 사실을 전한다는 것은 속임수이다. 미국은 심리학에 젖어버린 사회이며, 그 필요를 표현하는 언어와 사상이 교회를 유혹하고 있다. 그러므로, 교회 걸상에 앉아있는 사람들은 교회가 나에게 무엇을 해줄 수 있는가? 나의 필요를 교회에서 채울 수 있는가? 내가 여기를 떠나면 기분이 좋을까? 목회자가 내게 죄책감을 주는가? 내가 하고 싶지 않은 것들도 해야 하는가? 등등의 세속적인 프로그램에 의거한, 그릇된 질문들을 한다. 이러한 것들과 같은 많은 질문들은 세상 심리학계에 의해 길들여진 자기 우상적 타락을 반영한다.

이것은 육신의 소망을 만족시키려는 데에서 비롯된 "필요 신학"(need theology)의 개발을 몰고 왔다. 그러므로, 오늘날 가장 유행하는 신학들은 필요를 만족시키는 쪽으로 향한다. 텔레비전은 소위 "건강과 부유"라는 이단적인 메시지를 퍼뜨리는 데에 완벽하게 사용되고 있다. 그 메시지가 약속하는 내용은 하나님이 당신을 치유하기 원하신다는 것과, 또한 당신이 부유해지기를 원하신다는 것이며, 당신이 오직 해야 할 일은 그것을 믿는 것이다. 또한 하나님은 당신에게 건강과 부유함을 주시는 것뿐만 아니라, 매우 자극적인 감각적이고 영적인 체험들의 다양함도 주기 원하신다고 말한다. 다시 말해서, 그리스도를 따르는 일은 짜릿짜릿함을 연달아 경험하는 일이라는 것이다. 당신이 아프다면 하나님께서 그것을 없애주실 것이다. 돈이 필요하다면, 먼저 그 텔레비전 사역에 씨앗 역할을 할 만큼의 헌금을 하기만 하면 예수께서 돈을 주실 것이다. 당신이 실의나 분노나 결혼 문제나 다른 이들과의 불화를 해결하고 싶다면, 눈을 감고 그렇게 되리라고 믿으라. 그러면, 그렇게 될 것이다.

텔레비전 쇼와 같이 하나님께서는 그 프로그램 결말에 가서 모든 것을 좋게 만드실 것이고 수사관이 악당을 체포하고 영웅이 여인을 차지하는 권선징악의 얘기처럼 만사가 당신을 위해 형통케 될 것이라는 것이다. 이런 것들이 그리스도인들의 믿음을 이기적인 것으로 그리고 피상적으로 생각하게끔 훈련시킨다.

간략하게나마 언급해야 하는 피상적인 기독교의 또 다른 면은, "우리는 특별하고, 정결하고, 가능성으로 가득차 있으며, 자신에 대한 긍정적인 자부심이 더 필요하지 않은가"라는 터무니없는 생각이다. 이런 종류의 가르침은 인간의 능력과 영광을 드높인다. 하나님께서 인간에게 가치를 부여하시고 또한 인간 스스로도 자신에 대해 잘 고려해야 할 필요가 있음은 사실인 반면, 이 가르침은 전체적인 진실을 솔직하게 말하고 있지 않다. 그 말은 바로 우리에게 죄악된 본성이 있기 때문이다. 분명히 하나님께서 자신의 외아들을 우리의 구원을 위해 주실 정도로 우리는 특별한 존재들이지만, 우리에게는 회개가 필요하다. 하나님을 기쁘시게 하는 삶을 시작한 후에 우리는 우리 자신들에 대해 기쁜 감정을 느낄 수는 있다. 하지만, 모든 인간의 능력에는 한계가 있으므로, 성령님에 의해 보살핌받고 교회에 대한 책임감에 의해 신중하게 억제되고 조절되어야 한다.

피상적인 가르침이 지닌 위험한 점은, 하나님께 향하기보다는 인간에게 그 초점을 맞춘다는 것이다. 그러한 가르침은 심리서적과 간단한 경건의 모임에 힘을 쏟게 만들고 마음보다는 감정에 빠져들게 한다. 이런 것을 따르는 사람들이 성경을 공부하고, 암송하며, 온전한 사실을 밝히는 영원한 진리들을 묵상하는 일에 많은 시간을 쏟는 경우는 극히 드물다.

장년과 소년이 다른 점은 장년은 무엇인가를 하고 싶어하는 반면, 소년들은 무엇인가가 되고 싶어한다고 누군가는 말했다. 피상적인 그리스도인은 헌신하지 않으면서, 승리하는 그리스도인의 삶에서 누릴 수 있는 모든 이익을 원한다. 그런 사람은 자신의 문제들로부터 도피하는 출구를 원하고, 쉽고 즐길 수 있는 삶을 추구한다.

감각적인 기독교는 만족할 수 없는 식욕을 소유한다. 사람들은 “신령스러운 짜릿함”(spiritual buzz)을 생생하게 유지하기 위해 무엇인가 계속 원할 것이다. 그것은 약물 중독이나 다를 바 없다. 왜냐하면 “조금만 더”라고 하는 굴레는 끝내 그것을 사용하는 사람을 파괴시키기 때문이다. 감각적이고 체험적인 기반 위에 세워진 영적 삶은 단명하고, 환난 시에는 붕괴되어 버린다.

제자 삼는 목회자는 헌신에 대해 설교하게 되는데, 성령님께서 주시는 확신 없이는 헌신이란 있을 수 없다. 사람들은 성서를 통해 발견하는 객관적 진실이란 기반 위에 세워진 좋은 영적 경험이 필요하다. 당신은 당신이 가르치는 사람들을 설득해서 잘못된 믿음으로부터 눈을 뜨게끔 도와줄 책임이 있다. 그들은 이십세기 후반에 등장한 피상적인 "복음들"을 버리고, 예수께서 주신 일세기의 가르침들을 배우라고 지도받아야 한다. 교회는 그런 허튼 이야기 - 피상적인 가르침들 - 를 버리고 우리 주님께서 명하신 가르침들에 전념해야 한다.

제자 삼는 목회자는 자기 회의(self-doubt)라는 개인적인 전쟁을 치른다. 다수의 사람들은 당신의 설교가 좀 "가벼워지기"를 요구할 것이다. 그들은, "너무 많은 것을 요구합니다. 진짜 우리를 사랑한다면 설교를 좀더 가볍게 해주십시오"라고 말할 것이다. 그 유혹이란 당신의 설교가 사람들에게 주된 식사 대신에 디저트를 제공하는 것이고, 현대 그리스도인 소비자들의 짧은 집중 시간을 싫증나게 만드는 지역적, 역사적, 문화적, 그리고 언어적인 상세점들을 제거하고, 이해하기 어려운 부분들은 지나쳐 버리라는 것이다.

당신은 당신의 목표들을 줄이고, 방향을 수정하는 등의 유혹에 직면하게 될 것이다. 사람들에게 재생산을 하는 성도들이 될 것을 요구하지 말라. 그들은 달아나 숨어버릴 것이다. 왜냐하면, 그들은 거기에 대한 대가를 치르고 싶어하지 않기 때문이다. 목회자가 그들에게 성경을 공부하고 기도하고 성구를 암송하며 친구들과 이웃들을 전도하라고 하면 그들은 너무 많은 것을 요구한다고 하면서 당신에게 자신들을 돌보는 목자가 되라고 말할 것이다.

동일한 유혹들이 지도자들의 자격조건에 있어서도, 제자도 모임의 기간과 그 훈련 강도에 대해서도, 모든 예비 지도자들이 전도에 있어서의 경험과 성공을 보여야 한다는 주장에 대해서도 일어날 것이다. 재삼 재사, 피상적인 소비자적 그리스도인들은 모든 이런 기준들에 대해 도전할 것이다. 교회는 결코 쉬워지지 않는다.

전통 제일주의

전통(tradition)이란 이 세대에서 저 세대로 전달되는 거룩한 선조들의 살아있는 믿음인 반면에, 전통 제일주의(traditionalism)는 권력을 유지하려는 살아있는 기독교 지도자들의 죽은 믿음이다. 단어 어미의 ~ 주의(~ism)가 의미하는 것은 뚜렷한 교리, 이론 또는 원인 등으로 존재 상태를 반영한다. 공산주의자는 사람들을 모집해서 공산주의를 형성하고, 자유주의자는 자유주의를 만들며, 보수주의자는 보수주의가 된다. 전통은 좋은 것이다. 가정, 교회, 사교모임, 그리고 사업 등 이런 모든 것들은 공동의 가치관들을 위한 기반을 형성하는 전통을 준수한다. 교회들도 교리에서뿐만 아니라, 많은 가정적 관습에도 전통이 필요하다. 그러나 그것이 변질되어 전통 제일주의가 되면 전통은 난관에 부딪친다.

> 그때에 바리새인과 서기관들이 예루살렘으로부터 예수께 나아와 가로되 당신의 제자들이 어찌하여 장로들의 유전을 범하나이까 떡 먹을 때에 손을 씻지 아니하나이다 대답하여 가라사대 너희는 어찌하여 너희 유전으로 하나님의 계명을 범하느뇨
>
> 마 15:1-3

전통 제일주의는 하나님의 뜻을 행하는 것을 방해한다. 지교회의 지도자들은 수백 가지의 방법으로 전통 제일주의를 내세우고, 모르는 사이에 하나님의 일을 가로막는다. 교회의 원로 위원들은 소그룹 모임에 대항해서 수요 저녁 기도모임을 유지하려고 애를 쓴다. 그들은 혁신적인 예배 형식을 꺼려하고 지도자들에 대한 새로운 자격요건들을 꺼려하며, 교회 헌법의 재조정을 부담스러워하는데, 이는 그것들이 자신들

이 익숙해진 것들을 위협하기 때문이다. 그 결과 그들은 교회의 진보를 가로막고, 상충적인 분위기를 조장한다. 어떤 교회의 건립 장로들은 하찮은 문제를 놓고 생사를 걸고 싸우기도 한다. 종종 그들은 자신들이 왜 싸우는지조차 잊어버리고는, 대립 그 자체가 전쟁의 성격이 된다. 너무도 자주, 전체 교회가 하찮은 일에 전력을 다 소비하는 것이다.

전통 제일주의는 미국의 여러 지역들에서 여전히 막강하다. 제자 삼는 교회가 그 교회의 전통과 가치들을 모르는 채 일하는 것은 어리석은 태도일 것이다. 그 전통적 분위기 속에서 일하라. 그리고는 그들의 중요한 것들을 폐하지 않은 채, 몇 가지 당신이 원하는 바를 거기에 더할 것을 요청하라. 이런 접근 방식은 건립 장로들의 노여움을 상당히 완화시킬 것이다. 그러나 어찌하든 간에, 갈등에 대해서 대비하라. 아마 누군가는 어떤 변화에도 항상 싸우려고 할 것이기 때문이다. 미국에 갓 상원의원이 된 사람이 30년의 경력을 소유한 어느 상원의원에게, "상원의원님, 그간 국회에서 많은 변화를 목격하셨겠군요"라고 말하자, 그 노련한 의원은 "예, 그 변화 한가지 한가지에 일일이 반대하며 싸워 왔습니다"라고 말했다고 한다. 전통들을 존중하고 당신에게 유익하도록 그것을 사용하라. 그러나 전통 제일주의에 대해서는 당신의 전 존재를 다해 싸우라.

신학교 교육

필자는 신학교 졸업생이다. 그리고 필자는 어느 누구도 확고한 신학교 훈련을 통한 여러 가지 장점과 탁월함이 없이는 목회자가 되라고 추천하지 않겠다. 신학교를 지지하고 운영하는 일은 건전한 지교회들을 보호하고, 활성화시키며, 건립하는 일에 필수적이다. 이미 언급한 것처럼, 신학교가 목회자들이 믿는 바를, 그리고 궁극적으로는 교인들이 믿는 바를 결정한다.

지교회의 실용주의자들은 철저하게 신학교를 비판한다. 비판하는 이유는 신학교 교육이 너무나도 학구적이라는 것이다. 신학교 교육이 사역을 위해 신학생들을 훈련시키지 않는다고 심하게 비판하기도 한다. 게다가 극소수의 신학교 교수들만이 목회 경험을 가지고 있어서 신학생들은 직접적인 경험이 없는 사람들로부터 무엇을 할 것인가를 배운다는 것이다.

필자는 그리스도의 특별한 종들을 적극 변호한다. 신학교의 가르침은 특별하면서도 반드시 요구되는 소명이다. 신학교 교수는 세상의 학계와는 비교할 수 없는 어려움을 거친다. 그는 목회학 석사라는 기본적인 신학 자격증을 위해서 3년 내지는 4년을 보낼 뿐만 아니라, 신학박사(Th. D)나 인문학 박사(Ph. D)라는 전문적인 교수로서의 신용을 얻기 위해 3년을 더 보태는 것이다. 그러한 학구적인 혹독스러움이 그들에게 그리스도를 위한 불타는 정열을 갖도록 인도하고, 확대된 지적 포용력과 함께 그리스도에 의해 은사를 부여받은 자가 되게 한다. 박사 학위 소지자라면 꽤 좋은 보수를 보장받는 세상 분야들과는 달리, 대부분의 신학교 교수들은 목회자들보다도 적은 보수를 받는다.

교수의 역할은 학생들에게 사역을 위한 모든 상세한 것들을 제공하는 것이 아니다. 신학교의 비실제적인 면을 비난하는 사람들은 학교라는 환경의 목적과 한계들을 인식하지 못한 것이다. 신학교는 학생들에게 그들의 사역을 세워갈 수 있게 하는 도구들, 즉 비판적인 사고 방식과, 하나님 말씀의 무오함을 유지하는 일에 관계되는 연구 분야들에 대한 실질적인 지식, 그리고 말씀을 선포하고 가르치는 데 필요한 도구들을 제공한다. 궁극적인 면에서 보면, 세계관에 대한 철학적 체계를 수반하는 교리상의 확고한 이해보다 더욱 실제적인 것은 없다. 이 기반 위에 목회자는 평생의 사역을 세울 수 있다.

신학교는 그 졸업생을 목회를 위해 완전히 예비시키려고 의도하는 것이 아니다. 지교회와의 연대적인 관계 속에서, 신학교는 젊은이가 교회에서 목회를 시작하도록 가능케 하는 책임을 지는 것이다. 신학교는 사역을 위한 기본적인 도구들을 제공하고, 교회는 다른 분야들에서 그 사람을 준비시키는 일을 돕는 책임이 있다. 보통 신학교를 갓 졸업한 졸업생은 목회자가 알아야 하는 것의 약 50% 정도를 알 뿐이다. 그 나머지 50%는 경험과 다른 사람들의 본보기와 실제 훈련과 이전의 사역 경험 등을 통해서 얻게 된다.

신학교 교수들은 그리스도를 위해 최전선에 나와 있는 것이 아니다. 그들은 참호 속에 있는 그런 일반 병사들이 아니며, 또한 우리도 그들이 거기에 있을 것을 기대해서는 안된다. 진리의 관리인으로서 그들은 하나님 말씀의 무오성을 수호한다. 거기에 대해 어떻게 당신이 그 가치를 매길 수 있겠는가? 그들은 최전선이 아니고, 최후 방어선인 것이다. 그들은 교회와 주관주의(subjectivism) 사이의 심연에 서 있다. 만약 적군이 지역교회의 방어선을 넘었다고 해도 그들은 승리를 위해 계속 싸워야 한다. 사단은 자유주의적 교회들을 후방으로부터 공격해 왔다. 즉, 사단이 신학교를 공격했을 때, 사단은 전체 교단들을 전복시킬 수 있었다. 사단은 목회자들과 평신도들에게 신학교는 시대에 뒤처져 있고 타당성도 없으며 너무 학구적이므로 그 학구적 형태를 해체해 버리자고 설득하기를 기꺼워 한다. 이는 근시안적이고 목회자들의 진정한 필요를 모르는 것이며 전혀 도움이 되지 않는 생각이다. 어떤 권유들은 신학교의 개선을 위해 고려되어야 하는 것도 사실이지만 동시에 우리는 최후 방어선에 있는 이 특별한 사람들을 지지하고, 그들을 위해서 기도하며, 존경을 표해야 할 것이다.

필자는 신학교가 학생들에게 세 가지 선물을 제공해야 한다고 믿는다. 첫번째는, 성경에 기반을 둔, 도전적인 학구적 교육을 제공함으로써 주요 신학 분야의 토대가 깊이 다져지도록 하는 것이다. 두번째로, 신학교 교육은 연륜이 지긋하고, 노련한 교수진들의 인생으로부터 오는 영향력을 제공해야 한다. 신학교 분위기가 제공하는 인생과 관점들의 상호적 교환은 일평생의 가치를 지닌다. 이 두 가지에 대해서는 여러 신학교들이 매우 잘 하고 있다.

그러나, 세번째 분야야말로 필자의 의견으로는 복음주의 신학교들이 안고 있는 가장 큰 약점이다. 그들은 학생들에게 어느 기반 위에 그들의 사역을 세울 것인가에 대한 성서적인 교회 이념을 제공하지 않는다. 학생들은 교회의 정체에 대해서는 배우나, 교회가 무엇을 하는 것인지는 배우지 않는다. 물론 교회가 무엇인가 하는 사실은 교회가 무엇을 하는가를 결정한다. 하지만, 갓 졸업한 사람들이 자신의 일을 이해할 수 있는 이념적인 체계나 갖추고서 목회로 들어서는가? 갓 졸업한 이가 제자 삼는 목회자가 지니는 뚜렷한 특징들을 다 가지고 있는가? 필자는 학생들이 이 책의 이념을 그대로 소유할 것을 요구하지는 않는다. 그러나 그 체계에 대해서는 확신을 소유해야 한다. 목회자는 자신이 누구인 것과 그의 직분에 대해서 이해하는가? 목회자는 앞에 앉아 있는 성도들과 공유하는 목표가 있는가? 교회 회중이 분열되는 일 없이 제자 삼는 과정을 통해 목회자가 어떻게 사람들의 사기를 진작시키고, 그들을 감화시키는가? 이런 것들은 졸업생들이 졸업하기 전에 이미 거쳤어야 할 질문들 중의 다만 몇 가지일 뿐이다.

필자는 목회학 석사 과정중의 필수 과목으로서 학생들에게 그런 질문들을 던지고 그들로 하여금 그 질문들을 붙들고 진지하게 씨름하게 하는 완전한 수료 과정을 권유한다. 전형적인 목회와 목회 상담을 위한 과목들과 함께 주어지는 최소한도 세 개의 필수 과목들은 학생들에게 매우 큰 유익을 줄 것이다. 그 과목 중 첫째는 교회의 본질과 사역 및 목회자의 역할에 대한 성서적인 철학 기반을 세우는 핵심적인 과목이다. 그 과목은 본질상 이론적인 것이 될 것이다. 다음의 두 과목은 어떻게 원리들을 분간하고 그 원리들을 지교회의 구조 속에 어떻게 실제로 적용할 것인가에 그 초점을 둘 것이다. 이것이 신학교 졸업생들의 허점인 것이다. 설교하는 법과 결혼식, 장례식, 그리고 상담하는 법에 대해서만 많이 알고, 다른 것에 대해서는 거의 알지 못한 채, 그들은 교회사역에 진입한다.

필자는 신학교를 갓 졸업한 사람이 경험있는 노련한 사람보다 더 지혜롭고 효과적으로 일할 것이라고는 기대하지 않으나, 그들이 이러한 보충된 원리들과 확신들을 자신들의 공구함에 챙겨넣기를 보고 싶은 것이다.

학생들에게 바로 이 세번째 선물을 주지 않는 신학교 교육은 제자 삼는 사역에 대한 또 하나의 장애물이 된다. 그것은 지금껏 언급했던 것들과는 다른 측면에서의 장애물이다. 신학교 없이는 교회의 장래가 위험할 것이다. 하지만, 우리는 제자 삼는 사역에 대한 확신 없이 졸업생들이 교회로 진입하는 일을 계속 만족할 수는 없다.

제 3 장

제자상

"명백한 것을 재언급하는 일이 지성인의 첫번째 의무가 되어야 할 지경에 우리는 처해 있다"는 조지 오웰(George Orwell)의 진술은 우리의 주목을 받을 만하다. 이 말은 역으로 명백하고 분명한데도 사람들이 그것을 오해하거나 실천하지 않고 있다는 뜻으로 되짚어 볼 수 있다. 명백한 사실은 바로 교회가 그 제자상을 향상시킬 필요가 있다는 점이다. 이 일을 부흥, 재활력, 회복, 아니면 어떤 다른 말로 일컫든 간에, 그리스도의 명령들에 대한 재헌신이 향상을 위한 제일의 명령이다. 향상은 제자상에 대한 성서적 기반들의 확립과 함께 시작된다.

제자 삼기에 대한 성서적인 기반들

제자 삼는 사역은 교회의 심장부에 위치해야 한다. 그리고 교회에

명령된 소산은 제자라고 일컬어지는, 결실을 맺는 성도이다. 제자를 삼으라는 교회를 향한 그리스도의 명령은 성서에 제시되어 있으며, 그 명령에 대한 잘 알려진 말씀으로는 마태복음 28:18-20이 있다.

이 본문은 다른 네 개의 지상명령에 관한 구절들에 필요한 명확성을 제공한다. 어떠한 복음주의자도 지상명령의 중요한 위치에 대해서 심각하게 도전한 일은 없다. 이 사실은 지상명령이 교회에 분부된 사업인 것을 보여준다. 지상명령의 핵심에 관해서는 어떠한 혼란도 있으면 안된다. 그 목표는 온 세계의 복음화 즉, 천국의 백성들이다. 그리스도의 최후이자 가장 중요한 말씀들이 바로 교회의 정체와 그 임무에 대한 핵심을 형성한다.

부활하신 후에 하신 말씀들은 요한복음 20:21 "…아버지께서 나를 보내신 것같이 나도 너희를 보내노라", 마가복음 16:15-16 "또 가라사대 너희는 온 천하에 다니며 만민에게 복음을 전파하라 믿고 침례(세례)를 받는 사람은 구원을 얻을 것이요 믿지 않는 사람은 정죄를 받으리라", 누가복음 24:47-48 "또 그의 이름으로 죄 사함을 얻게 하는 회개가 예루살렘으로부터 시작하여 모든 족속에게 전파될 것이 기록되었으니 너희는 이 모든 일의 증인이라", 사도행전 1:8 "오직 성령이 너희에게 임하시면 너희가 권능을 받고 예루살렘과 온 유대와 사마리아와 땅 끝까지 이르러 내 증인이 되리라 하시니라" 등에서 발견된다.

우리는 이 네 가지 명령들을 이렇게 요약할 수 있다. "온 세상에 있는 모든 이에게 가서 복음을 전하라. 하나님의 능력을 나타내는 표적과 기사와 함께 성령의 능력 안에서 가라. 네가 목격한 바를 그들에게 전하라. 가정으로부터 시작하여 온 세상으로 나아가도록 힘쓰라."

이것은 한 무리의 신출내기 건축 청부업자들에게 공포하는 것과 매우 흡사할 것이다. "가서 집을 지으라. 특별한 표창을 받을 만한 집을 건축하라. 여기 필요한 돈이 있으니 온 세상에 그런 집들을 세우라." 그 청부업자들은 지을 집에 관해서 충분히 알지 못한다. 그들에게는 그 지을 집들에 관한 보다 상세한 설명서와 청사진 등이 필요하다. 집들을 건축하는 방법 또한 필요하다. 바로 이런 것이 마태복음 28:18-20이 지상명령을 이해하는 데 있어서 필수 불가결한 말씀이 되는 이유이다. 이 말씀은 예수님의 지상명령을 완수하는 데 필요한 청사진과 방법들과 그 원리 체계를 제공한다.

> 하늘과 땅의 모든 권세를 내게 주셨으니 그러므로 너희는 가서 모든 족속으로 제자를 삼아 아버지와 아들과 성령의 이름으로 침례(세례)를 주고 내가 너희에게 분부한 모든 것을 가르쳐 지키게 하라 볼지어다 내가 세상 끝 날까지 너희와 항상 함께 있으리라

이 본문이 요구하는 세 가지의 중요한 행위는 가는 것과, 침례(세례)를 주는 일과, 가르치는 일이다. 가는 것은 "네가 나아감에 따라"라는 뜻으로 이해할 수 있는 상황을 나타내는 분사이다. 본문이 명령하는 것은 가는 것이 아니다. 예수님께서 당연시 여기시고 제자들도 이해했던 사실은, 세상을 전도하는 일이 가만히 앉아서 되는 것은 아니란 점이다.

그러므로 당신이 사는 동안 많은 여행을 하며 살든, 정착해서 살든, 이 일(세상을 전도하는 일)은 당신의 일이다. 그러나 사도행전 1:8의 전략(예루살렘, 유대, 사마리아와 땅 끝까지)을 세분해 볼 때, 여행은 필수적이다.

가는 것이 상황적 용법인 반면, 침례(세례)를 주는 것과 가르치는 것은 성경 해석상 좀더 중요한 비중을 차지한다. 그리스도께서 분부하신 행위와 연관되어 있는 종속적이고, 한정적인 일이 바로 침례(세례)를 주는 것과 가르치는 일이다. 회심자에게 침례(세례)를 주는 것은 새 신자들이 그들의 믿음을 공적으로 시인하는 것을 요구하는 일이다. 즉, 새로운 삶에 대한 공식적이고, 공개적이며, 극적인 간증이 침례(세례)가 중요한 이유이다.

순종하도록 다른 이들을 가르치는 일은 그리스도인의 경험 속에 줄곧 상당한 주위를 끄는 것이다. 이 시점에서는 순종하도록 가르치는 일이 그리스도인의 삶에 있어 가장 중요한, 계속적인 요소라고만 말해두자. 순종을 위해 사람들을 가르치고 침례(세례)를 주는 일은 지상명령을 설명하는 것 이상이다. 여기에 대해서는 곧 다루기로 한다.

본문의 필수적인 명령은 제자를 삼으라는 것이다. 이것이 바로 온 세계를 복음화하는 공식이요, 세계선교에 재생산과 배가생산을 가져오는 필수 불가결한 방법이다. 배가생산이 빠진 지상명령은 목부분부터 전신이 마비된 전도활동과 같다. 제자를 삼을 것을 명확하게 분부하심으로 예수님께서는 교회사역의 궁극적인 결과를 구체화시키셨다.

예수님께서는 "새신자를 삼으라"거나, "그리스도인들을 만들라"고 말씀하시지 않으셨다. 새신자나 그리스도인이 되는 것과 재생산이 필연적으로 비등한 것은 아니다. 많은 그리스도인들은 영적인 결실이 없다. 그들은 복음을 확산시키지 않는다. 제자를 삼게 될 때, 두 가지 바람직한 일들이 일어나는데 즉, 제자는 건전하고 경건하다는 것과, 그들은 자기 자신들을 재생산하며 그 중 어떤 이들은 제자 삼는 자들이 되어, 배가 생산을 가져온다는 점이다. 그러므로 제자들은 교회 심장부의 위기를 해결한다. 제자를 삼는 일은 양질의 결과와 효과적인 생산력을 창출한다. 이것이 바로 교회를 향하신 하나님의 계획이시다.

제자들은 결실이고, 순종을 위해 침례(세례)를 주고 가르치는 일은 자격요건들이다. 적어도 제자는 증인들 앞에서 그리고 침례(세례)를 통해서 자신의 제자됨을 공개하고, 가르침을 받음으로써 다른 이들의 권위에 순복한다. 제자는 훈련받기를 달가워하며 책임감의 미덕을 이해한다. 제자는 평생을 훈련에 전념한다. 제자 삼는 일은 책임감이 없이는 일어나지 않는다. 본서의 제4장에서 배가생산과 책임감에 대해 전적으로 다루므로 여기에서는 그 문제들을 오래 논하지는 않겠다.

만약 우리가 지상명령에 순종하기를 원한다면 제자 삼는 일을 등한

시할 수 없다. 제자들을 얻기 위해서는 책임감이 있어야 하는데, 그렇지 않은 경우, 다른 이들에게 순종을 가르칠 수는 없기 때문이다. 오직 책임감을 가지고 배우려는 자세를 지닌 사람들만이 재생산자들이 될 것이다. 바로 이런 사람들로부터 지도자적 은사와 특별한 자질을 소유한 자들이 출현하며 이들이 곧 교회의 제자 삼는 일의 핵심을 이룰 것이다. 그들은 교대로 번갈아가면서 제자 삼는 일과 배가의 사역을 위한 환경들을 조성한다. 이것은 교회가 기하급수적인 성장을 하는 결과를 가져온다. 제자 삼는 일은 교회의 심장부이다. 왜냐하면, 바로 그 일이 지상명령의 심장이기 때문이다.

순종하는 교회

"…내가 너희에게 분부한 모든 것을 가르쳐 지키게 하고…"라는 구절은 지상명령 자체를 의미한다. 지상명령에 순종하도록 교회를 가르치는 일은 필수 불가결한 반면에, 등한시된다. 의문이 남아 있다. 만일 교회가 지상명령에 순종하지 않는다면 과연 그 교회를 하나님께 순종하는 교회라고 말할 수 있겠는가? 그렇지 않다. 지상명령에 대한 단호한 헌신이야말로 그리스도께서 내리신 명령의 심장부이다. 물론 우리는 이렇게 질문해야 한다. "우리가 지상명령에 순종한다는 것은 무엇이라고 할 수 있는가?"

순종의 골자는 제자에 대한 정의를 내리기 위한 의도적인 노력을 한 후, 교회의 여러 다양한 수단을 통해 제자들을 생산하는 것이다. 본서는 그 일을 감당하도록 하기 위한 다양한 방법들을 보여줄 것이다. 그러나 타협이 불가능한 것은 바로 의도적인 노력이다. 그와 더불어, 순종은 재생산을 위한 헌신을 요구한다. 그러한 헌신의 증거는 사람들에게 전도훈련, 즉 전도하는 법을 보여주고, 그들과 함께 전도한 후, 그들이 직접 전도하도록 지도하는 일들로써 나타난다. 사람들에게 기대를 조성하고, 책임감을 가지고 그들의 그러한 기대들을 채우기 위해 훈련시키는 일은 재생산을 위한 진정한 헌신이다.

순종의 골자 중 세번째 구성요소는 배가생산을 위한 헌신이다. 그러한 헌신의 증거는 제자 삼는 자로서의 훈련을 받게 되는 지도자적 역량을 소유한 자들을 선택하는 것을 통해 볼 수 있다. 이것은 지도자들이 제자들을 한 번에 여러 명씩 양성하는 분위기를 창조하도록 가르치는 특별한 훈련을 뜻한다. 그들은 어떻게 무리들을 훈련시키며, 재능 있는 제자들을 제자 삼는 자들로 만드는 법을 배운다. 이 집단에서 당신은 장로들, 목회자들, 선교사들, 교회 개척자들과 그외 또 다른 핵심적인 지도자들을 선출한다.

지상명령에 대한 순종은 세 가지 일들에 달려있다. 그것은 제자에 대한 정의를 내리고 그들을 훈련시키는 것과, 책임감을 가지고 전도훈련을 시킴으로써 재생산에 몰두하는 것과, 제자 삼는 지도자들을 양성하기 위해 특별한 훈련을 통해 배가생산에 전념하는 것이다. 이러한 일들이 지상명령에 순종하는 골자이며, 이 일들을 하지 않는 것은 죄인 것이다.

제자들은 회심자 이상의 모습인가?

예수님께서는 우리에게 "제자를 삼으라"고 명하셨다. 제자들은 주님을 기쁘시게 하며 또한 온 세상을 전도할 사람들이다. 그러므로, 제자에 대한 명확한 식별은 필수적이다.

제자란 무엇이며 그가 무엇을 하는지 이해하는 일은 교회로서 가장 우선적인 것이다. 교회가 지닌 아이러니는 우리들이 제자라는 말을 자연스럽게 들먹거리지만, 상당한 경우 그 말에 대한 분명한 정의없이 사용한다는 점이다. 그런 상태는 신발회사가 신발규격 없이 제품을 생산해 내려는 것과 다름없다. 그런 회사의 생산라인으로부터 나오는 제품은 아마 기묘하게 생길 것이다.

제자에 대한 정의는 애매모호하게 내려져 왔다. 제자란 자신의 구원을 위해 오직 예수 그리스도만을 믿는 회심자인가? 예수님께서 여러 다른 구절들을 통해 묘사하신 열매를 맺으며 재생산하는 자인가? 아니면 누가복음 14:25-35의 말씀같이 자신의 소유와 자기 자신과 가족에 앞서 그리스도를 섬기는 온전히 헌신된 사람만이 제자인가?

제자들은 선천적인가 아니면 후천적으로 만들어지는가?

만약 제자들이 만들어지는 것이 아니고 선천적인 것이라면, 그들은 영적으로 태어나는 그 순간부터 예수님께서 묘사하신 제자로서의 정의들을 과시하고, 제자로서 요구되는 것들을 다 만족시켜야만 할 것이다. 이러한 특성들은 완전히 성숙되어 있지는 않더라도, 그것들은 배아에 이미 존재해야 한다. 그들은 하나님께 영광을 돌리고, 기쁨을 소유하며, 서로를 사랑하는, 그리스도 안에 거하고 순종하며 열매를 맺는 신자처럼 보일 것이다(요 15:7-17). 그들에게는 누가복음 14:25-35에서 예수님께서 설명하신 제자의 우선순위와, 복음을 위해서 모든 것을 포기하는 예수님을 따르는 자로서의 헌신이 있을 것이다(눅 9:23-25).

만약 제자들이 만들어지는 것이 아니고 선천적인 것이라면 - 이러한 제자의 특성들이 개발되려면 시간이 걸리겠지만 - 그 특성들은 진실로 거듭난 그리스도인들 안에 100% 형성될 것이다. 그러므로 모든 그리스도인이 건강하고, 재생산하는 신자가 될 것이다. 만약 사람들이 제자의 자격요건을 반영하지 않는다면, 그들은 그리스도인들이 아닐 것이다.

만약 제자들이 만들어지는 것이 아니고 선천적인 것이라면, 비그리스도인들이 복음주의 교회들을 장악하고 있는 것이다. 후하게 평가하더라도 약 25%의 복음주의자들만이 제자로서의 예수님의 기준을 만족시킬 뿐이다. 앞서 언급한 바처럼, 단지 7%만이 전도훈련을 받았고, 2%만이 그리스도를 다른 사람들에게 전했다. 그리스도께서 내리신 정의에 의하면, 제자들은 전도를 통하여 자신들을 재생산한다. 만약 누군가가 "제자들은 만들어지는 것이 아니고 선천적인 것이다"라는 신학을 받아들이고 예수님께서 내리신 제자에 대한 정의에 그것을 보탠 후 오늘날 복음주의 교회에 관한 객관적인 사실들을 덧붙여 본다면, 그 결과는 참으로 경악스러운 것이 될 것이다. 적어도 복음주의자들의 75%는 그리스도인이 아닌 셈이 되는데 그 이유는 그들이 제자가 된다는 그리스도의 기준에 따르지 않았기 때문이다.

"제자들은 만들어지는 것이 아니고 선천적인 것"이라는 신학은 많은 악영향을 끼친다. 몇몇 단체는 이를 받아들이는데 이는 그 신학과 예수님의 정의를 하나하나 적용시켜 보지 않았기 때문이다. 예수님의 정의와 적용시킬 때, 그것은 사역에 대한 복음을 창조한다. 그것은 구원에 대한 조건들을 부가시키고, 그리스도 안의 믿음을 요구할 뿐만 아니라 제자의 자격요건에 전념할 것을 요구한다. 당신이 세계 복음화에 전념하고 복음수확에 노고를 아끼지 않으며 당신의 삶 속에서 그리스도를 모든 것에 앞서 기꺼이 섬기지 않는다면, 예수님의 말씀 - "내 제자가 되지 못하리라"(눅 14:25-35) - 에 따라 당신은 구원을 받지 못한 셈이 된다.

성경은 구원의 부차적인 것으로서 일어나는 뚜렷한 변화를 가르치는 반면, 모든 신자들이 재생산하는 제자들이 될 것이라고는 가르치지 않는다. 그리스도인의 성장은 모든 그리스도인들이 추구해야 할 목표라고 성경은 가르치지만 그것을 거듭난 증거로 삼지는 않는다. 바울의 열세 편의 서신서들은 좀더 철이 들었어야 했을 미성숙한 신자들로 이루어졌던 교회에 대해 충분히 입증한다. 고린도전서 3:1-3과 히브리서 5:11-13과 같은 본문은 불순종적이고 육적인 그리스도인들도 그리스도인들로서 여겨졌다는 사실에 대한 증거를 제시한다.

회심자로서의 제자와 성숙하고 재생산하는 자로서의 제자간의 충돌은 마치 불필요한 물건을 사이에 두고 두 사람이 서로 싸우는 것과 같다. 그러한 논쟁은 불필요하고 또한 형편없는 성경해석적 산물이다. 이 문제는 단지 사전적인 의미만을 가지고 즉, 제자라는 단어를 정의할 때, 보다 중요한 자료들을 고려치 않고 그 낱말의 어원만 가지고 정의를 내리려는 태도에서 기인한다.

또 다른 실수는 예수님께서 제자와 믿는 자 또는 회심자간에 어떠한 구별도 하지 않으셨다는 근거 없는 논쟁이다. 이것은 제자란 말이 언급될 때마다 항상 같은 뜻으로 쓰였다고 그릇된 가정을 한다. 제자란 단어는 그런 성경해석이 허용하는 것보다 훨씬 더 유동적이다.

마데테스("제자"를 일컫는 헬라어 - 역자주)에 대한 사전적인 정의는 다음과 같다. "마데테스로서 묘사되는 자의 전체적 삶을 형성하는 개인의 결속 존재를 항상 내포하며 그 특수성 내에서 누군가가 삶의 조성적 힘을 적절히 배치하는가 하는 점에 대해서는 의심의 여지가 없다."[1] 킷텔의 설명을 요약하자면, 제자란 추종자 즉, 어느 한 스승의 학생이다. 침례(세례) 요한도, 플라톤도, 예수님께서도 제자들을 거느렸다. 그것은 항상 극도의 개인적인 결속관계를 의미한다.

계속해서 킷텔은 마데테스는 추종하는 것과 항상 연관된다고 언급한다. 제자는 단지 믿는 것 그 이상을 뜻한다. 많은 이들이 그리스도를 믿었지만 소수만이 그를 따랐다. 소수만이 추종자들이 되려고 자신들의 일상생활을 포기했던 것이다. 예수님의 인기가 절정에 달했을 때, 500여 명이나 그를 따랐던 일을 기억하라. 제자들은 그리스도께 순종하려고 자신들의 생활양식을 조정하는 희생을 치렀던 특수한 무리들이었다. 제자는 그 옛날에도 또한 현재에도 구체적인 행동과 헌신을 하는 사람이다.

예수님은 제자들을 헌신과 순종의 사람이라고 그 성격을 규정지으셨다. 그들은 기꺼이 사역의 고통을 감수했고 사역을 분담했다. 4복음서에서 사용된 마데테스의 기본적 용도는 예수님의 지상사역 동안 그를 따랐던 열두 명, 칠십 명, 그리고 오백 명의 무리들간의 관계를 묘사했다. 문맥에 따른 관점들과 거기에 덧붙인 사전적인 정의들은 우리들로 하여금 제자란 예수 그리스도의 헌신된 추종자라고 생각할 것을 요구한다. 그것은 단지 믿는 자 이상을 의미하며 행동으로 자신의 믿음을 과시하는 자를 뜻한다.

또 다른 마데테스의 용도가 사도행전에 나타나는데 킷텔은 다시금 거기에 대해서 이렇게 말한다. "우선적으로 주목해야 할 점은 마데테스가 단지 사도행전 6:1-21:6에서만 그리스도인들을 위해 사용되었다는 것이다. 6장 이전에는 그리스도인들을 '믿는 자들' 혹은 '형제들'이라 일컬었다. 마데테스의 사용은 체계적이 아니다. 21:4, 16을 제외하고는 사도행전의 저자인 누가가 기록된 사건 가운데 직접 등장하는 부분("We" sections)에는 나타나지 않는다.[2]

사도행전에서 마데테스라는 단어는 일반적으로 그리스도인들을 위해 사용되었던 것이지, 그리스도의 개인적 추종자들을 위한 것은 아니었다.

그것은 예수님을 개인적으로 알지 못했던 자들도 포함하는데 예를 들어 디모데도 제자라고 불렀다. 사도행전에 있어서 제자의 특징이 6:7에서 발견되는데, 그것은 믿음으로 하는 순종이다. 사도행전 9:26이 우리에게 밝히듯 바울에게도 제자들이 있었다. 첫번째 전도여행중에 바울과 바나바는 복음화된 도시들로 다시 돌아가 제자들을 굳건케 하고 장로들을 선택했다(행 14:21-24).

제자에 대한 예수님의 정의

제자를 정의하는 데 가장 중요한 요소는 예수님의 가르침이다. 예수님은 제자를 삼으시는 분이셨다. 그분은 이 사실을 지상명령을 내리셨을 때, 제자들에게 말씀하셨다. 예수님의 정의들은 다른 어떤 것들보다 우선된다. 예수님은 제자가 무엇인지 정의하셨고 이제 우리는 제자의 자격요건을 상세히 고찰할 것이다.

우리는 제자에 대한 그분의 가르침을 다음과 같이 요약할 수 있다.

자기를 부인하고 날마다 제 십자가를 지고 예수님을 기꺼이 따른다(눅 9:23-25).
그리스도를 자신과 가족과 소유물보다 먼저 생각한다(눅 14:25-35).
그리스도의 가르침에 헌신한다(요 8:31).
온 세계의 복음화에 헌신한다(마 9:36-38).
그리스도께서 사랑하심과 같이 다른 이들을 사랑한다(요 13:34-35).
그리스도 안에 거하고 순종하며 열매를 맺고 하나님께 영광을 돌리며 기쁨이 충만하고 형제들을 사랑한다(요 15:7-17).

만약 어떤 이가 그러한 헌신의 마음이 없다면, 예수님께서는 "그는 나의 제자가 되지 못한다"(눅 14:25, 26, 33을 보라)고 단호하게 세 번이나 선언하신다.

예수님께서 예수님을 믿는 것과, 헌신하는 것간에 차이를 두지 않으셨다고 결론을 짓는 것은 사실을 무시한 처사이다. 예수님께서는 영생의 중요성에 대해 많은 이들에게 말씀하셨다. 그러나 니고데모와 우물가의 여인과, 십자가 상의 강도에게 그는 제자도의 엄격함을 언급하시지 않으셨다. 그는 그들에게 믿음과 신뢰를 강조하셨다. "…누구든지 그를 믿으면 멸망치 않고 영생을 얻게 하려 하심이니라"(요 3:16). 또한 요한복음 6:25-29과 11:25은 예수님의 구원에 관한 가르침이 제자가 되는 필수 조건들에 대한 가르침과 다르다는 것을 보여준다. 예수님께서는 구원에 이르게 하는 믿음의 필요성과 그를 추종하고 제자가 되게끔 하는 헌신의 필요성 사이에 분명히 차이를 두신다. 그러므로, 필자는 제자의 정의에 관한 다음 네 가지의 결론을 내리게 되었다.

1. 진실로 거듭난 신자들은 영적 출생의 순간부터 원칙적으로는 제자들이다. 진정한 신자들은 예수님의 추종자들이다. 이것은 그들이 성숙한

예수님의 추종자들이 된다거나 그들의 삶을 예수님께 바친다는 뜻은 아니다. 그들은 아마도 영적으로 나태한 삶을 살지도 모르고, 그들의 삶은 하나님께서 주신 은사와 재능을 허비해 버릴 수도 있다. 그러므로 가서 제자를 삼으라는 분부는 전도를 포함한다. 그리스도를 사람들에게 알리는 일이 지상명령의 첫단계인 것이다.

2. 예수님께서는 "회심자를 만드는 것" 이상을 뜻하셨다. 모든 진정한 신도가 제자인 반면, 예수님께서는 단지 "가서 전도하라"는 것 이상을 의미하셨다. 믿는 자들이 침례(세례)를 받고 공개적으로 그리스도를 시인하며 분부하신 모든 명령들을 순종하도록 가르침을 받는 것 즉 훈련을 받고 성숙한, 재생산하는 제자들로 세워져가는 것이다.

   예수님께서 "제자를 삼으라"고 하셨을 때 제자들은 필연적으로 단지 사람들로 하여금 예수님을 믿게 하는 것보다는 훨씬 더 깊은 것을 의미하신다는 사실을 이해했다. 그들은 수백 명이 왔다가는 다시 가버리는 것을 보았고 많은 궁핍한 자들, 그저 받으려고 하는 자들, 그리고 기적 후에 잠시 피상적으로만 뜨거워졌던 자들을 목격했기에, 단지 사람들로 하여금 "네, 제가 믿습니다"라고만 고백하게끔 하는 것이 충분치 않다는 것을 알았다. 그들은 이런 사실을 예수님이 자신들을 형성시킨 것같이 다른 이들도 그와 같이 형성시키라는 뜻으로 해석해야만 했다. 대가를 고려해야 하고 희생을 치르면서 예수님을 따른다는 사실은 바로 예수님께서는 그들에게 제자가 되기 위한 장기적이고도 의도적인 과정을 요구하심을 의미했다. 그들의 임무는 전도로부터 시작되었지만 그것은 단지 시작이었을 뿐이었다. 그들은 세상에 복음을 전하고자 헌신한 사람들을 생산해내는 일이 필요했고 그들을 통해서 복음은 배가되었다. 제자를 삼는다는 일은 그들의 구원을 포함하지만 이것은 단지 첫번째 단계이다.

3. 모든 족속으로 제자를 삼는 일은 목표로서 명시되어 있다. 그 과정은 가능한 한 많은 이들을 구원으로 인도하고 가능한 한 최대한으로 개발시키며, 가능한 한 배가시키는 것이다. "제자를 삼으라"는 말은 거듭남에서부터 제자를 삼는 자로서 훈련이 되기까지의 전체 과정을 포함

한다. 그러므로, 제자 삼는 과정이란 말은 이치에 들어맞는다. 그뿐만이 아니라, 그 일은 그리스도께서 그분의 교회를 향해 기대하시는 것의 바로 그 심장이다. 제자 삼는 일은 사람들을 구세주께 인도하고 그들을 성숙시키며 그리스도를 위해 재생산하며 효과적이 되도록 그들을 훈련시키는 일이다. 그것이 교회의 진정한 사역이며 목회자에게 분부된 일이다.

제자는 만들어지는 것이 아니라 선천적인 것이라는 생각은 그들로 하여금 제자 삼는 일은 전도라는 결론을 내리게 만든다. 그렇게 되면 교회에 명하신 일은 교회의 전반적인 건강을 해치면서도 전도만 전념하는 것이 될 것이다. 교회에 명령된 일은 전도이고, 시간이 허락된다면 부차적으로 하는 일이 성도를 성숙하도록 이끄는 일이 될 것이다. 그러한 경우, 제자들은 만들어지지 않고 태어난다. 그들은 생산 공장에서부터 이미 정확한 장비를 갖추고 성령님에 의해 태어난 것이다. 그렇다면, 그들은 세워져야 하고 훈련과 가르침을 받아야 하며 예수 그리스도께 헌신하도록 인도되어야 한다. 그러므로, 예수님께서는 전도 그 이상의 것을 명하셨는데 그것은 성숙한 제자에 대한 그분의 정의대로 모든 그리스도인들을 자라게 할 것에 대한 명령이다.

4. 교회에 "제자를 삼으라"는 명령을 주셨을 때, 예수님께서는 교회를 향해 재생산하는 제자들을 만들라는 책임을 부여하셨다. 예수님은 교회 소산의 품질에 대해 말씀하신다. 그 소산의 품질이야말로 온 세계의 복음화에 대한 열쇠이다.

제자 삼는 사역은 배가생산을 유발한다. 전략과정으로서, 배가는 세계 복음화의 열쇠이다. 제자 생산은 결과적 소산 그 이상이다. 그것은 세상을 전도하기 위해 요구되는 방법이다. 교회가 제자 삼는 일에 그만큼 전념할 때 그리스도께 순종하는 것이다. 오늘날의 선교는 문제에 봉착해 있다. 그 이유는 교회가 제자 삼는 일의 제일 첫번째 단계에 멈추었기 때문이다. 너무도 많은 교회가 영혼을 구제하고 침례(세례)를 베풀지만 그들을 가르치고 훈련시키지는 않는다. 때문에 재생산과 배가의 결핍이라는 안타까운 결과를 초래한다. 하나님께서는 모든 그리스도인들이 그분의 제자가 되기를 원하신다. 하나님은 모든 그리스도인들이 영적으로 재생산하기를 뜻하신다.

그리스도께서는 그분의 교회에 두 가지 일 - 건강한 소산(재생산하는 제자)을 생산할 것과 세계 복음화가 실제화되도록 하는 - 이 일어나도록 확실히 하기 위해 제자 삼는 일을 하라고 분부하셨다. 오직 제자들만이 재생산하며 배가한다. 다른 방도가 없다. 그러므로, 제자 삼는 일은 지교회의 심장부에 위치해야 한다. 목회자는 제자 삼는 사역을 최우선 순위로서 세워야 한다.

제자의 자격요건(요 15:7-17)

예수님께서는 그분과 제자와의 관계는 마치 포도나무와 가지의 관계와 같다고 가르치신다. 이 다락방에서의 가르침이 강조하는 바는 네번째 단계이다. "와 보라" 단계는 4개월이란 기간을 소요했다. "나를 따르라" 단계에서는 열두 제자들을 세우는 데에 10개월이 걸렸다. "나와 함께 있으라" 단계는 20개월이란 기간이 걸렸으며 열두 제자들이 사역을 인계받기 위한 특별한 훈련이 행해졌다. "내 안에 거하라"는 네번째 단계에 대해 예수님께서는 포도나무와 가지의 비유를 들어 설명하셨다.

예수님께서는 그들과의 관계의 변화에 대해 말씀하셨다. 예수님은 떠나실 것이고 대신 성령님께서 오실 것이다. 성령님께서는 다른 방식으로 그들과 함께하실 것이다. 효과적인 사역의 절대적인 필요에 대해서는 요한복음 15:5 - "나는 포도나무요 너희는 가지니 저가 내 안에, 내가 저 안에 있으면 이 사람은 과실을 많이 맺나니 나를 떠나서는 너희가 아무 것도 할 수 없음이라" - 에 명시되어 있다.

열매를 맺는 그리스도인으로서 절대 타협할 수 없는 것은 그리스도 안에 거하는 문제이다. 그러나 그리스도께서는 열매를 맺는 것을 강조하시지 않고, 그 안에 거하는 것을 역설하신다. 포도나무에 의존하는 가지로서, 그리스도 안에 거함으로, 믿는 자는 열매를 맺는다. 실로 그는 열매가 맺힘을 피할 수 없다. 이 가르침은 제자 삼는 일에 매우 중요하다. 왜냐하면 예수님께서는 계속해서 하나님을 기쁘시게 하는, 결실을 맺는 믿는 자에 대해 묘사하시기 때문이다. 예수님은 이런 사람을 제자라고 밝히신다. 그는 제자들에게 온전한 제자를 설명해 주심으로 제자들에 관해서 말씀하신 것이다. 즉, 예수님께서는 지상명령의 소산을 설명하신다. 제자의 자격요건에는 여섯 가지의 특성들이 있다.

제자는 그리스도 안에 거한다(요 15:7)

"너희가 내 안에 거하고 내 말이 너희 안에 거하면 무엇이든지 원하는 대로 구하라 그리하면 이루리라"(요 15:7).

"거하다"라는 단어는 희랍어적 의미는 "머무르거나 지속적으로 접촉을 유지하는 것"이다. 그리스도께서는 그분과 그분을 따르는 자들간에는 유기적인 관계가 유지되어야 한다고 말씀하신다. 이것은 결실을 맺는 봉사에 있어서 필수적이다. 그러나 그리스도 안에 거한다는 뜻을 정의하기 이전에 우리는 그 문장의 맨 처음 단어를 고려해야 한다.

맨 첫번째 단어는 "만약"이다(요 15:7의 영어 표현은 만약을 의미하는 if로 시작된다 - 역자주). 영어에서 이 단어는 의심의 정도를 포함한다. 희랍어에는 "만약"이라는 단어는 네 가지 다른 형태가 있다. 요한복음 15:7의 경우 단어 형태는 분명히 어느 정도의 의혹을 내포한다. 사람이 내리는 선택은 가능한 미래 행위를 결정할 것이다. 각 그리스도인은 매일 선택을 한다. "내가 오늘 그리스도를 따를 것인가?" "성령께서 나를 인도하실 것인가?" "그의 가르침이 나를 교육할 것인가?" 각 사람은 "나를 따라오너라 내가 너희로 사람을 낚는 어부가 되게 하리라"(막 1:17)고 하는 그리스도의 부르심에 반응하도록 요구된다.

너무 많은 사람들이 한번 그리스도인이 되면 영적 자동 조종장치를 켰다고 생각한다. 그리스도인의 성장은 자동이 아니라 초자연적이다. 중요한 차이점은 그리스도를 따르려는 매일 매일의 결정이다. 그러한 선택은 그 사람이 그리스도 안에 거하는 정도를 직접적으로 좌우한다. "만약"이라는 조건문으로 시작함으로써 예수님은 제자들 쪽에도 예수님과의 관계를 유지하기 위한 지속적인 책임이 있음을 명백히 말씀하신다.

불행히도 많은 그리스도인들이 한 가지 잘못된 생각에 바탕을 두고 제자도를 거절해 왔다. 그들은 예수님과의 진지한 동맹은 예수님을 위한 게릴라 특수 부대나 하나님의 특공대가 되어 적군 영역에 침투하여 백병전을 벌이고 집집마다 다니지 않는 한 제자가 될 수 없다고 잘못 생각한다. 이제 사실을 살펴보자. 그리스도에게 "예"라고 대답하는 일에는 누구나 그리스도 안에 거할 수 있게 하는 두 가지 행동이 요구된다.

그리스도의 말씀과 올바른 관계를 맺으라. 제자는 말씀에 헌신한다. 예수님께서는 "너희가 내 말에 거하면 참 내 제자가 되고"(요 8:31)라고 이전에 말씀하셨다.

분명히 예수님은 그분의 구두를 통한 가르침에 대해 말씀하신다. 또한 분명히 예수님은 자신의 많은 가르침을 구약의 말씀 위에 세우셨다.

그 예로, 산상수훈을 보라. 20세기 세련된 적용에 의하면 제자는 신약에 나타난 그리스도의 가르침들에 헌신한다. 그러나 완성된 성서의 정경이 하나님의 말씀인 고로 제자는 전체 성서의 권위에 헌신해야 한다. 제자가 그리스도의 말씀과 온전한 관계를 맺는 유일한 길은 말씀에 헌신함을 보이는 일이다. 이 헌신은 제자가 가진 실천적인 성경지식을 통해 나타난다. 기능면에 있어서 그 실천적 지식에는 여러 가지가 있다.

공부. "네가 진리의 말씀을 옳게 분변하며 부끄러울 것이 없는 일꾼으로 인정된 자로 자신을 하나님 앞에 드리기를 힘쓰라"(딤후 2:15).

"힘쓰라"는 의미는 성경을 이해하기에 모든 노력을 쏟고, 근면하여 유능한 일꾼이 되고, 자신의 삶 속에 성경을 적용하는 지식에 관한 일에 의기양양하라는 뜻이다. 이는 제자는 성경을 읽고, 성경을 공부하고, 성구를 암송하며, 성경을 가르칠 수 있고, 자신의 삶 속에 성경의 가르침을 적용할 것을 의미한다.

싸움. "우리가 육체에 있어 행하나 육체대로 싸우지 아니하노니 우리의 싸우는 병기는 육체에 속한 것이 아니요 오직 하나님 앞에서 견고한 진을 파하는 강력이라 모든 이론을 파하며 하나님 아는 것을 대적하여 높아진 것을 다 파하고 모든 생각을 사로잡아 그리스도에게 복종케 하니"(고후 10:3-5).

제자는 공부를 통해 성경을 충분히 알아야만 하는데 이는 세상 철학과 사상의 유혹과 싸우고 자신을 그러한 것들로부터 보호하기 위해서이다. 제자는 매일같이 수천 가지의 메시지와 사상들에 직면한다. 성경적인 방어조직은 그러한 개념들을 분류해서 그리스도께 복종하는 것은 받아들이고 그렇지 않은 것은 거절해야 한다. 평범한 그리스도인의 세상 철학에 대한 방어 정도는 핵공격을 알리기 위해 폴 리비어를 달리게 했던 보스톤의 올드노스 교회의 등불들 - 등불 하나면 육지로, 두 개가 켜지면 해상을 통해 - 을 사용하는 것과 같다(폴 리비어는 미국 독립전쟁의 애국자. 올드노스 교회에 있는 등불을 사용한 신호방법 즉, 등이 하나 켜지면 영국군이 육지로, 둘이 켜지면 해상으로 온다는 신호로 영국군의 진격을 전해 받고 재빨리 독립군에 알린 인물. 필자는 현재의 핵공격을 그러한 등불신호로 알리는 행위는 터무니없는 비효과적인 방법이라는 비유를 사용, 현재 그리스도인들의 방어 정도의 엄청난 빈약성을 지적한다 - 역자주). 많은 그리스도인들, 아니 대부분의 그리스도인들이 현대 대중 매체를 통한 메시지 앞에서는 무력하다.

청소년이 "외설 잡지를 보는 것이 왜 잘못된 것인가요?"라고 질문할 때, 많은 그리스도인 부모들은 그들의 대답을 성경에서 찾지 못한다. 그들은 어디에서 그 대답을 발견할 수 있는지 모른다. 이것은 복음주의자들의 성경에 대한 무지성을 보여준다. 성경이 낙태에 대해서, 사형에 대해서, 굶주린 자들을 구제하는 일에 대해서, 친구에게 돈을 빌려주는 일에 대해서, 아이들을 가르치는 일에 대해서, 불안해소에 대해서, 재정에 대해서, 결혼 등등에 대해서 무엇이라 말하고 있는가? 만약 당신이 성경을 공부하지 않았다면 모를 것이다. 그러므로 당신은 아무런 무기없이 싸워야만 하는 것이다. 모든 그리스도인들은 세상과 육체 그리고 악령과 싸워야 한다. 문제는 "그러한 전쟁에 대비하는가?" 하는 것이다. 제자는 준비한다. 그러나 대부분은 그렇지 않다.

방어. "너희 마음에 그리스도를 주로 삼아 거룩하게 하고 너희 속에 있는 소망에 관한 이유를 묻는 자에게는 대답할 것을 항상 예비하되 온유와 두려움으로 하고"(벧전 3:15).

제자는 그의 마음을 새롭게 하고 자신의 행동을 가다듬으며 자신의 삶에 적용되는 하나님의 근본원리들에 대한 실천적 지식을 위해 성경을 공부하고, 또한 유혹에 대항하고 모든 생각을 사로잡아 그리스도께 복종케 하며 그리스도인의 메시지를 이해하기를 갈구하는 이들 가운데에서 자신의 믿음을 방어하기 위해 성경을 공부한다.

모든 제자는 거짓된 가르침을 지적할 수 있도록 자신이 무엇을 믿고 있는지 잘 이해해야 한다. 제자는 사람들이 하는 "성경의 진실성을 어떻게 알 수 있는가?" "왜 하나님은 의인의 고통과 사악한 일을 허락하는가?" "당신은 왜 그리스도만이 하나님께 갈 수 있는 오직 유일한 길이라고 말하는가?" 등등의 이러한 기본적인 질문들에 대해 대답할 수 있어야 한다. 제자는 그러한 질문들에 대해 대답할 수 있는 지식과 능력을 소유하고 있어야 한다.

공부하고 싸우고 방어하라. 이 세 가지 기본능력들은 성경에 대한 헌신으로 말미암은 결과이다. 제자는 그의 마음을 새롭게 함으로 변화를 받은 자다. 그의 마음을 새롭게 하고 그의 행동을 재편성하는 정보는 바로 하나님의 말씀인 것이다. 하나님께서는 제자들에게 그분의 말씀을 통해 말씀하신다. 이것이 그리스도 안에 거하는 첫번째요 또 가장 중요한 행위이다.

성경은 어느 제자에게 있어서나 출발점이다. 많은 그리스도인들은 영적인 침체 상태에 있으며 "물 안에 죽은 듯 누워" 있다. 그들은 성경을 공부하겠다는 헌신이란 돛을 세워 출항하는 것이 절실히 필요하다. 그들이 이 중요한 단계를 건너 뛸 때 포도나무에서 떨어지게 된다. 하나님 말씀에 대한 그리스도인의 관계는 주님과의 활기찬 동행에 있어서 가장 중요한 관건이다. 그리스도와 동행하며 세상 속에서 살아가는 모든 것은 바로 그 위에 세워진다.

말씀에 대한 실천적 지식이 없는 한 그리스도인은 나약하다. 바울은 고린도후서 12:10의 말씀 "내가 약할 그때에 곧 강함이니라"에서 그런 종류의 약함을 찬양하고 있는 것은 아니다. 명령받은 행동에 대한 고의적인 나태함이 이러한 나약함을 초래한다. 오늘날 비효과적인 교회의 소산들은 하나님의 말씀과 온전히 관계를 맺지 못하고 있는 그리스도인들에 기인한다.

그렇다. 많은 복음주의자들은 교회에 출석하고 설교를 청종한다. 하지만 그것으로 끝이다. 그들은 숟갈로 음식을 먹여야 하는 갓난아이들임에 틀림없다. 제자들은 스스로 양분을 섭취하는 자들이다. 그들은 어떻게 음식을 섭취해야 하는가를 알고 또한 양분을 필요한 곳에 저장한다. 대다수의 그리스도인들이 스스로 양분을 섭취하지 못한다는 사실은 그렇게 경악스러운 것은 아니다. 성경을 듣고 읽는 것이 스스로 양분을 섭취하는 제자가 되게 해주지는 않는다. 왜냐하면 단지 그런 것들로는 당신으로 하여금 공부하고 싸우고 방어하도록 도와주는 데 충분하지 않기 않기 때문이다. 이 첫번째 단계 "너희가 내 안에 거하고 내 말이 너희 안에 거하면"을 간과할 수는 없다.

기도에 전념. "너희가 내 안에 거하고 내 말이 너희 안에 거하면 무엇이든지 원하는 대로 구하라 그리하면 이루리라"(요 15:7)는 말씀은 효과적인 기도에 대해 말한다. 그리스도 안에 거하고 그의 말씀을 이해하는 제자는 무엇을 그리고 어떻게 기도해야 할지 안다. 그는 무엇을 구해야 하는지 그리고 어떻게 해야 그것을 받는지 안다. 이 구절은 제자들에게 백지 수표를 준다는 것이 아니다. 이 구절은 기도에 대한 많은 다른 언급들과 함께 이해되어야 한다. 응답받는 기도에 대한 다른 조건들은 계명을 지키는 것(요일 3:22)과 하나님의 뜻대로 기도하는 것(요일 5:14-15) 등이다. 제자는 기도에 대해서 잘 알고 있고, 권위 있는 기도를 하는 사람이다.

하나님과의 대화는 제자로서의 삶의 본질과 그리스도 안에 거하는 기본을 형성한다. 하나님께서는 내게 성경을 통해 말씀하시고 나는 기도를 통해 그분께 응답한다. 어떻게 보면, 하나님을 알아가는 일은 어떤 사람과 사귀어가는 것과 마찬가지이다. 대화가 있고 삶을 나누며 생각과 의견을 교환한다. 하나님께 말씀드리는 것은 하나님께서 우리에게 말씀하시는 것과 같이 매우 중요한 일이다. 제자는 하나님께서 먼저 말씀하시는 것을 들음으로 하나님께 말씀드리는 것을 배운다. 기도는 이미 하나님께서 말씀하신 것에 대한 응답이다. 그리스도 안에 거한다는 것은 하나님의 말씀과 기도를 요구한다.

목회자가 접하는 대부분의 문제에 대한 근본 원인은 피상담자와 하나님간의 부적합한 관계에 있다. 그 문제의 뿌리는 바로 그들이 하나님과 교통하지 않는 것이다. 그들은 하나님의 음성에 귀를 기울이는 데 시간을 할애하지 않으며 그들의 마음을 내보이는 일과 하나님의 말씀을 이해하는 데 시간을 내지 않는다. 그리스도인들이 하나님과의 대화가 결핍됨으로 생긴 공통적인 병폐 중에서 가장 심각한 것은 목회자들도 신도들만큼이나 고통을 받고 있다는 점이다.

과다수의 목회자들은 직업상 성경을 공부한다. 즉, 설교하고 기도하기 위해서, 그리고 목회를 위해서 성경을 공부한다. 그들은 성경공부와 기도하는 것을 전문화시켰다. 실용주의적인 접근은 하나님과의 교통을 부패시킨다. 마치 어떤 사람이 전동 연필깎이를 사용하는 것처럼 하나님을 이용하는 것이다. 내가 좀더 잘 쓰기 위해서 전동 연필깎이가 필요할 때, 연필을 그 기계에 집어넣듯이 내가 감명깊은 설교나, 계획을 위해 기금이 필요할 때에야 하나님의 도우심을 간구한다.

하나님께 도움을 구한다는 점이 부도덕적이라는 것은 아니다. 사실, 하나님은 우리가 그렇게 하기를 격려하신다. 그러나 우리가 무언가 구하기 위해서만 그분께 시선을 집중할 때 부도덕성이 표출된다. 하나님께서는 우리의 마음을 양육하시고 영혼을 드높이시는 데 아무런 시간도 가지실 수 없게 되었거나 아니면 우리에게 단지 그분과 어울리는 기쁨만을 허락하시게 된 것이다. 우리의 세상적인 관계에 있어서도 오직 받기만 하는 관계가 얼마나 오래 지속될까?

많은 기독교 지도자들이 안고 있는 다른 문제는 그러한 교통에 대한 평생 동안의 필요이다. 그리스도인들이 기본적인 필요들로부터 벗어나지 못한다. 종종 지도자들은 그리스도인으로서의 삶을 잘 시작했다. 그들은 성경공부, 기도, 성구암송, 그리고 개인전도 등에 대해 좋은 훈련을 받았다. 그러나 시간이 흐를수록 그들은 이러한 기본적인 면들을 기독교 전문성에 대한 비법과, 엘리트 의식 때문에 게을리했다. 목회자들과 기독교 지도자들이 종종 탈진하는 것은 그들의 처음 사랑을 떠났기 때문이다. 하나님과의 지속적인 교통을 하는 불이 붙여지지 않았기에 그 영적인 불꽃은 꺼져버린 것이다.

시카고 불즈 소속의 유명한 농구선수인 마이클 조단(Michael Jordan)은 농구 코트에서 기막힌 묘기들을 연출한다. 그가 초인적인 묘기들을 보일 때마다 사람들은 감탄의 소리를 연발한다. 그러나 조르단이 기본적인 기술을 배우고 그것들을 연마하지 않았던들 그의 현재

기량들을 쌓아올릴 만한 기반은 없었을 것이다. 만약 그가 킥킹하지 않고 공을 드리블하지 못하거나, 워킹을 범하지 않으며 센터로서의 역할을 담당하지 못하거나, 실책을 범하지 않으면서 리바운드하지 못하거나, 공을 잘 패스하지 못한다면, 그가 아무리 높이 점프하고 사슴같이 재빠르게 달리고 고양이처럼 날쌔게 움직인들 소용이 없을 것이다.

그리스도께 평생 동안의 헌신을 지속하려면 그리스도인들은 먼저 자신들에게 주어진 영적 기반으로 기초들을 완전히 숙달해야 한다. 그리스도인은 그러한 기반이 있을 때 영적 은사들과 재능들과 인생의 상황 등을 최선으로 활용할 수 있다. 제자로서의 자격요건 중 가장 첫번째 표지는 말씀과 기도를 통한 하나님과의 대화에 의해 그리스도 안에 거하는 것이다.

제자는 순종한다(요 15:9; 마 28:20; 요 14:21)

마태복음의 "제자를 삼는 일"에 대한 예수님의 수식어는 "…내가 너희에게 분부한 모든 것을 가르쳐 지키게 하라"는 것이었다. 사람들은 순종하는 법을 배워야만 한다. 왜냐하면 순종은 저절로 되지 않기 때문이다. "모든 사람들은 선천적으로 황폐되었다"라고 에드먼드 벌크(Edmund Burke)는 기술했다. 강점들이 약점들로 변해버린다. 책임감은 성공적인 제자양육에 있어서 필수적이다. 왜냐하면 그것은 사람들로 하여금 그리스도께 순종하는 삶을 살도록 가르치기 때문이다. 예수님께서는, 제자는 순종한다고 말씀하셨다. 그러므로 책임감 없는 제자 삼는 일이란 있을 수 없다.

우리는 매일같이 우리의 가정에서, 직장에서 책임감을 연습한다. 그리스도인으로서의 필자의 삶을 되돌아볼 때, 많은 사람들이 도움을 주었지만, 그 중에서도 더욱 기억에 남는 사람들은 필자의 행동에 대한 책임감을 일깨워 준 분들이다.

예수님은 순종을 사랑과 연관지으신다. "아버지께서 나를 사랑하신 것같이 나도 너희를 사랑하였으니 나의 사랑 안에 거하라 내가 아버지의 계명을 지켜 그의 사랑 안에 거하는 것같이 너희도 내 계명을 지키면 내 사랑 안에 거하리라"(요 15:9-10). 예수님께서는 이전에 "너희가 나를 사랑하면 나의 계명을 지키리라"(요 14:15), "나의 계명을 가지고 지키는 자라야 나를 사랑하는 자니 나를 사랑하는 자는 내 아버지께 사랑을 받을 것이요 나도 그를 사랑하여 그에게 나를 나타내리라"(요 14:21)고 말씀하셨다.

예수님은 제자들에게 사랑에서 우러나오는 순종을 요구하셨고, 사랑은 순종함과 같고 순종의 행위는 바로 사랑이라고 가르치셨다. 교육받지 않은 그리스도인은 행동을 취하기 이전에 성령께서 자신을 충동질하시는 것을 느낄 때까지 기다린다. 하지만 말씀이 충만한 신자는 그가 어떻게 느끼든 간에 하나님이 명령하신 사실들에 근거해서 행동을 취한다. 그는 순종에서 우러나오는 기도를 하고, 하나님이 명하셨기에 증거한다. 그는 가난한 자들을 구제하는데 그것은 분명한 하나님의 뜻이기 때문이다. 종종 순종하는 제자는 이러한 훌륭한 일들을 하고 있는 듯한 느낌을 가지나 그렇게 하지 않는다. 제자와 "역시 달음질한" 그리스도인간의 차이는 상황과 감정과 또는 다른 압력들에도 불구하고 하나님께 순종하는 제자의 헌신에 좌우된다.

사랑이 발로가 된 순종에 대한 상급은 크다. 우리는 이상에서 언급된 성경말씀들의 배합된 가르침을 요약해 볼 수 있다. 그것은 하나님이 우리를 먼저 사랑하셨다는 점이다. 하나님은 그의 아들을 많은 이들의 대속물로 보내심으로 그 과정을 시작하셨다. "하나님이 세상을 이처럼 사랑하사 독생자를 주셨으니…"(요 3:16). 하나님은 사랑하셨다. 그러기에 그는 행동을 취하셨다. "우리가 사랑함은 그가 먼저 우리를 사랑하셨음이라"(요일 4:19).

그 다음 단계는 우리가 하나님께서 행하신 것에 대해 사랑어린 순종으로 응답하는 일이다. 예수님께서는 "너희가 나를 사랑하면 나의 계명을 지키리라"(요 14:15)고 말씀하셨다. 우리는 사랑어린 순종을 통한 믿음으로 말미암아 우리의 발걸음을 옮기는 것이다. 그리고 그 결과는 훌륭하다. "나의 계명을 가지고 지키는 자라야 나를 사랑하는 자니 나를 사랑하는 자는 내 아버지께 사랑을 받을 것이요 나도 그를 사랑하여 그에게 나를 나타내리라"(요 14:21).

하나님은 그분에 관해 우리에게 더 많이 가르치심으로 그분의 사랑을 우리에게 되돌려 주신다. 예수님은 우리 삶에 대한 하나님의 계획을 상세하게 나타내심으로 성령님의 비밀들을 우리에게 가르치신다. 하나님의 상세한 계획과 영적 비밀들은 순종의 길에서 발견되는 것들이다. 어떤 사람들은 하나님을 보다 더 아는 듯 보이고 하나님께서 그들에게 더욱 역사하시는 것같이 보이는 점에 의아해 한 적은 없는가? 그들은 여러 해 동안 순종의 길을 걸어왔고 하나님께서는 그들을 많이 가르쳐 오셨다.

그러나 대다수의 그리스도인들은 더 많은 정보를 기다리며 순종의 길의 출발점에 머물러 있다. "하나님, 저의 장래 일이나 저에게 어떤 일이 일어날까 하는 것에 대해 좀더 상세하게 보여주신다면 믿음의 걸음을 옮길 준비가 되어 있도록 하겠습니다." 하나님께서는 그런 요구에 확실히 대답하시길, "네가 순종의 길을 나서기 전에는 아무런 정보도 얻지 못한다"고 하신다. 다음의 발걸음은 당신의 것이다. 그러니 그 길로 나서기 시작하라. 만약 당신이 믿음 안에서 걸음을 내딛기 전에 모든 사실들을 요구한다면 아무 곳에도 도달할 수 없을 것이다. 하나님은 보지 않고도 믿음으로 걷기 원하신다. 하나님의 말씀은 당신의 길을 비추는 빛이요 발등상의 등불인 것이다. 그 말씀은 이제 다음에 당신이 어디로 향할 것인가 하는 것에 대해 걷고 보기에 충분한 불빛을 제공한다. 만약 당신이 미래를 볼 수 있고 모든 정보를 가지고 있다면 가지 않을 것이다. 만약 당신이 도전과 문제와 고통을 볼 수 있다면, 그리고 만약 당신이 모든 정보를 안다면 당신은 고통을 피하려고 머물고자 할 것이다. 당신은 순종하는 그리스도인의 삶을 사는 오직 한가지 길을 소유하고 있다. 그것은 믿음으로 걷고 사랑어린 순종 가운데 두려움이나 감정을 배제하고 걸음을 내딛는 것이다. 당신이 그렇게 할 때, 하나님께서는 다른 어떤 방법으로도 경험할 수 없는 경탄할 방법들로 당신을 사랑하리라고 약속하신다.

책임감은 사랑어린 순종 안에서 걸음을 내딛도록 우리를 자극시킨다. 제자 삼는 일은 책임감 없이는 불가능하다. 제자들은 사랑어린 순종으로써 하나님께 대한 헌신을 유지한다. 제자 삼는 자들은 제자들이 하나님께 대한 그들의 헌신을 책임감을 가지고 유지하도록 돕는다. 그 일들은 제자 삼는 일을 위해 모두 작용한다.

제자는 열매를 맺는다(요 15:8, 16)

제자가 생산하는 것의 특징은 다음과 같다. 즉, "너희가 과실을 많이 맺으면 내 아버지께서 영광을 받으실 것이요 너희가 내 제자가 되리라"(요 15:8). 또한 "너희가 나를 택한 것이 아니요 내가 너희를 택하여 세웠나니 이는 너희로 가서 과실을 맺게 하고 또 너희 과실이 항상 있게 하여…"(요 15:16)라는 특징이다.

예수님께서는 자신의 제자들이 재생산할 것을 기대하셨다. 즉, 열매 맺기를 원하신다는 말이다. 그들의 진정한 본질에 의하여 제자들은 필연적으로 열매를 생산했다. 만약 가지가 충분한 기간 동안 포도나무에 붙어있다면 그 가지는 열매를 맺을 것이다.

만약 제자가 그리스도 안에 충분히 있었다면, 그는 열매를 맺을 것이다. 열매를 맺는 일은 적어도 세 가지의 역할을 한다. 즉, 하나님을 영화롭게 하고(요 15:8), 그리스도께서 그의 제자들을 부르셨을 때 가지셨던 기대들을 충족시키며(16절), 많은 양질의 열매(8, 16절)를 맺는 것이다.

열매의 본질에 대한 몇 가지 논란이 있다. 열매는 개인 전도로 인해 생기는 것인가, 아니면 단순히 일반적인 것인가? 이것은 양자택일의 문제가 아니다. 포도나무에 접해 있는 건강한 가지가 자연히 열매를 맺는 것처럼 건강한 그리스도인이 열매를 맺을 것이다. 건강한 그리스도인의 본질은 성령의 열매를 즉, 사랑과 희락과 화평과 오래 참음과 자비와 양선과 충성과 온유와 절제(갈 5:22-23)를 재생산할 것이다. 이 열매는 특성상 소극적이 아니고 적극적이다. 자비는 역겨운 미소나 짓는 것이 아니다. 그것은 어떤 동작을 취해서 무엇인가 한다. 자비의 분명한 행위로는 떨어진 수저를 집는 것일 수도 있고, 어떤 사람에게 그리스도를 소개하는 것일 수도 있다. 성령의 열매는 개인 전도보다 훨씬 더 깊은 데로 나아간 것이지만 개인 전도 없는 열매 맺음이란 생각할 수 없다.

그러므로 우리는 열매 맺는 일을 전도에만 국한시키는 것을 원치 않으나, 모든 성령의 열매는 전도에 영향을 미친다. 믿는 이가 하는 어떠한 긍정적인 일도 그가 다른 이에게 하는 예수 그리스도의 진실성에 대한 증거에서 제외될 수 없다. 우리가 결코 간과해서는 안될 점은 모든 그리스도인들이 그들의 믿음을 다른 이들에게 나눌 책임이 있다는 사실이다.

교회는 사람들이 그들의 믿음을 다른 이들과 나누지 않고도 열매를 맺고, 하나님도 기쁘시게 해드릴 수 있다는 생각을 경계해야 한다. 이것은 불가능한 일이다. 재생산하는 모든 믿는 자들은 그들의 믿음을 나누며, 모든 제자들도 그들의 믿음을 나눈다. 믿음을 나누지 않는 그리스도인들도 있다. 그러나 하나님을 영화롭게 하는 제자라면 누구든지 그리스도를 세상에 증거하지 않는 자가 없다.

열매를 맺는 일과 전도하는 일에는 단계가 있다. 모든 전도의 목적은 다른 이들에게 구세주를 소개하는 것이다. 열매를 맺는 제자가 다른 이들을 그리스도께 인도하지 않는다는 것은 생각할 수조차 없다. 열매를 맺는 일의 최상의 단계는 개인 전도이다. "…내가 너희를 택하여 세웠나니 이는 너희로 가서 과실을 맺게 하고…"라고 예수님께서 말씀하셨을 때, 그분은 분명히 온 세상에 하나님의 말씀을 퍼뜨릴 것을 뜻하셨다. 모든 제자들은 어떻게 복음을 전달하는지 안다. 그뿐만 아니라, 제자는 다른 이들에게 복음을 전하며 또한 그들을 그리스도께 인도한다. 그리스도께서는 모든 제자들이 재생산할 것을 기대하셨다.

전도는 제자 삼는 일에 필수적이다. 너무나도 많은 사람들이 자신들을 제자라고 일컫는 반면, 그들의 믿음을 다른 사람들과 나누지 않는다. 너무나도 많은 교회들이 제자 삼는 사역을 신뢰하고 실제로 행한다고 주장하는 반면, 개인 전도에 대한 훈련이나 책임감이 없다. 결실 없는 제자란 있을 수 없다. 제자들은 재생산한다. 이 점이 바로 그들이 교회 생활을 명령받은 이유이다.

복음주의 교회는 왜곡된 방식으로 훈련되어 온 사람들로 가득차 있다. 그들은 성경을 공부하는 방법과 기도하는 법과 바람직한 친교를 나누는 방법들을 배웠지만 전도하는 방법은 거기에서 제외되었다. 그러한 경우, 사람들의 성경공부는 학구적이 되어버리고 기도는 지루해지며 친교는 피상적이 되어버리는데 그 원인은 그들이 성경공부와 기도와 친교의 촉매 역할을 하는 개인 전도를 등한시한 때문이다.

교회를 향한 하나님의 계획은 제자화된 교회 신도들이 바로 전도 프로그램이 되게끔 하는 것이다. 그리스도를 위해 세상을 침투하는 그들의 행동과 능력은 그리스도에 대한 자신들의 관계를 확증한다. 놀이터에서, 사무실에서, 교사의 휴식 장소에서, 기숙사와 법정에서 그들은 어떤 모습을 보이는가? 분명한 사실은 제자라면 그 자신을 재생산할 것이라는 것이다. 각 지역 사회 속에 배치된, 훈련된 사역자들의 군병들은 많은 열매 - 계속적으로 유지되는 - 를 맺을 것이다.

제자는 하나님을 영화롭게 한다(요 15:8)

제자는 특별한 기술이나 특성보다는 일반적인 결과로 하나님을 영화롭게 한다. 필자가 이 점을 포함하는 것은 이 점이 전체적인 시각에 매우 중요하기 때문이다. "내 아버지께서 영광을 받으실 것이요…"(요 15:8). 이 점은 먼저 필자가 하나님께 가장 큰 영광을 돌릴 수 있는 법을 결정하고자 했을 때 충격을 주었다. 인류 역사를 통해 하나님을 따르는 백성들의 목적이 하나님께 영광을 돌리는 것이라는 사실에 어느 그리스도인도 논쟁을 벌이진 않을 것이다. 아무도 이것이 교회의 목적이라는 것에 의문점을 품지 않는다.

에베소인들을 위한 기도 끝부분에서 바울은 그 점에 대해 완벽하게 서술한다. "우리 가운데서 역사하시는 능력대로 우리의 온갖 구하는 것이나 생각하는 것에 더 넘치도록 능히 하실 이에게 교회 안에서와 그리스도 예수 안에서 영광이 대대로 영원 무궁하기를 원하노라 아멘"(엡 3:20-21).

교회는 제자 삼는 일로 말미암아 하나님께 최상으로 영광을 돌리는데 이는 단순히 열매 맺는 신자들이 하나님께 영광을 돌리기 때문이다. 열매를 맺는 신도들은 확증된 제자들이라고 불린다(요 15:8). 그리스도께서는 제자를 삼으라고 말씀하셨는데, 그 이유는 바로 그들이 재생산을 하고 배가생산을 할 때 세계의 복음화를 가져올 것이기 때문이다.

마태복음 28장에서 그리스도께서는 교회에 "제자를 삼으라"고 분부하셨다. 이제 요한복음 15장에서 예수님께서는 그리스도 안에 거하는 모든 자는 순종하여 열매를 맺는다고 우리들에게 제자를 측정하는 법을 말씀해 주셨다. 그들은 또한 하나님께 영광을 돌리기 위한 최상의 작용을 한다. 이런 종류의 사람을 생산하는 일에 헌신하는 것은 가치있는 일이다. 바라건대 교회가 순종하고 하나님의 거룩하신 부르심을 실천하길 빈다.

제자에게는 기쁨이 있다(요 15:11)

기쁨을 싫어하는 사람들은 없을 것이다. 예수님께서는 기쁨을 좋아하셨다. "내가 이것을 너희에게 이름은 내 기쁨이 너희 안에 있어 너희 기쁨을 충만하게 하려 함이니라"(요 15:11). 오직 제자들만이 기쁨을 소유할 수 있는 대상자들이다. 기쁨은 행복과 구별된다. 필자는 행복을 전적으로 지지한다. 하지만 행복은 기쁨보다는 매우 일시적이다. 행복은 인생의 조건들에 따라 변한다. 좋은 생활 여건을 소유한 사람은 행복할 수 있고, 그러한 경험은 사실 하나님의 아무런 행동도 필요로 하지 않는다.

반면에 기쁨은 우리가 하나님을 기쁘시게 해드리고 있음을 인식함으로 오는 행복감의 초자연적인 감정이다. 사람들은 나의 행복을 뺏을 수 있지만, 아무도 나의 기쁨에 손을 댈 수는 없다. 예수님께서도 십자가로 향하실 때 기쁨을 소유하셨다. 바울은 수감되었을 동안 기쁨의 노래를 불렀다. 수많은 순교자들과 고통받던 많은 이들도 극심한 고통의 순간에 매이지 않는, 억제할 수 없는 기쁨의 이야기를 전해왔다. 예수님께서는 기쁨을 맛보려는 자에게 이렇게 말씀하신다. "너는 제자가 됨으로써 기쁨을 소유할 수 있다. 나는 네가 기쁨의 장성한 분량을 갖기 원한다. 그렇게 되려면 너는 내가 방금 말한 것들, 즉 제자의 자격요건들을 실제로 적용하면 된다. 만약 네가 내 말과 기도를 통해 내 안에 거한다면, 만약 사랑에서 우러나오는 순종으로 발걸음을 내디뎌 내게 순종하면, 그리고 만약 재생산하는 일에 헌신한다면, 너는 하나님께 영광을 돌리게 될 것이고 큰 기쁨을 받는 자가 될 것이다."

제자 삼는 목회자는 사람들을 무척 사랑해서 모든 이들이 제자가 되기를 주장할 것이다. 왜냐하면 제자로서의 삶은 정말 가치있는 것이며, 기쁨의 삶이기 때문이다. 사람들이 기쁨의 삶을 개발하도록 돕는 일은 엄청난 소명이다.

제자들은 그리스도께서 사랑하심같이 사랑한다(요 15:12-14, 17)

"내 계명은 곧 내가 너희를 사랑한 것같이 너희도 서로 사랑하라 하는 이것이니라 사람이 친구를 위하여 자기 목숨을 버리면 이에서 더 큰 사랑이 없나니… 내가 이것을 너희에게 명함은 너희로 서로 사랑하게 하려 함이로라"(요 15:12-13, 17).

필자가 생각하건대, 말씀과 기도를 통해 하나님과 구체적으로 대화를 나누고 사랑의 순종 안에서 하나님과 동행하고, 수차례 자신을 재생산하며 하나님을 영화롭게 함으로 그 자신에게 심오한 기쁨이 오는 것을 아는 사람이 다른 이들을 사랑하지 않기란 매우 어려울 것이라고 생각한다.

예수님께서 세우신 기준 - "…내가 너희를 사랑한 것같이" - 은 높다. 그분은 우리들에게 완벽함을 요구하시지는 않지만, 모방할 것은 기대하신다.

제자들이 해야 했던 것의 전부는 기억하는 일이었다. 예수님의 제자들에 대한 돌보심과 인내, 그들의 필요를 모두 채우셨고 그들의 발을 씻기셨던 일과 가족과 친구들을 죽음으로부터 다시 살리신 것과, 그들의 영생을 위해 자신의 목숨까지도 주신 것을 포함해 그가 하시지 않은 일은 아무 것도 없었다는 사실을 기억하라. 그들의 수명에 아랑곳하지 않고 일단 예수님께서 "내가 너희를 사랑한 것같이"라는 말씀으로 서로 사랑할 것을 규정지으셨다면 제자들은 사랑을 정의하는 많은 기억들을 가지고 있었을 것이다. 그러한 기억들은 그들 앞에 놓여있던 어려운 순간들을 극복하는 안내자의 역할을 했던 것이다. 또한 예전에 예수님께서 만약 그들이 서로 사랑하면(요 13:34-35) 그들이 자신의 제자인 줄 세상이 알 것이라고 말씀하셨을 때, 이 명령에 전도를 위한 면을 부여하셨다.

물론 현 시대의 제자들은 예수님께서 그분의 제자들과 다른 이들을 사랑하신 기록을 가지고 있다. 게다가 우리는 우리 삶 속에 하나님께서 세워 놓으신 훌륭한 업적을 가지고 있다. 우리는 수없이 하나님의 사랑을 경험해 왔다. 제자의 특징은 사랑이다. 사랑은 다른 사람들을 구세주께 인도하는 능력에 있어서 탁월하다. 인류를 향한 그리스도의 사역이 지닌 본질은 사랑에 의해 동기가 부여되었고, 유지되었으며, 강조되었다.

제 4 장

제자 삼는 목회자의 역할

단어에 대한 의미들과 관찰들

논쟁을 시작하고 싶은가? 그렇다면, 목회자나 교회 지도자들에게 다음과 같은 질문에 대답해 보라고 하라. 담임 목회자의 역할은 무엇인가? 성서의 다양한 모델들은 동등하게 타당한가? 목회자의 직무 내용 설명서(job description)에 최우선이라 정해진 직무가 있는가?

적당한 신학적 논쟁을 이제 아우성치는 수라장으로 발전시키기 원한다면, 목회자란 주로 교사인 동시에 훈련시키는 전문가라는 의견을 제시해 보라. 목회자는 나약한 사람들보다는 강한 사람들과 일하고, 그들을 훈련해서 약한 사람들을 돌보게 하며, 강하게 만든다고 주장해 보라. 사실, 약한 신도들의 진정한 소망은 제자 삼는 목회자가 신도들로 하여금 사역을 감당토록 준비시켜 줌으로 자신의 영향력을 배가하는 것이다.

필자는 지교회의 심장부에 위기가 있다고 제시해 왔다. 교회가 온전한 신자들을 길러내지 못하고 있기 때문에 선교가 위협을 당하며, 현 교회의 분위기가 나약함의 온상으로 바뀌고 있는 것이다. 필자는 또한 이같은 문제를 바로잡는 행위들에 대한 최우선적인 일은 제자 삼는 목회자를 재발견하고 일을 맡겨 파송하는 것임을 제시해 왔다. 그러면, 도대체 제자 삼는 목회자란 어떤 것인가? 그의 모습은 어떻고, 어떻게 행동을 하는가? 그는 어떻게 다른가? 이에 대한 대답의 일부는 성경을 연구함으로써 얻게 된다.

목회자란 단어. 목회자(pastor)란 단어는 "목자"를 뜻한다. 목자상이 농경사회의 보편적인 기능에서 왔다는 사실에 어느 누구도 논쟁하려고 들지는 않을 것이다. 그것이 매우 이상적인 예가 되었던 것은 모든 사람이 목자의 임무를 잘 알았기 때문이다. 그러나 이제는 더 이상 그러하지 않다. 그러므로, 그 단어에 대한 유래를 살펴보는 것이 도움이 될 것이다.

로에흐란 히브리어와 포이멘이란 희랍어는 같은 의미를 가진다. 로에흐는 "먹이다, 보호하다, 인도하다"란 뜻이 있다. 오랜 옛날부터 지도자들은 그들에게 주어진 사람들을 "목양"하는 능력을 측정받았다.[1]

명사로서의 포이멘은 "목자"를 뜻하고, 동사로서는 "소, 양 등을 지키다, 방목하다"는 뜻이다.[2]

신·구약에 있어서는 그 문맥상으로 하나님의 백성들의 지도력을 가리킨다. 에스겔 34:1-31과 스가랴 11:4-14 같은 구약의 구절들에서, 하나님께서는 이기적인 목자들에 대한 그분의 경멸을 나타내시고 그들의 오만을 물리치시는 대신 그분의 자비가 넘치게 하시겠다고 선포하신다. 하나님께서 예언자들과 제사장들과 임금들을 목자들이라 여기셨던 사실을 주목하라. 앗수르와 바벨론의 왕들은 그들의 백성을 지키고 보호하고 베풀고자 했다. 에스겔 34장에 나오는 "이스라엘의 목자들"에 대한 저주는 위정자들을 향한 것이었다. 그의 정치, 군사적인 지도자들 혹은 영적인 지도자들 가운데는 목자로 여겨졌던 모세와 다윗이 있으며 심지어 바사의 고레스 왕도 그 가운데 하나로 인정되었다.

목자란 단어의 고대적인 뜻은 오늘날의 뜻과 같지 않다. 평범한 교인들은 목회자를 목자로 생각한다. 그것은 옳다. 하지만, 목자에 대한 20세기를 사는 사람의 이해는 시간과 문화에 의해 베일로 가려져 있다. 요즘 사람은 옛날의 그 목자란 긴 옷을 입고 샌달을 신고 푸른 초장에서 나무에 기대 하프를 연주하는 사람으로만 생각한다. 그는 소극적이고 점잖으며 충돌하기를 싫어하고 양들의 모든 부름에 응답할 준비가 되어 있다. 오늘날의 목회자들도 응당 그래야 한다고 교인들은 생각하는 것 같다. 그것이 바로 장로들이 목회자들에게 무선호출기를 사주는 이유이다.

그러나, 고대 목양은 삶의 모든 부분에 영향을 미쳤다. 즉 실제적인 필요들의 전체를 채우는 식으로 사람들을 인도하는 것이다. 모세, 다윗, 그리고 다른 사람들은 목자들인 동시에 강력한 지도자들이었다.

우리가 목양한다는 것을 이해하려고 한다면 우리는 우리 자신에 대한 소극적이고, 연약하며, 현실적인 사회의 정치, 기업, 그리고 세상일들을 지도할 수 없다는 현대 사회의 목자상을 없애야만 한다. 만일 이런 태도가 곡해되지 않았다면, 왜 성직자가 공식석상에 들어설 때 그렇게 격렬한 항의가 일어나는가?

구약에서 나타나는 역할들에 대한 보편적인 오해는 에스라와 느헤미야의 경우이다. 사람들은 종종 말하길 에스라는 영적 지도자였고, 느헤미야는 사회복지를 위한 지도자였다고들 한다. 그래서 에스라는 설교하는 일에, 느헤미야는 건축에 매진했던 것이고, 에스라는 목자였으며, 느헤미야는 지도자였다고 한다. 그 두 사람의 역할을 구별하는 것은 타당하지만, 느헤미야를 목자의 테두리에서 제외시키는 것은 부당하다. 느헤미야는 모든 면에 있어서 구약에서 묘사하는 목자상에 들어맞는다. 그는 사람들을 지도했고, 그들을 보살폈으며, 그들의 필요를 채우는 동시에 주어진 일을 통해서 영적인 재건을 실현했다. 느헤미야는 출중한 목자였다.

구약에서는 목회를 "사람들을 지도하는 것"이라고 정의한다. 이것은 삶의 모든 면, 즉 상업, 교육, 국외 문제들, 그리고 영적인 삶을 위한 적절한 분위기와 가르침의 제공 등을 포함한다. 그러한 고대의 이해는 다차원적이었고, 현재보다도 더욱 전체적이었다.

장로/감독/목회자의 직무상의 두 가지 요소. 신약은 목회에 대한 보다 광의적인 뜻을 확증시킨다. 사전적인 면보다는 동의어처럼 사용되는 다른 두 단어들에 의한 것이다. 많은 사람들이 필자가 믿는 것같이 장로/감독/목회자가 서로 동의적으로 사용된다고 믿는다.[3]

그 예로 바울이 밀레도에서 에베소 교회의 장로들에게 행했던 고별 연설을 들어보자. 교회 지도자들을 향한 작별 인사에서 바울은 다음과 같이 밝힌다. "너희는 자기를 위하여 또는 온 양떼를 위하여 삼가라 성령이 저들 가운데 너희로 감독자를 삼고 하나님이 자기 피로 사신 교회를 치게 하셨느니라"(행 20:28).

사도인 바울은 장로들에게 명령을 내린다. 그들은 교회를 감독하고 사람들을 돌보아야 한다. 그들의 명칭은 장로이고, 기능은 감독하는 일과 돌보는 일이다. 다음과 같은 핵심적인 자료들이 도움이 될 것이다.

장로(프레스뷔테로스에서 유래된)는 교회를 돌보도록 위임된 사람들이다(행 14:23). 그들의 인격에 대한 자격들은 디모데전서 3:1-7과 디도서 1:5-9에 그리고 그들의 중요성은 데살로니가전서 5:12, 디모데전서 5:17, 히브리서 13:17, 그리고 베드로전서 5:1-3에 기록되어 있다.

감독(에피스코포스에서 유래된)은 장로에게 주어진 교회를 감독하고 지도하는 기능이다(딤전 3:1).

목회자(포이멘에서 유래된)는 교회를 돌보고, 성도들을 하나님의 말씀으로 양육하며, 교회 내부와 외부로부터의 다양한 적들로부터 교회를 보호한다(벧전 5:1; 행 20:28; 엡 4:11).

그러므로, 장로들은 두 가지의 주된 기능을 가진다.

감독함

다스림(딤전 5:17, 프로이스테미, "…의 앞에 서다"). 데살로니가전서 5:12에는 동일한 단어가 "다스리며"라고 번역되어 있다. 장로들은 교회의 업무들을 관리하도록 권리를 부여받았다. 비록 교회들은 그들의 체제에 따라 여러 방식으로 권리를 부여하지만 요점은 장로들에게 이러한 권리가 주어져 있다는 것이다.

수고함(살전 5:12, "힘써 수고하는 자를 존경하라"). 의무를 다하기 위해서는 일을 해야 한다. 장로들은 그들의 최선을 다할 것이라고 기대된다.

인도함(히 13:7, 17, 24, 헤게오마이, "인도하다"). 지도층의 책임에 대한 묘사, 특히 13:17의 "너희 영혼을 위하여 경성하기를"이란 언급은 바로 이것이 장로들을 뜻한다는 사실에 의심의 여지가 없게 한다. 장로들은 교회에게 지도력과, 비전과, 그리고 방향을 제공해 주어야 한다. 장로들은 어떤 발생한 일에 반응을 일으키는 것보다는 먼저 일을 주도해야 한다.

목회

돌봄(행 20:28; 벧전 5:1-3). 목양적인 돌봄이 장로들에게 위탁되어 있다. 그들은 사람들을 돌보는 좋은 본보기가 되어야 하는 책임이 있다. 장로들은 특히 사람들이 어려울 때 그들을 잘 돌보아주어야 한다.

보호함(행 20:28; 딤후 2:24; 살전 5:14). 장로들은 양의 탈을 쓴 이리들의 교리, 생활 방식, 그리고 해로운 태도들로부터 성도들을 보호해야 한다.

가르침(딤후 2:22). 바울은 편지하길 장로/목회자인 디모데는 다른 사람들을 통해서 자신을 배가할 수 있도록 (가르칠 수 있는) 다른 사람들을 찾으라고 했다. 데살로니가전서 5:12, 13과 디모데전서 5:17은 가르치는 의무를 지적한다. 모든 장로들이 교사로서의 은사를 가져야 하는 것은 아니지만, 각 장로는 그리스도의 중요한 진리들을 다른 사람들에게 전달할 수 있어야 한다.

그렇다면 현 시대의 목회에 대한 암시는 어떤 것들인가? 첫째로, 현대판 목회자는 성서에서 발견되지 않는다고 얘기되어야 한다. 우리가 지교회의 담임목사라고 부르는 직책은 분명하게 나타나 있지는 않으나 암시는 되어 있다.

현 시대적 목회자에 대한 추론들. 바울은 그의 초기 교회 개척 사역에 있어서 장로들이라고 불리는 집단에게 감독과 목회를 위임했던 것이 분명하다(행 14:23). 이러한 경향은 계속되었다. 왜냐하면 에베소 교회와 같은 교회들이 후에 건립되었으며, 그 교회들에도 장로들이 있었기 때문이다. 어떤 교회이든 간에, 지교회의 지도층 구조는 어떤 한 사람이 아닌, 소수 집단의 손에 권리를 부여했다. 그 권리가 사도들로부터 온 것이든, 또는 현 시대에 있어서는 지교회의 회중으로부터 온 것이든, 아니면 하향식 구조이든 간에 책임은 기본원리로서 존재해야만 한다.

지교회 장로들의 복수적 형태는 성서적인 모델로부터 확고하게 세워진 것이다. 이 모델은 보통 지배적인 인물로 등장하는 사람에게 책임을 지운다. 세 가지 근본적인 관찰들이 필자로 하여금 현 시대적 목회자의 존재가 필수적이라고 믿게 한다.

첫번째, 인류 역사를 통해서 "지도력은 성공적인 모험을 위해 필수불가결하다"는 자명한 이치에는 변함이 없었다. 선한 것이든 악한 것이든 간에 지도력은 변화를 초래해 왔다. 성서적인 예들을 살펴보자. 왜 하나님께서는 노아를 의장으로 한 위원회를 형성해서 그들에게 전 세계적인 홍수에 대한 가능성과 방주를 만드는 데 소요되는 시간 등에 대한 실현 가능성 조사를 하도록 하시지 않으셨을까? 왜 하나님께서는 아브라함에게 그가 모든 것을 팔고 사막 지역인 황폐한 곳으로 가는 것에 대해서 주위 사람들은 어떻게 생각하는지 물어 보라고 말씀하시지 않으셨을까? 모세와 출애굽, 여호수아와 약속된 땅의 정복 등 많은 예들이 있다. 하나님께서는 물어 보시지 않으셨다. 왜냐하면 온 세상의 구원을 위한 그분의 계획은 너무도 중요해서 위원회 따위에 얽매일 수 없기 때문이었다. 하나님께서는 직접 나서서 그분의 백성들을 인도하시기 위해 핵심적인 인물을 사용하신다. 그 옛날에도 그것이 진리였다면, 그것은 현재에도 진리이다.

어떤 교회들은 주장하길 자신들은 특정한 지도자 없이 복수 장로제 형태를 취한다고 말한다. 그러나, 객관적인 관찰을 해보면, 어느 한 사람이 다른 모든 이들보다 위에 있음이 분명하다. 책임감과 토론과 양보가 있을지는 모르나, 지도자는 분명히 있다.

현대 사회구조들은 교회가 성장하고 발전하려면 전담 목회자가 필수적이게끔 만든다. 당연한 사실을 말하는 것이겠지만, 직장을 가진 사람은 목회자에게 요구되는 일을 할 시간이나 여력이 없다. 직장인은 교회의 전담 사역자들이 활동 무대를 세워주고 임무를 명시하고 훈련시키며 그 일을 조력해 줄 때 사역의 중요한 부분에 적합하게 참여할 수 있고 또 그 중요한 부분이 된다.

전담 목회자가 꼭 필요한 두번째 이유는 성경의 사례에서 볼 수 있다. 오순절날, 하나님께서는 사도라 불리는 하나님의 첫번째 팀을 보내셨다. 하나님께서 이방세계를 향해 저돌적인 복음전파의 추력을 발사했을 때, 안디옥 교회는 그들의 최고 병기인 사도 바울을 보냈고, 세 번의 전도여행 후에는 많은 새로운 교회들이 세워졌다. 그리고 나서 사도의 권위가 지교회의 장로들에게 위임되었다.

이러한 조정과 더불어 암시적이나마 전담 목회자에 대한 첫번째 개념이 나타났다. 바울은 3년 동안 에베소 교회에서, 그리고 18개월 동안 고린도 교회에서 목회자로 봉사했다. 교회를 위해 전 시간을 바치고, 또 특별한 권위를 가진 목회자가 있었다는 증거는 바울이 디모데와 디도에게 보낸 편지들에서 찾아볼 수 있다. 바울의 편지들은 디모데와 디도 모두 교회를 인도해 나가는 일에 있어서 충고와 위로가 필요했음을 밝힌다.

교회는 예수님으로부터 시작해서, 사도들, 장로들, 디모데, 그리고 디도와 같은 지도자들을 요청해 왔다. 그뿐 아니라 각각의 지교회는 어느 한 사람이 핵심 지도자로서 부상하기를 요구한다. 현대 문화에서는 일세기에도 그랬듯 그 사람을 목회자라고 불러왔다.

현대 교회에 전담 목회자가 필수적인 세번째 이유는 역사이다. 교회사 학자인 부루스 쉘리(Bruce Shelley)는 이렇게 기술한다. "일세기 전환기 후에 안디옥 교회의 목회자인 이그나티우스(Ignatius)는 일련의 편지들을 썼는데, 그는 이 편지에서 습관적으로 각 교회의 어느 한 감독이나, 목회자에게 말한다 … 어떻게 해서 그런 단독적인 목회자의 형태가 교회들간에 널리 퍼지게 되었는지에 대해서는 아무도 모르는 것 같으나 그런 형태가 자리잡았다는 것은 우리 모두 알고 있다."[4]

지교회의 목회자는 그 교회의 진행방향을 정하는 핵심적인 인물로서 출현했다. 그는 기존 교회들의 재부흥과 새로운 교회들의 우선순위와 그 모습에 대한 열쇠이다. 다른 사람과 마찬가지로, 위의 성서적 명령들과 묘사들은 제자 삼는 목회자가 감독과 목회의 일을 담당할 것을 요구한다. 하지만 그 일을 이루는 방법에 있어서는 다르다.

지금까지 우리는 장로/감독/목회자의 기능에 대한 성서적인 골격을 세워 왔다. 이제, 좀더 실제적으로 살펴보자. 이 시점에서부터 필자는 목회자란 단어를 지교회의 담임 목회자의 의미로서 사용하겠다. 지금부터 우리는 목회자가 장로들이나 교인들로부터 목회자로서의 책임을 다하는 억제와 균형적인 관계 속에서 일하고 있다고 가정하자. 또한 목회자는 여러 장로들 중의 한 사람이지만, 그의 직책상 교회 생활을 인도하고, 고안하며, 지도하는 일에 상당한 자유가 주어져 있다고 가정하자.

이제는 목회자를 위한 직무 내용 설명서가 구체적으로 있는가 하는 질문에 대한 대답이 더욱 상세해져야 할 때이다. 필자는 그 답이 분명히 있다고 믿는다. 너무도 많은 경우, 목회자의 기능에 대한 생각은 상기한 일반적인 골격에서 그친다. 이러한 불완전하고 미완성적인 생각은 괴물 프랑켄스타인(Frankenstein) 같은 일반적인 목회자가 생겨나게끔 만들었다. 일반적인 목회자를 프랑켄스타인의 이미지(프랑켄스타인은 괴기 소설에서 나오는 괴인으로 잘못된 발명의 소산임 - 역자주)에 비유할 수 있는 이유는 그런 목회자가 교회를 약화시키는 주된 요소가 되어왔기 때문이다. 교회가 발명한 것이 교회를 파괴하고 있는 중이다.

일반적인 목회자. 필자는 "보편적인, 또는 평이한"이란 뜻으로 "일반적인"이란 단어를 사용한다. 이것은 모양 생김새가 평범하다는 것이 아니라, 그 목적과 목표에 있어서 일반적이고 평이하다는 뜻이다. 일반적인 목회자는 많은 점에 있어 제자 삼는 목회자와 정반대적이다.

첫째로, 일반적인 목회자와 제자 삼는 목회자는 서로 의견이 불일치하기보다는 일치한다는 점을 이해하는 것이 중요하다. 아이러니컬하게도, 종종 그들은 무엇을 해야 하는가에 대해서는 동의하지만, 일하는 방법에 있어서는 근본적으로 다르다. 그들은 모든 기본적인 교리들에 관해서는 동의할는지 모르나, 교회론에 대해서는 다르다. 보편적으로, 그들은 가르침과 훈련에 관련된 기능상의 문제들에 대해서는 동의하지만, 일반적인 목회자들은 그것들을 곰곰이 생각해 보지 않는다. 다음과 같은 것들이 일반적인 목회자의 특색들이다.

1. 일반적인 목회자는 자기 자신을 사람들의 종이라고 여긴다. 그러므로, 그는 그들 앞에 서서, "저는 여러분들을 섬기기 위해 여기 있습니다"라고 말한다. 필자는 이것은 큰 실수라 생각한다. 왜냐하면, 목회자는

그리스도를 섬기는 것이지, 사람들을 섬기는 것이 아니기 때문이다(고전 4:1). 스스로 고립된 사람들은 섬김을 받을 가치가 없다. 오직 하나님 한 분만이 나의 예배와 나의 섬김을 받으시기에 합당하신 분이다. 목회자가 사람들을 섬길 때, 그는 그들의 이익을 돕는다. 그러나 그가 그리스도를 섬길 때, 그는 그들의 이익을 돕는 것이 아니라, 그들에게 최고의 이익이 있도록 도와주는 것이다. 오직 우리가 그리스도를 섬길 때, 우리는 사람들에게 최선이 되는 것을 도울 수 있다. 그렇지 않은 경우, 우리는 사람들의 변덕과 욕망들을 채우려고 발버둥치다가 탈진해 버릴 것이다.

사람들의 기대와 이해는 종종 그들을 향한 하나님의 기대와 정면으로 충돌한다. 흔한 예로서, 불신자들을 경원하고, 불신자들을 하나님께서 구원하시기로 한 사람들의 범주에서 제외시키려는 바람직하지 못한 성향을 들 수 있다. 이러한 일은 좋은 기독교 교육 프로그램을 가장해서 벌어진다. 그리스도의 종은 사람들이 하고 싶지 않은 것을 하도록 만들어서 그들이 항상 원했던 모습으로 될 수 있도록 하는 일에 헌신한다. 그렇지 않으면 목회자는 나약한 그리스도인들을 만들게 된다. 일반적인 목회자는 제자들을 삼는 대신, 의존적이고 기생적인 신자들을 생산한다.

2. 일반적인 목회자는 교회가 사람들의 필요에 민감한 것이라고 가장해서 그 교회가 실천해야 하는 의무들을 설정한다. 어디에선가, 어느 누군가가 목회자들에게 아무런 계획 없이 기존 교회에 발을 들여놓으라고 가르쳤다. 처음 한햇동안은 사람들을 사귀고, 그들이 무엇을 하기 원하는가를 파악한 다음에, 그들이 바라는 것들에 따라 계획을 세우라는 것이다. 이런 생각은 전체 기간의 10%는 잘 될는지 모르나, 나머지 90%는 완전한 실패이다. 그런 상황에 넘어간 목회자들의 숫자는 엄청나다.

일반적인 목회자는 불순종적인 사람들의 독재정권 앞에 무릎을 꿇었다. 교회는 미성숙하고 서투른 신도들이 강한 동기를 가지고 있는 목회자에게 해야 할 임무들을 세우는 무익한 곳이 될 수 있고, 하나님과 동행하지 않는 사람들이, 목회자에게 어떻게 자신의 시간을 소비할 것인지 명령하는 장소가 될 수 있다. 이러한 교회가 잘될 수도 있다. 하지만, 그런 예는 자칭 교회라고 하는 육신적인 집단에 부딪치고 상심한 목회자들의 엄청난 숫자에 비하면 아무 것도 아니다.

3. 일반적인 목회자는 자신의 시간과 활동에 관한 교회의 기대를 수락한다. 교회는 목회자에게 무엇을 원하는지 설명하는 직무 설명서를 작성해야 한다. 물론, 목회자가 절대로 협상할 수 없는 것들이 있다. 만약 교회가 그러한 목회자의 요구에 비타협적이고 그 교회를 고려중인 목회자에게 맞지 않는 곳이라면, 목회자는 교회의 부임 요청을 거절해야 한다.

   일반적인 목회자는 자기 자신과 자신의 역할에 대한 분명한 깨달음이 없는 경우가 많다. 슬프게도, 그는 교회적인 구속의(straight jacket, 병원에서 환자를 움직이지 못하게 할 때 입히는 끈이 달린 옷을 말함 - 역자주)를 입고 있는 자신을 발견한다. 그는 교회 위원회 모임들로부터 병실로, 심지어는 음향 시설의 전선을 새것으로 가는 일로 정신없이 뛰어다닌다. 그는 하나님께서 그에게 명하신 일을 제외한 거의 모든 일에 시간을 쏟는다.

4. 일반적인 목회자의 목회 전략은 상황적이다. 즉, 그의 전략은 교회의 상황에 따라 변한다. 그는 환경을 창조하는 것이 아니라 그 환경에 반응할 뿐이다. 그는 정제하고 초점을 맞추기 위한 철학적인 체계를 소유하고 있지 않다. 그는 교회에 분부된 사명을 이루는 데 초점을 맞추기 위해 자신의 시간과 정력과 방향에 대한 요구들을 걸르지 못한다. 그는 숲 속에서 나무들 때문에 앞이 가려져 길을 잃은 자신을 발견한다. 일단 그가 목표를 상실하게 되면, 사역의 세목들은 긍정적인 전망과 생산력을 서서히 파괴하기 시작한다.

일반적인 목회자를 만드는 많은 요인들이 있으나, 필자는 일반적인 목회자 자신은 하나님께 충실하고 열심이 있는 사람이라고 믿는다. 사실, 많은 일반적인 목회자들이 매우 훌륭한 사역들을 해왔다. 하나님께서 그들을 위력있게 사용하신다. 그들의 업적을 인정치 않으려는 것이 아니다. 하나님께서는 제자 삼는 목회자의 약점을 비롯해, 목회자들의 불완전함도 사용하신다.

중요한 것은 좋은 것과 최고와의 차이이다. 현 상태도 견딜 만하지만 지상명령에 비추어 볼 때, 허용할 수 없다. 망각 혹은 생략이라는 죄악이 작용하는 중이다. "제자를 삼으라"는 구절을 수식하는 것은 "내가 너희에게 분부한 모든 것을 가르쳐"이다. 우리는 이것을 망각했거나 생략하지 않았는가? 예배에 참석하는 사람들이 분명 많아졌다는 것은 사실이다. 그러나 그것이 무슨 의미가 있는가? 예배 참석하는 자가 많으면 많을수록 교회가 활력이 넘치고 생명으로 충만해야 하거늘, 대다수의 교인들은 불성실과 무관심으로 일관한다. 바로 그 때문에 교회는 고통당한다. 그러므로, 교회는 회개하고 그 방향을 바꿔야만 한다. 그런 변화의 핵심 인물이 바로 제자 삼는 목회자이다. 그는 구체적인 역할을 해야 한다. 보편적인 면으로부터 상세한 역할까지의 진행 속에서 바울의 에베소서의 구절들은 제자 삼는 목회자의 자격요건들의 조각을 하나 하나 맞추기 시작한다.

제자 삼는 목회자의 기능적인 역할

에베소서 4:11-16의 단순한 뜻은 보편적인 목회업무와 극한 대조를 이룬다. 이 성경 구절은 교회의 집단적인 성숙을 위해 간단하지만 효과적인 계획을 제시한다. 효과를 위해 명확한 방법에 힘을 쏟는 대신, 교회는 이 에베소서의 말씀에 순종하기보다는 그것을 우상처럼 섬기기만 해왔다. 이 말씀은 주기도문, 산상수훈, 고린도전서 13장 등과 더불어 기독교의 성골함(holy shrines)처럼 취급되어 왔다. 그 말씀을 적어 니스를 바르고 유리틀 안에 넣고 벽난로 위에 놓거나 아니면 벽에 걸어놓지만, 대부분의 사람들은 그 말씀을 실천하지 않는다.

만약 그 말씀이 적용된다면, 그 말씀의 원리가 전체의 성숙과 효과적인 전도와 계속적인 성장을 가져오는 열쇠가 된다. 한 가지 절대로 잊지 말아야 하는 것은 제자 삼는 목회자가 그 과정을 시작하는 방아쇠 장치라는 사실이다. 본문을 살펴보자. "그가 혹은 사도로, 혹은 선지자로, 혹은 복음 전하는 자로, 혹은 목사와 교사로 주셨으니 이는 성도를 온전케 하며 봉사의 일을 하게 하며…" (엡 4:11-12).

그 구절은 네 가지 은사적 기능 - 사도, 선지자, 복음 전하는 자와 목회자/교사 - 을 지적한다. 목회자와 교사 사이에 선을 그은 이유는 희랍어 문법의 그란빌 샤프(Granville Sharpe)의 법칙 때문인데, 즉 목회자/교사는 두 가지의 독립된 기능이 아니라 하나의 기능임을 뜻한다.

앞의 두 가지의 은사 기능은 다음의 두 가지와 비교해 볼 때 독특한 것들이다. 사도들과 선지자들은 교회가 세워지는 일에 기반이 되었다. 바울은 이것에 대해, "너희는 사도들과 선지자들의 터 위에 세우심을 입은 자라 그리스도 예수께서 친히 모퉁잇돌이 되셨느니라" (엡 2:20) 라고 했다. 사도들과 선지자들은 교회의 기초를 위한 필수 불가결한 두 가지의 역할을 담당했다. 일세기에 사도들은 권위의 기반이었다. 그 권위는 이제 만인 제사장직에 주어져 있다. 오늘날, 그 권위의 기반은 장로들에게 또는 다른 단체적인 구조에 위임되어 있다.

선지자들은 하나님께서 교회에 주신 계시의 관리인들이었다. 이제 그 계시는 신약을 통해서 발견된다. 사도들은 새로운 교회들을 개척하고 자라게 했으며, 선지자들은 주어진 말씀을 가르쳤다. 거의 모든 사도들은 선지자로서의 기능도 담당했다.

오늘날, 사도들과 선지자들은 복음 전하는 자들과 목회자/교사의 기능들 안에서 보조적인 역할을 한다. 사도들은 초대교회를 세웠고 자라게 했으며 오늘날 이 기능은 복음 전하는 자들에 의해 이루어진다. 선지자들은 말씀을 가르쳤으며, 현재 이 일은 목회자/교사에 의해 행해진다. 이러한 사역의 분할이 절대적인 것은 아니지만, 그것들은 필요한 기능이고, 그것들을 행하는 자들이 바로 현재의 지도자들이다.

필자는 현대 교회에서의 모든 네 가지 기능의 타당성에 관한 논쟁에 끼어들고 싶지 않다. 필자의 목적은 지교회 중심부의 한 가지 기능인 목회자/교사에 초점을 두는 것이다. 꼭 필요한 기본원리는 지도력이다. 하나님을 기쁘시게 하며, 지상명령을 이루기 위해서는 주님의 몸 된 교회에 지도력이 필요하다. 지도력의 정의를 내리는 것이 그것을 실행하는 것보다 더 중요하지는 않다.

"목회자"에 대한 몇 가지 잘못된 이해들. 성서는 목회자와 교사를 복수형으로 표현한다. 이 사실이 분명하더라도 보통 대부분의 사람들은 한 교회당 한 명의 지도자적 목회자를 생각하기 때문에 이 점이 등한시된다. 한 교회당 사례를 받는 목회자가 한 명인 것은 정상이지만 성서는 현 문명의 모델과 같이 기술하지 않는다. 한 교회당 오직 한 명의 장로/감독/목회자의 체제는 앞서 쉘리의 교회사에서 살펴본 것처럼 2세기 때에 출현했다. 목사나 장로 혹은 감독이 한 명씩만 있는 현재의 교회 현실에 관해서는 나중에 논의하겠다. 하지만, 본문의 주된 요지는 권위에 관한 복수 형태의 지도력이다. 바울은 인격과 열정을 쏟는 한 사람의 지도자에 대한 필요성을 인식한다. 하지만 그는 그 사람이 지도할 수 있는 것은 다수의 지도자들이 허락하기 때문이라고 가르친다.

목회의/가르치는 기능은 한 사람이 담당할 수 있는 일이 아니다. 교회의 "가장 뛰어난 목회자"라는 개념은 연약한 교회의 주된 이유이다. "가장 뛰어난 목회자"로 알려진 유일한 분은 예수님밖에 없다. 예수님께서는 "선한 목회자(Good Pastor)" 또는 "목회자장(Chief Pastor)"의 다른 표현인 "선한 목자(Good Shepherd)" 또는 "목자장(Chief Shepherd)"으로 불리신다(요 10:11; 벧전 5:4).

단수 형태로 쓰인 목회자는 전체 교인의 필요들을 채우기 위해 훈련받은 사람을 뜻한다는 개념이 있는데 그것은 사실이 아니다. 그러한 개념의 기원이 우리를 당황케 하는데, 사실 이런 개념은 성경에 없다.

교회 목회자는 보통 장로들로 구성된 목회단의 은사와 지혜와 믿음이 합쳐진 것이다. 대부분의 교회는 전 시간을 사역하며 봉급을 받는 한 명의 목회자와 평신도라 불리는 여러 사역자들이 함께 이 집단을 형성한다. 보다 큰 교회들은 여러 명의 전담 교역자들과 평신도 사역자들이 함께 목회단을 구성한다. 복수형으로 쓰인 목회자들/교사들이란 형태는 여러 지도자들이 교인들에 대한 목양 사역에 연관되어 있음을 보여준다. 이것이 전문적인 목회자의 역할을 배제하는 것은 아니다. 사실, 전문적인 목회자는 다른 사람들의 중요성을 증대시켜 주고 그들의 삶으로부터 사소한 일들의 상당 부분을 없애주는 역할을 한다.

한편으로는 권위와 은사의 복수형태를 강조하고 또 다른 한편으로 어느 한 사람의 강한 지도력의 필요를 강조하는 것이 모순이라고 보인다. 양면의 강조는 모순이라기보다는 균형, 즉 교회를 목양하기 위해 은사를 지닌 부름받은 지도자들의 집단과 규칙적인 보조를 위해 지도자들을 인솔하는 목회자간의 균형이다.

한 사람이 전체 교회를 목회할 수 있다고 기대하는 것은 실수이자 비극이다. 그것이 비극인 이유는 어느 누구도 혼자서는 한 교회를 목회할 수 있는 시간과 정력과 은사가 없고 또한 목회를 온전하게 할 수도 없기 때문이다. 그 과정뿐 아니라 결과까지도 온전하게 할 수 있는 목회에 대한 것이 에베소서 4:11-16에 설명되어 있다. 다소간의 재능있는 사람들이 거대하고 성공적인, 찬양할 만한 업적들을 쌓았다. 하지만, 목회의 성공과 실패에 대한 평가는 교인들이 결정하는 것이 아니라 성경의 기준에 의거해야 한다. 성공적으로 보이는 것이 사실은 하나님께서 주신 성공인 것처럼 가장한 세속적인 성공일 수도 있다.

비극적이게도, 목회단들은 지교회들의 뒷문 밖으로 내던져져 있다. 참으로 많은 희생자가 비현실적인 기대로 인해 발생한다. 한 사람만이 전체 교인의 필요들을 채우려고 한다면, 그는 실패할 것이다. 상심한 대부분의 목회자들이 사역을 버리고 떠나는데, 이것은 교인들의 기대를 잘못 파악한 탓이다.

대답은 강한 지도력 없이 목회단을 형성하거나, 또는 뛰어난 재능의 소유자를 발굴해 가능한 것 이상으로, 또는 성서에서 가르치는 것 이상을 기대하는 것이 아니다. 진정한 대답은 에베소서 4:11-16의 확실한 가르침을 따라 목회의 모습을 재형성하는 것이다.

교인의 생활을 돌보는 일에 관여하는 전체 목회단의 역할로부터 이제 목회자라고 불리는 전 시간 사역하는 현대의 전문적인 성직자의 기능을 살펴보자. 만약 봉급을 받는 여러 교역자들이 있을 경우, 필자가 말하는 목회자란 "담임 목사"를 뜻한다.

직함들이 가르치는 것. 직함들은 기대를 나타낸다. 전 시간 일하며 봉급을 받는 사역자에 대한 가장 보편적인 직함은 교역자이다. "프레드(Fred)는 제일 교회에서 시무하는 우리 목사님이다"라는 말 뒤에는 그 교회에는 오직 한 명의 교역자가 있을 뿐이고, 그 교회의 교인들은 교역자들이 아닌 무언가 다른 역할을 하는 사람들이라는 생각을 포함한다. 그들은 지나치는 행인들이거나, 청중이거나, 소비자이거나, 보조자들이 될 수는 있지만 교역자들은 아니라는 것이다.

프레드 박사라고 부르기도 하는데, 이것은 전문적인 모델에서 유래한 것이다. 신학교들은 특수한 전문적인 직업을 위해 훈련받는 의대나 법대와 흡사하게 체계화되어 있다. 사람들은 변호사에게 도움을 청하고, 변호사는 봉사를 한다. 의사의 경우도 마찬가지이다. 의사로서의 목회자의 기능은 마치 전문적인 약사가 그리스도인인 소비자에게 봉사를 하는 것과 같다. 의사와 변호사와 목회자들간의 주된 차이점은 의사와 변호사는 다른 사람들을 의사나 변호사가 되도록 훈련시키지 않는다는 점이다. 그러나, 목회자는 다른 사람들이 교역자들이 되도록, 즉 자신이 하는 것을 하게끔 훈련을 시킨다.

또한 장로(elder)라고 부르기도 하지만 적합하지 않다. 케케묵은 듯이 들리고, 또 지도층의 젊은 사람들에게는 부적합하다. 가장 바람직하지 못한 직함은 "성직자"(reverend)이다. 거의 모든 사람들이 이 호칭을 좋아하지 않는다.

직함에 대해 살펴본다면 설교자(preacher)라는 가장 그 품위가 손상된 직함을 언급하지 않고는 지나칠 수 없다. 이것은 목회자를 일컫는 국소적인 직함일 뿐이고, 목회자가 하는 일 중 한 가지만을 묘사하는 것이지, 목회자 그 자체를 묘사하지는 않는다.

교역자, 의사, 장로, 성직자, 그리고 설교자 등등의 호칭들이 있다. 이 모든 호칭들이 그리스도인들에게 적용되고 간혹 적절할 때도 있긴 하지만 이들 중 아무 것도 현대 담임 목회자들의 일을 적절하게 묘사하지는 않는다.

바울은 목회자/교사라는 직함을 사용한다. 그의 직함은 목회자이고, 그가 하는 일은 가르치는 것이다. 목회자라는 직함이 적절하다. 왜냐하면 이 직함은 가르침을 받는 사람들과의 관계를 강조하기 때문이다. 목회자라는 직함이 제외되어서는 안되는 한편, 이 직함에 따르는 문제들 또한 존재한다. 목회자란 직함은 양(sheep)을 내포하며, 또한 여기에는 대다수의 그리스도인들에게 알려져 있지 않은 목자들과 양들의 관계가 존재한다.

목회자라는 단어와는 구분되는 목회자의 직무. 우리는 목회자라는 단어와 목회자의 직무간에 확실한 구분을 두어야 한다. 직무는 실용적인 현실이다. 이 단어는 한 사람의 일보다는 훨씬 넓은 지도력의 기능을 묘사한다. 목회자라는 단어는 현대 사회 속에서 "교회를 이끌기 위해 그의 전 시간을 쏟는 전문적인 훈련을 받은 사람"을 뜻하는 것으로 발전되었다. 이 목회자의 직무를 담당하는 사람은 상담이라든지, 심방 등등의 교인들을 돌보는 일에 약할지도 모른다. 목회단 내의 다른 사람들이 그들의 은사를 활용하는 범위 내에서 그 필요한 부분을 채우게 될 것이다.

현대 교회는 대혼란을 야기시켜 왔고, 또 계속해서 잘못된 가정들을 만든다. 그들은 목회자라는 단어와 목회자의 직무를 혼동한다. 그들은 그 둘을 동의어인 양 사용함으로 혼동에 빠진다. 사람들은 보편적으로 목회자라는 단어 속에 본질적으로 담겨있는 풍성함을 발견하고는 지교회의 목회자가 그렇게 될 것과 그런 일을 할 것을 기대한다.

이미 언급한 바와 같이, 신약과 구약 모두를 통해, 목회자/목자라는 단어는 "인도하다, 감독하다, 먹이다, 훈련시키다, 가르치다, 그리고 하나님의 백성들을 준비시키다"는 것들을 의미했다.

이것이 교회 회중으로 하여금 목회자에 대해 제한적인 생각을 갖게 끔 만들었다. 목회자는 자신의 주된 일이 교인들의 필요를 따라 봉사하는 것이라는 소극적인 사람이 되어버렸다. 만약 목회자가 교인들이 우선 급하다고 느끼는 필요를 우선적으로 고려한다면, 그는 교인들을 보살핀다고 여겨질 것이다. 만약 그가 교인들이 피부로 느끼는 것과 종종 상충하는 그들의 진정한 필요를 먼저 생각한다면, 그는 교인들을 돌아보지 않는 사람으로 여겨질 것이다. 교인들은 목회자가 다른 이들의 의견과 상충하거나, 강한 의지를 보이거나, 교회에게 세계선교를 하자고 도전해서는 안되는 것으로 생각한다. 교인들은 그를 교회의 영적 지도자로는 여기지만, 전체 교회의 지도자로 생각하지는 않는다. 재정, 건물, 토지 그리고 다른 "영적이 아닌" 분야들은 목회자가 소명받은 범위가 아니라고 생각한다.

교회에 그런 양면이 함께 있을 수는 없다. 만약 재정과 건물, 그리고 토지 등이 목회자의 지도력 범위 밖의 것이라면 당연히 그러한 영역들은 영적이 아닌 것들로 분류될 것이다. 그 교회는 진정으로 영적인 것과 영적이 아닌 것들로 구분되어지길 원하는가? 교회들은 재정과 건물과 토지들을 다루는 모든 지도자들은 사역이 아닌, 영적이 아닌 범위를 다룬다고 여기길 원하는가? 만약 목회자가 "영적인 문제들"에만 국한된다면, 평신도들은 "영적이 아닌" 문제에만 국한되어야 할 것이다. 바로 이러한 양분화가 교회를 쇠약하게 만든다. 이것이 성직자와 평신도간의 격차를 초래하며, 이런 격차는 완전히 지쳐버린 목회자들과 영적으로 나약한 평신도들을 만든다.

이러한 종류의 생각은 성서적으로도 변론의 여지가 없다. 종종 목회자를 보호한다는 구실 아래 교인들이 목회자를 꼼짝 못하게 하기 위해서 이런 구분을 사용하는 것을 확실히 느낄 수 있다. "자, 목사님은 설교와 상담과 기도와 심방에만 집착하십시오. 위원회가 교회를 운영할 것입니다." 이런 일이 보편적이긴 하지만 이것은 목회자를 온전한 지도력으로부터 격리시키는 전적인 잘못이다. 목회자는 교회의 전체 프로그램과 방향에 지도력을 발휘해야 한다. 이것은 목회자가 모든 사소한 일들과 회계장부까지 다 관리를 하지 않아도 해낼 수 있다. 목회자라는 직무는 모세와 여호수아와 다윗이 그랬던 것같이 강한 지도력을 요구한다.

목양을 하는 일은 목회단의 기능이다. 목회자의 직무를 담당하는 자의 은사가 교인들을 보살피는 것이 아니라면 그는 목양 사역에 관여하지 않을 수도 있다. 이것은 강점과 약점의 문제가 아니고, 영적 은사의 적합한 사용에 관한 문제이다. 그러한 혼동은 교회가 사람들에게 불가능한 역할을 하도록 자주 요구하는 결과를 초래했다.

전문적인 목회자의 일에 대한 개혁은 목회자 스스로가 자신을 전문가로 간주하는 일로부터 시작된다. 교사인 동시에 준비시키는 자로서의 목회자의 최우선적인 일은 다른 이들을 통해서 사역이 이루어지게 하는 것이다. 온전히 사역을 한다는 뜻은 모든 교인들을 통한 사역의 배가를 말한다.

목회자의 직무는 목회자가 비전을 위한 교사로서, 그 성취를 위한 훈련자로서, 그리고 비전을 구체적으로 이루어나가는 자로서 강한 지도력을 발휘할 때에 최고의 기능을 발휘한다. 교인들을 목양하거나 돌보는 사역들은 모든 지체에 골고루 퍼져 있는 것이 보다 바람직하다. 다시 말하자면, 전통적인 생각같이 교인들을 보살피는 일이 담임 목사의 주요한 실제적 책임은 아니라는 것이다. 여기에 대해서는 차후에 더 논하기로 한다.

목회자/교사의 일은 "성도를 온전케 하고 봉사의 일을 하게…"(엡 4:12) 하는 것이다. 간단히 말해, 준비는 그리스도의 몸이 "세워"(12-14절)져서 "자라나게"(15-16절) 계획된 것이다.

지도층의 과업은 훈련을 통해 예수님의 몸된 교회에 최고의 가동률을 가져오는 것이다. "준비하다"라고 번역되는 카타르티조라는 단어에는 여러 측면이 있다. 즉, "부러진 뼈를 맞추다", "해진 그물을 고치다", "집을 설비하다", "어떤 것을 본 상태로 회복시키다", 또는 "운동선수를 훈련시키다"라는 다양한 의미들이다.

디모데후서 3:17에서 이 단어는 "이는 하나님의 사람으로 온전케 하며 모든 선한 일을 행하기에 온전케 하려 함이니라"고 사용된다. 예수님께서는 그 단어를 개인별 제자 훈련에 연관하셔서 "무릇 온전케 된 자는 그 선생과 같으리라"(눅 6:40을 보라)고 사용하셨다. 에베소서에서 바울은 카타르티조를 상호 협동적인 성숙을 가져오는 지도력의 근본적인 임무로서 사용한다. 이 본문은 상호 협동적인 성숙을 보장하는 유일한 방법을 제시한다. 그 방법은 사람들을 사역에 적합하게 가담하도록 준비시키는 일에 대한 목회자의 헌신이다. 이 일을 무시하는 것은 불순종과 같다.

이 구절과 연관된 문제는 그 주요점이 등한시되었다는 것이 아니며 사실은 오히려 그 정반대이다. 이 구절은 진중한 목회자들에 의해 광범위하게 가르쳐졌으며, 높이 경외시되었다. 하지만 실제적인 면에 있어서 본문이 내포하는 점들을 무시했던 것이다. 그 적용들이 심오하게 묵상되지 못했기 때문에 극소수만이 그 가르침을 충분히 실행해 왔다.

성도들로 하여금 봉사를 하게끔 하는 일은 성경을 가르치고, 믿음이 자라고 있는 관심있는 자와 일대일로 만나는 것 그 이상의 일이다. 신학교를 졸업하는 참으로 많은 젊은이들은 성도들로 봉사하게끔 준비시키는 일은 설교를 통해 이루어진다고 생각한다. 효과적인 설교가 중요한 첫번째 단계이긴 하지만, 설교만 하는 것은 이익보다는 해로움이 더 많다.

카타르티조의 다면적 의미는 목회자에게 더 많은 것을 요구한다. 부러진 뼈를 맞춘다는 의미는 상심하고 낙심한 사람들의 삶을 다시 온전해지도록 돕는 것을 뜻한다. 어떤 사람을 완전히 새롭게 회복시킨다는 것은 쇠약해진 자들을 다시 정상궤도에 올려 놓음을 뜻한다. 집을 설비한다는 것은 성도들에게 효과적인 그리스도인의 삶을 사는 데에 필요한 정보와 기술을 제공해 주는, 성도들을 개발시키는 일을 말한다. 운동 선수를 훈련시킨다는 것은 사람들이 사역의 최전선에서 효과적으로 겨룰 수 있도록 그들에게 필요한 도전을 제공하는 것을 뜻한다.

성도들을 돌보는 직무는 다차원적인 회복 중의 한 가지이다. 바로 그 점이 한 사람이 그 일을 다할 수 없는 이유이다. 상한 자가 정상을 되찾는 것이 필요하고, 제멋대로인 자가 고쳐져야 하며, 약한 자가 강하게 되고, 어린 자가 양육되어야 한다. "사람들의 필요에서부터 시작하라"는 금언 속에는 진리가 담겨 있다. 이것은 필요한 개념이고 전체 직무에 중요하다.

교회 목회단은 이러한 사역이 완전히 이루어지도록 해야 한다. 서로 협동하는 목회단은 훌륭한 목회자를 배출한다.

위에서 언급한 모든 것들은 성도들의 사역을 위해 그들을 준비시키는 데 중요하다. 만약 사람들을 돌보지 않는다면, 사람들은 사랑을 받고 있다고 느끼지 못하고 그 결과, 하나님의 말씀이 그들의 삶에 들어가지 못하게 된다. 목회단과 장로들이 사람들이 보살핌을 받는지 살필 책임은 있지만, 그들이 그 일을 직접하는 사람들이 되어야 한다는 것은 아니다. 그들의 적합한 역할은 그런 돌보는 사역을 잘 감당하는 은사를 지닌 성도를 발굴하는 것이다. 이런 식으로 교인들의 필요들, 심지어는 그들이 급하다고 피부로 느끼는 필요들까지도 더욱 효과적으로 다뤄질 수 있다. 필자가 강조하려는 것은 비록 제자 삼는 목회자가 직접 성도를 돌아보는 상당한 일에 관계하지 않더라도 그의 효과적인 지도력은 그러한 사역이 더 적합한 이들에 의해 이루어지게 만든다. 교회는 무엇을 원하는지, 즉 효과적인 목양 사역자인지 아니면 목양 사역을 하는 담임 목회자인지를 결정해야 한다. 그 둘 모두를 갖고 또 그들의 질도 양호하기를 바랄 수는 없다.

코치로서의 목회자에 대한 소개. 목자와 목회자라는 단어들에 대한 사람들의 혼동은 필자로 하여금 에베소서 4장의 직무 설명서에 꼭 들어맞으면서도 현 사회에서 잘 이해되는 현대적인 동의어를 찾도록 만들었다. 그 단어는 코치이다. 코치로서의 목회자 이미지는 예전에 운동선수였던 필자의 개인적인 편견 때문은 아니다. 사실 이 개념은 여러 해 동안 언급되고 있었다. 크리스천 라이터스의 사무처장인 엘톤 투루블러드(Elton Trueblood)는 이미 30년 전부터 목회자를 코치로서 가르쳐 왔다. 하버드에서 박사학위를 받은 명석한 사고자인 투루블러드는 코치야말로 목회자를 묘사하는 현대적인 최고의 비유라고 생각했다.

코치라는 직업은 널리 알려져 있다. 대부분의 아이들은 여러 가지 운동에 참여한다. 코치가 무슨 역할을 하는지 모르는 사람은 거의 없을 것이다. 그러나 많은 사람들이 목자의 역할에 대해서는 조금도 알지 못한다.

필자가 코치로서의 목회자 이미지를 받아들이는 두번째 이유는 그 이미지가 목회의 직무를 정확하게 묘사하기 때문이다. 그 유사성은 충격적이기까지 하다. 사람들은 팀의 기량이 코칭 스태프의 우수성과 연관된다고 생각한다. 사람들을 많이 바꾸지 않고도 팀의 기량은 개선될 수 있다. 빈스 롬바디(Vince Lombardi)라는 코치와 그린 베이 패커즈(Green Bay Packers) 팀이 그런 경우를 보여준다. 1950년대에 패커즈는 NFL(National Football League)의 조롱거리였다. 롬바디는 그렇게 지기만 하는 팀을 맡아 4년 만에 NFL에서 우승을 차지했다. 패커즈는 계속해서 여러 차례 NFL의 패권을 차지했고 슈퍼볼(미국 프로 미식 축구의 왕좌 결정전 - 역자주)의 처음으로 2회 연속 우승을 했다.

달라스 카우보이즈(Dallas Cowboys)의 코치인 탐 랜드리(Tom Landry)는 코칭이란, "선수들이 하기 싫어하는 것을 하도록 만들어서 그들이 원하는 모습이 될 수 있게 하는 것"이라고 정의한다. 목회 직무에 대한 적합한 표현은 사람들이 하고 싶어하지 않는 것을 하도록 해서 그들이 진정 원하는 모습이 될 수 있게 하는 것이다.

코치는 경기를 직접 하지 않는다. 그도 경기를 한 경험이 있지만 그의 목표는 다른 이들이 경기하도록 가르치는 것이다. 호각 소리가 나고 경기가 시작되면, 코치는 옆에 서게 된다. 그의 임무는 경기를 하는 것이 아니라, 선수들을 관리하는 일이다. 그는 기술을 보여주고, 그 팀의 이념을 개발하며, 경기요령을 짠다. 그는 동기를 심어주고, 훈련시키고, 고통스러울 정도로 단련시키며, 그 외에도 경기를 위해 그 팀을 준비시키는 데 필요한 모든 것을 한다.

존 우든(John Wooden), 바비 나잇(Bobby Knight), 빈스 롬바디(Vince Lombardi), 폴 "베어" 브라이언트(Paul "Bear" Bryant)와 같은 모든 거목들은 이론을 실제로 옮겼고 선수들의 가장 높은 기량을 개발해 냈다. 목회자는 선수이자 코치이다. 그가 경기하기를 완전히 멈춘 것은 결코 아니다. 그는 중생한 사람들에게 내재하는 크나큰 잠재능력을 발견한다. 또한 그는 사람들을 성령께서 예수님의 몸된 교회에 보내주신 선물이라 여긴다. 코치로서의 목회자는 포장을 열고 그 선물들을 꺼내는 일을 하고는, 사람들이 성장하고 개발되도록 격려한다.

"제자 삼는 목회자"라는 명칭을 목회자에게 붙인 이유는 성경에서 말하는 목회의 최종결과가 성숙한 신자이기 때문이다. 교회에서 그리고 세상에서 지체로서의 자신의 역할을 담당하는 성숙한 신도는 예수님께서 제자라고 부르신, 즉 그리스도 안에 거하고, 순종하고, 과실을 맺으며, 하나님께 영광을 돌리며, 기쁨이 있는(요 15:7-11) 사람이다. "제자를 삼아"를 수식하는 것은 "내가 너희에게 분부한 모든 것을 가르쳐 지키게 하라"(마 28:19-20)는 말이다. 예수님과 사도 바울은 같은 결과들을 요구하신다. 바로 그 원하는 결실을 현실화시키기 위해서 목회자는 제자 삼는 자가 되어야 하고, 사람들을 성숙시키며, 그들 스스로 하나님의 말씀을 섭취하게 하고, 그리스도인들을 재생산하도록 준비시키는 과정에 전념하게 된다.

이 책의 뒷부분에서 필자는 코치로서의 목회자에 대한 기본 원리들을 한층 더 발전시킬 것이다. 당장 해야 할 것은 이제 성경을 자세히 살피며 제자 삼는 목회자가 취해야 할 코스를 결정하는 일이다.

준비과정: 가장 우선적인 일. 목회자는 "성도를 온전케 하며 봉사의 일을 하게"(엡 4:12) 한다. 사역을 위한 준비는 하나님 백성들의 진정한 필요이다. 이것은 자신의 백성들을 향한 하나님의 최우선이다. 하지만 이 일은 종종 하나님 백성들의 욕망들과 상충한다. 전투는 여기에서 시작된다. 목회자는 무엇을 선택할 것인가? 그는 어느 길로 갈 것인가? 만약 성도들이 하나님께서 말씀하신 목적을 반대할 때 그는 그들의 욕망과 압력에 굴복할 것인가? 제자 삼는 목회자는 그가 지닌 확신에 대한 용기를 갖고 요동치 않고 자신의 길을 간다. 그는 사람들로 하여금 자신들이 원치 않는 것을 하게 이끌어서 하나님께서 원하시는 자들로 되게끔 자신을 헌신한다.

그리스도인들은 "예비" 운동선수와 상당히 흡사하게 행동한다. 경기장에 불이 켜지고 관중석이 열성적인 팬들로 꽉 들어찰 때, 긴장한 운동선수는 "나도 다른 선수들 못지 않으니까 나가서 뛸 수 있어"라고 말한다. 그 선수는 그 팀의 일원이 될 수 있는 적절한 재능을 소유하고 있을는지 모르지만, 만약 경기에 대비해 준비하겠다는 의지가 없다면 자신의 열망과 의견은 단지 그를 당황케 하는 수단이 될 것이다. 경기장에 불이 들어오고 관중들이 관중석을 채우기 한참 이전에 선수들은 그들이 소유하고 있는 재능들을 시험하는 가혹할 정도로 엄한 준비를 하는 것이다.

오클라호마 대학 출신이며, 1984년 올림픽 야구팀의 일원인 웨이맨 티스데일(Wayman Tisdale)이란 유명한 야구 선수는 "획득한 메달이 그에게 어떤 의미인가"라는 질문을 받았다. 그는 매력적인 미소와 빠른 재치로 대답하길, "이 메달은 야구 토너먼트에서 이겼다는 것이 아니라, 바비 나잇(Bobby Knight)으로부터 살아남을 수 있었다는 것을 뜻합니다"라고 말했다. 바비 나잇은 올림픽 팀의 코치로서 그 팀을 매우 엄격하게 다뤘는데, 그 이유에 대해 이렇게 밝혔다. "이기겠다는 의지는 중요하지 않다. 중요한 것은 이기기 위해 준비하겠다는 의지이다."

모든 그리스도인들은 성장하고, 하나님을 기쁘시게 해 드리며, 자신들의 삶이 가치있기를 소원한다. 그러한 소망은 정기적으로 표면상에 드러난다. 목회자/코치는 그런 가르칠 수 있는 절호의 기회를 포착해 그들이 참으로 소중한 보석들임을 강조한다. 그리스도인들은 설교를 통해서, 성경을 읽음으로, 또는 대화를 통해 고무되고, 그런 경우가 성장하겠다는 재헌신의 이유가 되기도 한다. 하지만, 훈련 없는 소원은 그런 선한 소망을 빗나가게 만든다. 이 훈련과 책임은 제자 삼는 목회자에 의해 조성된 환경으로부터 발생한다. 제자 삼는 목회자는 그 성도의 소원을, 준비를 위해 필요한 실제 훈련들로 전환시킨다.

하나님의 사람에 대한 적합한 분별. 제자 삼는 목회자가 "해야 할 일"의 목록에서 가장 우선적인 일로 꼽을 것은, 하나님의 사람들에게 그들이 누구이며 또 그들의 목적이 무엇인가를 밝혀주는 일이다. 하나님의 사람으로 "봉사의 일을 하게 하며"(엡 4:12). 적합한 분별은 필수적이다. 하나님의 사람은 "성도"에 대한 미흡한 표현이다. 성도라는 단어는 희랍어로 하기오스인데 이는 "무엇 무엇과 따로 분리되어진"이란 뜻이다. 만인 제사장직이란 모든 그리스도인들은 성도들이고, 봉사하기 위해 따로 세움을 받았으며, 모든 성도들이 사역자라는 사실(벧전 2:9; 고전 1:26; 롬 1:1-7)이다. 하나님의 사역을 위해 부름받는 것은 어느 소수에 국한된 것이 아니라, 모든 그리스도인들의 기업(고후 5:18-21)이다.

어떤 이들은 성도를 봉사하는 일로부터 분리시키려고 해왔다. 이런 시도가 바로 전술한 바 있는 성직자와 평신도간의 격차인 것이다. 목회자와 사역자간에는 당연한 차이가 있다. 왜냐하면 목회자의 직무는 소수가 담당하기 때문이다. 그러나 가장 중요한 것은 목회자나 평신도나 다 섬기는 자요, 봉사자로 부르심 받은 하나님의 사역자라는 사실이다.

제자 삼는 목회자는 대중설교라는 방법을 통해서, 중생한 모든 영혼들의 내면에 불을 붙이는 역할을 한다. 그는 강단에 서서 정보를 전하거나, 영혼을 고무시키거나, 또는 교리를 가르치는 것만 하는 것이 아니다. 그는 그리스도인의 삶과 그것이 의미하는 바에 대해 구체적인 생각을 갖도록 하나님의 사람들이 그분의 일에 관심을 갖도록 만든다.

오클라호마 대학의 전 코치인 버드 윌컨슨(Bud Wilkenson)은 미국인의 신체 상태에 대해서 언젠가 이렇게 묘사한 적이 있다. "미국인의 육체적인 상태는 NFL(National Football League) 기간 동안의 어느 한 일요일과 흡사한데, 경기를 하고 있는 스물두 명의 선수들은 휴식이 절실히 필요하고, 관중석에 앉아 있는 팔만 명은 직접 운동하는 것이 절실히 필요하다." 제자 삼는 목회자는 하려고 하는 의지가 있는 영혼들을 불러 행하게끔 한다. 목회자/코치의 회중을 향한 절규는 "관중석으로부터 경기장으로 나와 경기를 하라"는 것이다.

코치로서의 목회자는 하나님의 사람들에게 그들이 사역을 위해, 그리스도를 위한 섬김을 하도록 따로 세움을 입었다고 말해준다. 그가 할 일은 그들로 하여금 이 일을 하게끔 준비시키는 일이다. 그 일에 덧붙여, 그들은 그리스도의 지체로서 그리고 하나님의 나라를 위해서 자신들을 훈련받는 일에 순종해야 한다. 제자 삼는 목회자는 하나님의 사람들에게 자신이 누구이고 그들이 누구이며 또 서로간의 관계가 어떤 것인가를 분명하게 전달해야 한다. 그는 성도들이 각자의 맡은 바 역할을 수행함으로써 그들이 강해지고, 충만한 그리스도인이 되며, 교회가 효과적으로 세상을 침투해 들어갈 것이라는 놀라운 진실을 믿도록 고무한다.

목회자/연사가 아닌 목회자/교사. 목회자/코치가 실행을 위해 성도들을 소집했고 이제 그들이 관중석을 떠나서 경기장으로 출두한 후에는 무엇을 할 것인가? 목회자로서는 이 때가 소망을 성취하는 순간인 동시에 정신이 번쩍 드는 순간이 될 수도 있다. 그는 항상 갈망하며 기꺼이 하려는 의지가 있는 영혼들을 바랐다. 그러나 이제 그러한 영혼들이 자신 앞에 준비하고 있을 때, 이제 내가 무엇을 해야 하는가 하는 물음이 현실로 다가온다. 만약 목회자가 가장 복음주의적인 신학교에서 교육을 받았다면 그는 계속해서 선수들에게 부드럽게 말하고 지시하고, 좋게 좋게만 그들을 다룰 것이다. 그는 사기를 진작시키고, 가슴을 뜨겁게 하고, 마음에 지식을 가득 채워 주겠지만, 그 팀은 그들이 모여있는 장소를 절대로 떠나지 않을 것이다. 비록 그 팀이 다 함께 그 장소를 떠나 경기에 임할 자세로 시합선으로 나가지 않을지라도 적은 숫자지만 상당히 사기가 진작된 독불장군들은 그들의 팀을 떠나 혼자 경기를 하러 나갈 것이다. 그들은 선교단체들에 가입하거나 어느 특정한 교회의 훈련 없이 그들의 사역을 해보려고 한다. 목회자/연사들은 항상 그런 재능있는 사람들을 본보기로 삼아 자신들의 존재를 정당화한다.

만약 그 팀이 그들이 모인 장소에서 경기하러 나가지 않는다면 얼마 동안이나 그 팀의 코치가 쫓겨나지 않고 버틸 수 있겠는가? 많은 목회자들이 부드러운 강연밖에는 아무 것도 하는 것이 없는데 성도들은 그러한 목회자들이 그들의 역할을 다하고 있다고 생각한다. 교회는 너무 어수룩해서 그런 목회자/연사가 교회에서 가장 존경받는 구성원이 되었다. 그는 성도들에게 무엇을 왜 하는가에 대해서는 말해주지만 거기에서 그친다. 자신들이 목회자/교사라고 여기는 자들도 일반적으로 자신들이 해야 하는 중요한 일은 지루하지 않고 딱딱하지 않은 강연을 해주는 것으로만 생각한다. 사람들은 그들을 훌륭한 연사로서 존경한다. 그들 중 많은 자들은 복음주의권 내의 지도적 인물들이 된다. 그러나 필자의 견해로 그들은 목회자/교사가 아니고 목회자/연사이다.

목회자/연사들은 성도들로 하여금 봉사를 하게끔 준비시키지 않고 봉사에 관해서만 이야기한다. 목회자/연사들은 성도들에게 봉사를 하라고 격려하지만 하나님께서 그들에게 주신 책임을 다하는 것은 아니다. 필자의 의도가 곡해되지 않기를 바란다. 필자는 성도들을 향한 효과적인 말이 그들을 준비시키기 위한 첫번째이자 중대한 단계라고 믿는다. 목회자는 성도들에게 하나님의 말씀을 잘 전하려고 노력한다. 그러나 만약 그가 말하는 것에서 그친다면 그는 가르치는 것이 아니다. 교회에 있어서 설교는 제자 삼는 과정에서 가장 우선적이고 중요한 단계이다.

필자가 상당한 은사를 지닌 대형 교회 목회자들에 대해 말하고 있다고 잘못된 결론을 내리는 것은 독자들로서는 당연한 일일 것이다. 그러나 꼭 그렇지는 않다. 설교를 잘하는 많은 은사를 지닌 목회자들에게는 성도들이 봉사의 일을 할 수 있게 준비시키는 많은 교역자들이 있다. 만약 교역자들이 단독으로 목회를 한다면 그들의 목회 방침이 어떤 것이 될는지 결론을 내릴 수는 없지만 대형 목회자와 대형 교회는 보통 훈련시키는 일을 잘한다.

대형 목회자와 대형 교회가 지닌 문제는, 사실 그들의 경우는 비정상이라는 점이다. 우리가 대형 목회자의 목회 방식을 본보기로 사용할 때(물론 대형 목회자는 모델감이다), 일반 교회와 목회자에게 그것은 무력한 방식이 된다는 것이 밝혀진다. 그것은 성취될 수 없고 비성경적인 막연한 기대만 창조한다. 가장 만연되어 있는 통념은 효과적인 설교가 효과적인 목회를 초래한다는 것이다. 효과적인 설교는 과정상 좋은 시작이지만 효과적인 목회와는 거리가 멀다.

90% 정도의 목회자들은 설교가 모든 것이 아니라는 사실을 알아야 한다. 목회를 출중하게 잘하는 10%에게도 이러한 사실은 마찬가지이다. 그러나 그들은 보통 실제적인 문제와 직접 대면하지 않아도 된다. 많은 목회자들이 설교가 전부가 아니라는 사실에는 동의하지만 그 차이들을 채우는 것이 자신들의 책임이라고 생각하지 않는다. 그들은 그들의 주요 역할이 설교하는 것이라는 잘못된 신념의 틀에 박혀버렸다. 이 잘못된 생각은 성경을 세상 풍조의 흐름으로 해석하려는 하나의 명백한 예이다.

목회자/교사는 힘을 다하여 그리고 효과적으로 성경 말씀을 전해야 하는 책임이 있다. 성도들을 훈련시켜 그들을 준비시키는 일도 동일한 비중을 차지하는 중책이다. 대부분의 경우, 그는 그 주어진 임무를 앞장서서 행하며, 성도들이 행하기 원하는 것들을 몸소 행하는 본보기가 되어야 한다. 훈련시키기 위한 방법이 필요한데, 그것은 단순히 가정 성경공부라든지, 책임감, 기량개발, 목표 등이 결여된 체계가 없는 임의적인 선택이 아니다.

사람들에게 무엇을 하라고 말하면서 그렇게 하기 위한 도구를 제시하지 않는 것은 잔인하고 사기를 치는 행위이다. 그런 일은 그리스도인들로 하여금 그들이 경험하지 않은 것들에 대해 전문가들이 되게끔 하는 영적인 과대망상증을 불러일으킨다. 또한 그런 일은 사람들을 사역이 준비되지 않은 상태로 방치시킬 뿐 아니라, 그들로 하여금 그리스도인으로서의 자신의 삶에 대해 죄책감과 회의를 갖게끔 만든다. 또한 이 일은 마귀가 교회 내의 문제를 야기시키는 기회를 준다. 군대가 전쟁에 전혀 개입하지 않을 때, 그 군대는 자연히 군화를 광내는 것이든가, 침상을 정돈하는 일, 사열할 때 똑바른 줄에만 신경을 쏟는다. 행동하지 않는 교회는 당연히 회의 진행상의 규칙들이나, 기관회의 규칙들, 그리고 교회 단상을 꾸미는 데 필요한 가구들 구입에 관심을 집중한다.

교사로서의 목회자는 코치로서의 목회자이다. 가르친다는 의미는 사람들에게 어떤 것에 대해 이야기하고 그 이유를 말하는 것 이상이다. 가르치는 일은 그들에게 어떻게 하는지 보여주고, 그들과 함께 그 일을 하고, 그들로 하여금 직접 하게끔 해주며, 수확의 들판에 그들을 파송하는 일들로 진행된다. 이 여섯 단계 교수법은 예수님께서 사용하셨으며, 제자 삼는 목회자의 특징이다. 제자 삼는 목회자는 진정한 목회자/교사이다. 즉 그는 하나님의 사람들을 실제적인 배움으로 인도하는 여섯 단계를 거치도록 그들을 코치하는 것이다. 이 여섯 단계 교수법에 대해서는 "코치로서의 목회자"라는 8장의 내용을 통해 더 알아보기로 한다.

목표 지향적인 지도력. 이제까지 광의적인 의미로서, 목회자/교사로서의 역할에 대한 특징을 묘사해 왔다. 목회자/교사는 하나님의 사람들을 준비시키는 일을 가장 우선적인 일로 여기며 하나님의 사람들이 사역자들이라는 사실을 밝히는 일에 헌신한다. 코치로서의 목회자는 교사로서의 목회자이다. 이제 거기에 덧붙이는 특징은 목표 지향적이라는 것이다.

목표 지향적인 능력에 대한 진정한 테스트는 비전을 설명해 놓은 도표가 아니고, 장기적인 과정과 계획의 관리 혹은 운영이다. 장기적인 기간을 통한 세부 사항들을 잘 유지할 수 있는 능력이 목표 지향적인 지도력인 것이다. 허들 선수처럼 제자 삼는 목회자는 그 과정에 그리고 동시에 결승선에 계속 시선을 집중한다.

재삼 언급하지만, 목표는 세상을 침투해가는 성숙하고, 훈련된 사역자들이다. 성경은 그 과정 또한 명시하고 있다. "…그리스도의 몸을 세우려 하심이라"(엡 4:12). 그리스도의 몸을 세우는 이유는 그 몸의 효과적인 사역을 위한 것이다. "우리가 다 하나님의 아들을 믿는 것과 아는 일에 하나가 되어 온전한 사람을 이루어 그리스도의 장성한 분량이 충만한 데까지 이르리니"(엡 4:13).

그 과정은 "우리가 다 하나가 되는" 것을 세워가는 일이다. 우리가 다 하나가 되기까지를 다른 말로 표현하자면 "우리 모두가 목표에 도달한다"이다. 훌륭한 코치라면 누구나 그의 목표와 병행하는 과정을 가지고 있다. 그는 팀 앞에 비전을 펼쳐놓고는 그 계획 또는 과정을 실제로 옮긴다. 유명한 코치인 빈스 롬바디(Vince Lombardi)는 그의 팀 소속 선수들에게 그들의 목표는 경기에서 승리하는 것이라고 말했다. 그것에 요구되는 과정은 다른 어느 팀보다도 그들이 방어를 더 잘하고, 태클을 더욱 강화하며, 보다 더 빨리 달리는 것이었다.

코치로서의 목회자는 비전을 제시하고는, "목표에 도달하기까지 우리는 과정에 몰두할 것이다"라고 말한다. "그리스도의 장성한 분량이 충만한 데 이르기까지"라는 목표는 이생에서 충분히 이루어지지는 않을 것이다. 바울은 그리스도의 장성한 분량을 하나님의 아들을 아는 것과 믿는 것이 합일하는 것으로서 정의한다. 성서의 다른 성취 불가능한 여러 소망과 마찬가지로, 교회는 그리스도께서 재림하실 때까지 이러한 목표들에 도달하기 위해 헌신한다.

제자 양육 과정은 계속적으로 진행되어야 한다. 멈추는 시점은 "때까지"라는 단어에 한정된다. 언제까지라는 말인가 하는 질문이 생긴다. 위에서 언급한 대로라면, 그 과정은 그리스도의 재림의 날까지 계속된다. 그러나, 본문은 우리가 더 이상 어린 아이가 되지 않을 때까지라고 하는, 부정적 용법으로 명시된 실제적이고 측량 가능한 지침을 제시한다. "이는 우리가 이제부터 어린 아이가 되지 아니하여 사람의 궤술과 간사한 유혹에 빠져 모든 교훈의 풍조에 밀려 요동치 않게 하려 함이라"(엡 4:14).

긍정적인 지침으로서 에베소서 4:13은 장성함을 훌륭히 묘사하고 그것을 도달 가능한 공동의 목표로 여긴다. 부정적인 측면으로서 장성함은 14절이 묘사하듯 우리가 모든 교훈의 풍조와, 궤술과, 간사한 유혹과, 바다에 표류하는 어린 아이의 모습이 그쳐질 때까지는 우리를 피해 다닐 것이다.

바로 이런 유행적인 주관주의가 목표 지향적인 지도력에 도전한다. 그리스도인의 대다수가 미성숙하고 훈련이 부족하다. 그들은 방향감각을 잃어버릴 때까지 불안정하게 되고, 피해자가 되며, 세상 철학의 풍조에 휘말리고 있다. 솔로몬과 이사야, 이 두 지혜로운 이들이 하나님 백성들의 제멋대로의 본성에 대해 이렇게 말한다. "묵시가 없으면 백성이 방자히 행하거니와 율법을 지키는 자는 복이 있느니라"(잠 29:18). 보다 원대한 공동의 선을 위한 비전이 없다면 사람들은 그들 자신들의 안건을 마구 내세울 것이다. 이사야는 덧붙여, "우리는 다 양 같아서 그릇 행하여 각기 제 길로 갔거늘…"(사 53:6)이라 말한다. 사람의 본성은 이렇듯 강력하고 지도적인 지도력 없이는 그들의 개인적인 우선순위들 안에 속박되어 버린다. 우리의 대적은 지도자들이 피동적이고 방향 제시를 하지 않으며 사람들의 비위나 맞추는, 어떻게 해서든, 심지어는 지상명령을 불순종해서라도 평화를 유지하려고 애쓰는 자들이 되기를 바란다.

명시된 성서의 공동 목표들에 대한 도전들은 많다. 미성숙한 사람들에게 너무 만연해 있는 여러 종류의 산란한 것들은 성서적으로 형성된 공동 목표들을 향한 발전을 지체시킨다.

미성숙한 그리스도인의 몸은 보다 큰 공동의 계획을 대신하려는 개인적인 안건들로 인해 벌집투성이가 된다. 당장의 만족을 뒤로 미루고 자신의 욕망을 공동의 선 앞에 복종시키는 능력은 완전히 상실되었다.

사역에 대한 책임감과 직면할 때, 미성숙함을 공격하는 두 영향력들은 위협과 속임수이다. 위협은 광란의 바다로, 그리고 속임수는 교활함과 간교함으로 묘사된다.

그러한 주어진 상황에서 목회자가 성숙을 향한 여정이라는 하나의 공통분모에 성도들이 초점을 집중하도록 돕는 일은 의무적이다. 만약 목회자가 분파들을 하나로 이끌지 않고 공동의 동기를 사람들에게 지적해 줌으로 마찰을 완화시켜 주지 않는다면 불순종하는 자들이 그 목회자의 삶을 지배할 것이다. 선의의 목회자가 개인들의 안건으로 산적된 덩어리 밑에 묻혀버린 모습은 너무도 흔하다. 내분과 시간과 정력의 낭비와 내동댕이쳐진 은사들과 진리를 향한 구도자의 낙망 등 이 모든 것들이 발생하는 이유는 목표를 향한 시각을 상실했기 때문이다. 더 나아가, 사람들이 목표를 향해 진전하고 있다는 감각을 가지지 못할 때, 그들은 열정을 잃게 된다.

목표 지향적인 지도력은 막강한 철학적인 체계와, 깊이 박힌 확신과, 사람들로 하여금 목표를 향해 나아가도록 만드는 기술을 요구한다. 철학과 확신과 기술은 제자 삼는 목회자를 구성하는 근본요소들이다. 핵심 도구는 성서적으로 다져진 강한 사역 철학과, 목회자가 재삼재사 열정적으로 소개할 선교이다. 이 점에 대해서는 나중에 자세히 말하기로 한다.

사람들이 목표를 향해 나아가도록 만드는 필요는 이십세기 경영원리에서 비롯된 문화적 출현이 아니다. 그것은 지교회의, 아니 좀더 구체적으로 말한다면 담임 목회자라는 지도력에게 하나님께서 부여하신 책임이다. 목회자는 교회가 계속 움직이도록 해야 한다.

성숙한 분위기의 창조. 효과적인 코치는 승리를 향한 분위기를 연출한다. 선수들은 긍정적으로 생각하고, 이길 것을 기대한다. 선수단의 분위기는 고된 일을 하겠다는 각오와 단체의 목표들을 위해서는 개인의 목표들을 희생하는 것이 되어야 한다. 선수들은 그들이 더 향상될 수 있으며 코치가 자신들을 신뢰하고 있다는 걸 확신해야 한다. 훌륭한 코치는 패배의 순간에도 선수들을 격려하고 고무시키며 어떻게 하면 더 낫게 경기를 할 것인가를 지적해 준다. 사실 한 팀이 연습 장면을 보면 그 팀의 성공 여부를 알 수 있다. 만일 코치가 계속 부정적이고, 선수들을 위협하며, 모든 실수에 대해서 그들을 처벌하면 그 코치는 기죽은 선수들의 우유부단한 경기밖에 기대할 수 없다. 잘못을 지적하는 것도 바람직한 코치의 모습이지만 잘한 점과 장점을 키워주는 일이 더욱 중요하다.

우리는 목회자/코치가 말하는 방식을 통해서 많은 것을 배울 수 있다. 그는 죄책감과 공포의 분위기를 조성할 수도 있고 사랑과 포용의 분위기를 만들 수 있다. 코치는 일이 잘못되어 가더라도 진전되어 가는 바를 주목할 수도 있고 반면에 일이 진전되어 가도 오히려 약점을 들추어 낼 수 있다. 그는 "빈 의자"들을 향해 설교할 수도 있고 거기에 사람들을 꽉 채워놓고 그들의 사기를 진작시키며 설교할 수도 있다. 목회자의 태도는 교회의 태도에 지대한 영향을 미친다.

코치와 마찬가지로, 목회자는 사람들의 약점들과 세상풍조의 부정적인 면들과 회개의 필요성을 지적해야 한다. 반면에 그는 그러한 것들을 용서와 다시 세움과 각 사람이 이룰 비전 등의 자애로운 대안으로 균형을 이루어야 한다.

성서는 올바른 분위기에 대해 세 가지 특징을 제시하고 있는데, 그 첫째는 진보를 향한 강한 의식이다. 우리는 이것을 "오직 사랑 안에서 참된 것을 하여 범사에 그에게까지 자랄지라 그는 머리니 곧 그리스도라"(엡 4:15)는 구절에서 볼 수 있다. 진보하려면, 실수도 수용해야 한다는 것을 사람들은 분명히 잘 알아야 한다. 성장하는 분위기는 포용하는 분위기다.

톰 피터스의 훌륭한 작품인 "최상을 향한 열정"에서는 혁신과 능률을 겨냥한, 지금은 유명해진 "skunk works"(비밀리에 혁신적인 상품들을 고안해 내는 비공식적인 연구기획 - 역자주)방식을 소개한다. 대기업은 자신을 쇠약하게 만드는 관료적 형식주의를 피하고 창조성과 실행능력에 재빠른 소규모의 팀들을 형성한다. 이런 종류의 대담성은 교회들도 모방해야 한다. 물론, 거기에는 위험이 따르고, 통제가 어렵고, 실수도 있을 것이다. 하지만 언제부터 교회가 안전과 행정적인 통제와 완벽함에 주력해 왔는가?

피터스는 최근에 기업경영에 있어서 혼란상태를 다루기 위한 미덕과 필요성을 격찬하는 새로운 책을 발간했다. 빠른 속도로 변하는 소비자의 필요에 대한 융통성과 적응력이 그의 새로운 주장이다. 피터스는 인간과 세상 문화의 본질을 인식한 것이다. 기본 신념들을 고수하면서 구성원들 각자의 활동이 두드러지도록 허용하는 기업과 교회는, 엄청난 진보와 보다 빠른 성장과 더욱더 창조적인 것을 발견할 것이다.

교회의 영웅들은 가장 수고하며, 가장 큰 위험을 감수하며, 또한 가장 많이 실수를 저지르는 자가 되어야 한다. 실수는 성장하는 데에 꼭 필요한 부분이다. 창조적이며 모험을 감수하는 사람이 쓰러질 때, 교회는 그 사람을 일으켜주고, 먼지를 털어주며, 박수를 치고는, "일을 성취하라"고 격려해 주는 것이 필요하다.

코치로서 목회자는 그 자신이 말하는 것과 행하는 것으로 분위기를 조성한다. 그는 진보를 축하해 주며 실수들을 이용해서 오히려 긍정적인 동기를 유발시킨다.

분위기를 조성하는 두번째 특징은 각 성도들이 "사랑 안에서 참된 것을"(엡 4:15) 함으로 인해, 그들의 헌신을 과시하는 것이다. 이에 대한문자적인 해석은 "진실되게 함"이고, 유사한 해석은 "집착하는" 이다. 마치 "브롱코"(미국 서부에서 방목되는 반야생의 작은 말 - 역자주) 를 탄 사람이 그 거친 짐승이 사납게 그 몸을 흔들어댄다고 해도 꼭 붙어 있듯이 성장하는 그리스도인은 그리스도의 가르침을 고수한다. 순종함에 있어 충성스런 일관성은 성장의 열쇠이다. 먼저, 코치인 목회자가 합체적으로 성장하고 진보하기를 갈망한다. 그런 후, 각 개인의 일관성에 대한 필요성을 가르쳐 사람들이 목표를 향해 나아가도록 지도한다.

성실함과 성장간에는 인과 관계가 존재한다. 우리가 "성장해야 한다"는 사실에 집착할수록 그리스도를 더욱 닮아간다. 각 사람의 성숙도는 진실을 고수하는 것에 비례한다. 순종의 길은 성숙함이라는 목표로 인도한다. 정치적인 지도자는 세계평화를 가져오는 데에 한정된 능력이 있을 뿐이다. 그 가장 주된 한정요인은 각 개인의 영적 성품이다. 세상이 어느 정도 평화스런 기간과 정도에 도달할 수는 있겠지만 완전한 평화는 각 개인들의 영적인 변화가 없는 한 불가능하다.

이미 언급한 것처럼, 교회의 질은 그 소산에 비례한다. 각 개인의 그리스도와 동행하는 삶이 그 사람의 질을 결정한다. 합체적인 성숙을 위한 각 개인의 성숙함이 없을 때, 교회의 지도자들은 절름발이가 되고 만다.

분위기를 조성하는 세번째 특징은 협력이다. 각 개인의 성숙에 대한 증거는 진리에 집착하는 것이고, 합체적(공동체적) 성숙의 증거는 교향악단의 각 단원이 함께 일하는 것 같은 협력이다.

궁극적으로, 각 개인은 그들 스스로는 친구로 선택하지 않을 사람들과도 일할 수 있는 능력에 따라 그들의 성숙도를 나타내 보이는 것이다. 교회는 동일한 개체군을 위한 것이 아니다. 하나님의 천재성은 온갖 종류의 부름받은 신도들을 함께 모으시고 그들이 서로 사랑하며 불가능한 것을 함께하도록 요구하신 일이다. 그런 단체가 일을 할 수 있는 유일한 길은 초자연적인 능력을 통한 것이다. 이것이 바로 바울이 "…범사에 그에게까지 자랄지라 그는 머리니 곧 그리스도라"(엡 4:15)고 말한 이유이다. 그리스도는 머리시며, 온몸의 근원이시고, 유지하시는 분이다. "그에게서 온몸이 각 마디를 통하여 도움을 입음으로 연락하고 상합하여…"(16절). 예수님은 성장시키시고 몸을 붙잡아주신다. 온몸의 지체가 그 머리이신 그리스도께 순종할 때 그들은 효과적인 행함을 위해 협력한다.

모든 지체는 필수 불가결한 역할을 수행한다. 16절에 언급된 "…각 마디를 통하여" 그리고 "…각 지체의 분량대로 역사하여"라는 말들은 모든 지체가 다른 지체들에게 꼭 필요한 무엇인가를 준다는 것을 의미한다. 이러한 이유 때문에 바울은 고린도에 있는 그리스도인들을 날카롭게 꾸짖기를, "눈이 손더러 내가 너를 쓸데없다 하거나 또한 머리가 발더러 내가 너를 쓸데없다 하거나 하지 못하리라"(고전 12:21)고 했다. 몸은 모든 시스템들이 작동하고 각 지체가 그 맡은 바 일을 할 때 가장 효율적으로 작동한다.

각 지체가 각자의 맡은 일을 하는 것이 팀워크이다. 사람들이 개인적인 일은 단체가 주지하는 방향에 순종하기 위해 뒤로 제쳐둔다. 이런 모습은 필수적인 만큼이나 드물게 볼 수 있다.

1984년도 미국 올림픽 농구단의 코치인 바비 나잇은 바로 이 점을 취재단 앞에서 지적했다. 취재기자들은 유명한 스타들을 거의 완벽한 팀워크로 이끌어 처음으로 세 게임을 연승하도록 만든 나잇의 능력을 예찬했다. 그 때 코치가 말하길, "네, 당신들같이 병적으로 자기 중심적인 사람들(egomaniacs) 열 명이 기사 하나를 함께 쓰는 것을 보고 싶군요"라고 했다.

농구팀은 코치의 의향과 팀 계획에 반드시 순종해야만 한다. 마찬가지로, 몸의 각 지체들은 머리이신 그리스도께 사랑의 순종을 드려야 한다. 사단은 코치의 역할을 하는 목회자와 선수로서의 신도들을 대적하는데, 그 이유는 바로 그들이 함께 큰 일을 이루기 때문이다.

사단의 왕국에 대한 가장 커다란 위협은 초대형 교회들이 아니라, 언제나 그리고 어디서나 그렇듯 의기충천한 제자 삼는 목회자가 각성한 신자들과 함께 일하는 바로 그것이다. 그들이 함께 일할 때, 배가생산은 가까워 온다. 사단에게 있어서 가장 두려운 생각은 목회자들과 교회 지도자들이 제자를 삼는 일과, 배가하라는 사명을 심각하게 받아들이는 것이다. 속해 있는 지체들을 통해서 일어나는 교회의 기하급수적인 증가는 사람에게 가능한 가장 폭발적인 힘이다.

바울은 모든 사람들이 그들의 역할을 감당할 때 생기는 효과에 대해서 이렇게 말한다. "…그 몸을 자라게 하며 사랑 안에서 스스로 세우느니라"(엡 4:16). 폴 브랜드(Paul Brand) 박사는 신체적인 현상을 영적인 몸에도 적용하여 설명한다. 그는 말하기를, 비록 신체가 특별히 아픔과, 차가운 것과, 뜨거운 것과, 촉감적인 신경들을 가지고 있지만, 만족감을 주는 신경들은 없다고 한다. 그렇지만 조직들이 함께 일할 때에는 부산물인 하나의 효소가 생성되어서 신경들을 적시는데, 바로 이것이 브랜드가 "공동체의 환희"(the ecstasy of community)[5]라고 부르는 일을 일으킨다. 몸의 기능들이 하나의 팀으로서 일할 때, 단체의 환희는 사랑 가운데 그 스스로를 성장과 세움으로 나타내 보인다.

"스스로 세운다"는 구절은 우리의 이해를 돕는 데 꼭 필요하다. 적합한 기반이 놓일 때, 영속적인 흐름이 이루어진다. 바울의, 신체와 건물을 혼합한 비유는 건물 기초의 중요성과 몸의 성장과 팀워크의 중요성을 연관지어 가르친다. 적합한 기초는 목회자/교사에 의해서 놓여진다. 그런 다음, 목회자/교사는 그 몸이 함께 일하도록 지도하고, 그 결과는 바로 양질의 성숙한 그리스도인들과 훈련받은 사역자들을 통한 효과적인 선교인 것이다.

적절한 환경이 조성될 때 거기에는 성장이 있고, 또한 그 성장은 배가한다. 교회의 사역과 선교는 서로에게 양분을 공급하고 서로를 증진시킨다. 이러한 역사가 시작되면 그로부터 불가항력적인 영적 능력이 생성되어 세상을 침투해 들어가는 일은 아무 것도 아닌 것이다. 사회의 어느 분야이건 다 침투될 것이다. 추수터에 거하는 그리스도인들이 동기를 부여받고 그 추수터에 익숙한 사역자들이 되어서 그리스도를 위해 모든 구석구석을 침투한다. 이것이 바로 자신의 교회를 향하신 하나님의 계획이다. 성숙하며 세상을 침투해 가는 교회의 핵심이 제자 삼는 목회자이며, 제자 삼는 목회자는 코치의 역할을 하는 목회자이다.

제자 삼는 목회자와 그의 성서적 역할을 정의함에 있어서 필자는 폭넓은 분류를 하였다. 그러한 정의들이 근본을 이루기는 하지만 단지 시작에 불과하다. 이제 필자는 제자 삼는 목회자가 다른 이들과 구별되는 보다 상세한 내용으로 여백을 채우고자 한다. 하지만 분명히 언급되어야 하는 것은 지금 이 장에서 다뤄진 역할을 따라 실행하는 것이 목회자를 다른 이들과 구별되게끔 한다는 사실이다.

제 5 장
제자 삼는 목회자의 이해

제자 삼는 목회자는 무엇이 다른가? 가장 광의적인 의미로 제자 삼는 목회자는 자신의 사역을 감당할 수 있는 제자들을 만드는 일에 시간과 자원을 쏟는다. 그런 반면 일반적인 목회자는 사역을 재생산하는 일이 아니라 사역을 유지해 나가는 데 그의 시간과 자원을 쏟는다.

세 가지 특징이 제자 삼는 목회자가 다른 이들과 분명히 구별되도록 만드는데 바로 목회자의 이해, 헌신, 그리고 실제적인 일들이다. 우리는 다음 세 장을 통해 이 세 가지를 자세히 살펴본 후, 예수님께서 본을 보여주신 목회자가 코치가 되는 여섯 단계 방법을 고려하기로 하자.

제자 삼는 목회자의 이해부터 살펴보자.

목회자는 전체적인 그림을 이해한다

제자 삼는 목회자는 성서적인 공론가(ideologue)이다. 이데올로기

(ideology)라는 단어는 프랑스 혁명 때에 처음 쓰여졌다. 그 단어의 뜻은 "구조적 변화를 위한 혁명"이다. 지교회의 심장부에 있는 제자 삼는 일은 교회내에 근본적인 변화를 요청하는 혁명적인 이데올로기인 것이다. 제자 삼는 목회자는 바스티유 감옥을 습격할 계획은 세우지 않지만 현대 교회가 지닌 구조들과 우선순위들에는 의문을 제기한다.

이데올로기는 단순하고, 분명하며, 위험스럽기까지 하다. 이미 전에 언급했던 오웰의 말이 그 이유를 밝힌다. "명백한 것을 재언급하는 일이 지성인의 첫번째 의무가 되어야 할 정도의 지경에 우리는 처해 있다." 교회가 이미 정해진 목적과 방법들로부터 너무 멀어져 휘청거리므로 사람들이 그 분명한 혁신적인 이데올로기를 수정해서 말하려는 생각까지 하게 되었다. 그리스도께서 그 당시의 종교적 제도를 향해 믿음으로 살 것을 말씀하신 것처럼 제자 삼는 목회자는 교회를 향해 그 첫번째의 부름으로 돌아갈 것을 요청하는 것이다.

제자 삼는 목회자의 교회에 대한 신학은 분명하다. 그는 범세계적인 교회와 지교회, 이 둘을 통찰력을 지닌 영적인 눈을 통해 동시에 본다. 제자 삼는 목회자는 목표들과 방법들에 관해서 체계적으로 생각하기 때문에 성도들이 성장하기에 가장 적합한 수단으로 그들을 배치시킨다. 그는 전체적인 그림을 보는 것이다.

너무도 많은 목회자들이 미시적인 교회관을 가지고 있다. 그들은 교회를 세세한 조각들로만 이해하고, 그보다 큰 그림을 보지 못하므로 그 목표와 프로그램들이 단기적이고 근시안적이다. 1981년 일리노이 주립 대학에서 행한 연설에서 프란시스 쉐이퍼(Francis Schaeffer) 박사는 기독교 신앙이 너무나 미시적으로 이해되고 실행되는 것을 한탄하며, "그리스도인들은 기독교의 진리를 조각 조각들로만 이해하고 있다"고 했다.

지교회라는 조각, 개인의 구원이라는 조각, 사회운동이라는 조각, 십자가, 제자 훈련, 전도, 가정, 성령의 은사 등등이 모두 우리의 마음

속에 흩뿌려져 있는 퍼즐의 각 조각과도 같다. 그래서, 하나님께서 주신 목표라는 전체적인 그림을 보는 그리스도인은 거의 없다. 전체적인 그림보다는 퍼즐의 조각들에 마음을 뺏기는 그리스도인들처럼 목회자들도 같은 함정에 빠진다.

목회자들은 그들이 받은 은사와 소명의 특별한 분야에 집중할 필요가 있다. 하지만 교회가 사역과 선교에 있어서 장성한 분량에 이르기 위해서 그들은 또한 그 전체적인 그림에 관한 의사전달을 해야 한다. 교회를 보다 큰 구속사업의 드라마 속에 놓고 이해하지 못해 왔던 일이 바로 교회의 본래 의미하는 바를 보다 덜하게 만든 것이다.

보다 큰 그림을 보지 못한다면, 목회자들은 교회가 그 자체만으로 존재한다고 생각한다. 교회가 우상처럼 되어버린다. 교회에만 헌신하고, 그것을 짓고, 그것을 그리스도인의 체험의 중심으로 만들며, 교회의 초점은 교회를 향한 교회의 사역이 되어버린다. 그런 목회자는 교회의 교인들이 만족해 하고, 그들의 필요가 채워질 때에야 성공한다. 그리고는 다른 교회들과 함께 좋은 평판을 즐긴다.

그러므로 교인들의 가장 높은 소명은 오직 교회 내에서 이룰 수 있는 모든 것이 된다. 이 점이 바로 교회 지도자들이 교인들로 하여금 보다 큰 비전을 향해 도전하기보다는 퍼즐의 세세한 조각들로 향하도록 만들었다. 헌신하는 일이 드문 것은 바로 도전을 주는 일이 너무도 작기 때문이다. 지도자가 전체적인 큰 그림을 가지지 않고는 큰 도전을 줄 수 없다. 그들은 갈망하는 그리스도인들에게 전체적인 그림을 제시하기보다는 단편들만을 제공해 왔는데, 사실 그런 식으로는 충분치 못하다.

속세적이고, 쉽게 쉽게 넘어가며, 그저 평범한 것들로는 사람들의 마음을 불타오르게 만들지 못한다. 대부분의 그리스도인들은 교회 내에서 크게 되고 싶어한다. 만약 그들이 열심히 노력하고 부지런히 일하며, 문제에 말려들지 않고, 점잖으면 집사, 재무집사, 또는 장로까지도 바라볼 수 있을 것이다. 그러나 그런 것들은 치워버리라! 위원회에 참석하고 서류나 뒤적이는 고작 이런 일이 사람들에게 그들의 삶을 투자하라고 할 만한 위대한 도전이란 말인가?

아무도 위에서 언급된 생각들을 말로는 가르치지 않지만 공동체적인 교회의 태도는 사실 매우 강력하게 그것을 말하고 있다. 교인들로부터 존경받는다고 하는 사람들이 고작 한정된 건물 내에서만 봉사하고 밖으로는 도무지 나가려고 하지 않는 것이다. 교회라는 조직 내에 헌신된 하나님의 종들과 지도자들이 중요하기는 하지만, 그것이 바로 교회가 존재하는 목적인 것처럼 착각하지는 말자.

이 점이 지교회만을 생각하는 사람들의 한계에 대한 비판이다. 교회 자체만을 위한 헌신으로는 충분하지 못하다. 우리가 교회 심장부의 제자 삼는 사역으로, 또는 지상명령으로, 아니면 세계 곳곳에 교회를 세우는 일로 본보기적인 사역의 개발을 도모한다고 해도, 이들 중에 하나만으로는 아무 것도 충족시키지 못한다. 그렇다면 무엇이 충족시키는가? 필자는 이제 제자 삼는 목회자가 그의 생각을 정제하고, 자신의 일에 집중하기 위해 사용하는 더욱 큰 철학적인 체계를 제시할 것이다.

예수님께서는 우리가 그 큰 그림을 걸 수 있도록 네 개의 고리를 마련해 주셨다. 그것들은 제자들의 확신을 세우는 일에 필수적인 것들이다. 제자 삼는 목회자들을 위해서 예수님께서는 보다 커다란 목표를 사용함으로 어떻게 사람들의 사기를 진작시키고, 그들을 가르치는가에 대한 본을 보이셨다.

예수께서는 제자들에게 그들의 전 삶을 다 쏟아붓고 그들이 가지고 있는 모든 것을 다 바쳐 이루어내야 할 한 가지 목표를 설정해 주셨다. 그러나 그들이 모든 것을 바치고 좇아간 그 목표는 결코 이루지 못했다. 예수님의 크신 목표는 한 세대에서 다음 세대로 반복적으로 이어질 것을 요구한다. 그 네 가지 고리는 다음과 같다.

하나님의 왕국이 그 본보기이다.
십자가가 그 수단이다.
지상명령이 그 방법이다.
예수님의 다시 오심이 그 동기이다.

하나님의 왕국이 그 본보기이다

예수님께서는 왕이 있는 곳에 왕국이 있다고 가르치셨다(마 12:28; 눅 17:20, 21). 하지만 예수님께서는 그와 더불어 그분의 목표를 분명히 밝히셨다. 사단의 유혹 직후, 예수님께서는 이 목표를 말씀하셨다. "이때부터 예수께서 비로소 전파하여 가라사대 회개하라 천국이 가까왔느니라 하시더라"(마 4:17). 수차례에 걸쳐서 복음서는 이것을 예수님의 메시지(막 1:14; 마 4:17)로 언급한다. 열두 제자를 택하신 바로 그 직후, 예수님께서는 산상수훈이라고 불리는 왕국 선언문을 선포하셨다. 그분은 누가 왕국에서 큰 자이고, 누가 왕국에 들어갈 수 있는지를 설명하셨으며, 그 후 왕국을 제공하셨고 그것에 대한 비유를 통해 왕국을 가르치셨다.

예수님께서는 왕국을 위해서 기도할 것을 말씀하시고는 그 제자들을 보내실 때 "회개하라 천국이 가까왔느니라"고 선포하라고 말씀하셨다(막 6:12 참조). 그분은 자신이 계신 곳이 천국이라 하셨고, 제자들에게 왕국에서의 특권적인 지위를 약속하셨다. 예수님께서는 예루살렘을 향해 우셨는데, 이는 예루살렘이 그분의 왕국을 거절했기 때문이다. 또한 제자들에게 말씀하시길 왕국의 복음이 만천하에 선포될 때, 왕국은 도래할 것이라고 하셨다. 승천하실 때, 제자들은 예수님께 바로 지금이 왕국을 세우시는 때이냐고 물었다.

예수님의 목표는 그때나 지금이나 인생들 가운데 그의 나라를 세우시는 것이다. 하나님의 왕국은 새하늘과 새땅에 있는 하나님의 절대적이고 영원한 지배하심이다. 목표는 확실한 것이었다. 즉, 평화와 정의가 지배하는 완벽한 사회인 것이다. 이것은 매우 재능있는 성도의 전적인 헌신을 요구하기에 충분한 것이다. 또한 이것은 이 목표를 위해서 살고, 죽으며, 이를 향해 매진하기에 매혹적이기까지 한 것이다.

목회자가 지닌 하나님의 왕국에 대한 관점이 어떤 것이건, 즉 문자적으로 그리스도의 천년 통치이건, 아니면, 그의 백성들을 통하신 그리스도의 구현이시건 간에, 필자는 모든 이들이 앞에서 언급된 그 목표에 관해 호의적이리라 확신한다. 목회자는 오늘날의 성도들에게도 그들을 향한 동일한 비전을 전달해야 한다. 첫째, 왕국이란 각 그리스도인의 경험 내에서의 그리스도의 지배하심을 뜻하고, 둘째, 교회 공동체 내에서의 그리스도의 지배하심이며, 셋째, 자신의 가정, 직장, 학교, 법원, 그리고 생활과 직업의 모든 부분에서 그리스도의 지배하심에 순종하는 성숙한 그리스도인이다. 성도들은 사회를 썩지 않게 하는 소금이며, 믿지 않는 사람들의 어두운 마음을 비추는 빛이다.

제자 삼는 목회자는, 단지 지교회만을 생각하는 사람보다 훨씬 그 사색의 범위가 넓은, 하나님의 왕국을 생각하는 사람이다. 지교회만을 생각하는 사람은 "우리는 훌륭한 교회를 짓고 있는 중이다"라고 하겠으나, 하나님의 왕국을 생각하는 사람은 "우리는 온 세상에 그리스도의 통치하심을 가져온다"고 말한다. 지교회만을 생각하는 사람은 "당신이 교회에서 맡고 있는 직책이 가장 중요하다"고 말하지만, 하나님의 왕국을 생각하는 사람은 "당신이 그리스도를 위해 세상에서 하는 일이 가장 중요하다"고 말한다.

하나님의 왕국을 생각하는 사람은 교회가 미치는 영향의 범주를 확대시킨다. 즉 교회의 하찮은 일들은 제거하고, 교회의 목적을 향상시키며, 그 목표들을 재정의한다.

그리스도의 통치하심으로 세상이라는 광장에서 일어날 가능한 긍정적인 변화들을 상상해 보라. 가정에서는 남편이 아내를 사랑하고, 부모가 자녀를 사랑하며, 성서의 가치와 우선순위에 대한 진실된 헌신이 있으며, 부모들은 자녀들 앞에서 성숙한 인격으로 그리스도의 생애에 대한 진정한 본보기가 되는 사랑과 양육의 보다 강력한 장소가 될 수 있다.

전통적인 윤리관을 가르치며, 하나님을 인정하는 기도를 허가하는, 우리의 자녀들이 창조의 기원과 역사 속에서의 종교의 역할에 대한 균형있는 가르침을 받는, 부모의 허락 없이는 낙태를 할 수 없는 공립학교를 상상해 보라.

정의를 구현하며 공중생활 속에 종교의 자유를 재회복시키고, 또한 그리스도인 법관들과, 변호사들과, 경찰들이 그들의 맡은 직분을 잘 감당하며, 외설잡지가 규제되고, 마약단속이 한층 더 강화되는 그런 법원을 상상해 보라.

청소년들의 타락을 부채질하는 종류의 음악들이 줄어드는 음반업계와 공정한 소식을 전하는 방송업계를 상상해 보라.

용기 있는 그리스도인들은 사랑 가운데 자진해서 거처가 없는 이들과, 혼자서 아이를 양육하는 부모들과, 굶주린 자들과, 가난한 자들과, 마약에 중독된 자들과, 에이즈 환자들을 향해 도움의 손길을 내밀 것이다. 그들은 수백만의 태아들을 살해하는 행위를 중지시키기 위해 활동하고 항거할 것이며, 정직하고, 온전한 인격을 소유하며, 자신들의 믿음을 구두로 표현하는 사람들이 될 것이다.

왜 사회의 이런 부분들에 변화가 오게 될까? 그것은 바로 교회에 의해 효과적으로 배치된 그리스도의 헌신된 제자들이 그런 일들이 이루어지기 전까지는 절대로 쉬지 않을 것이기 때문이다.

교회가 지향하는 바는 그리스도의 통치하심을 세상에 전파하는 일이다. 교회가 사회를 변화시킬 수 있다. 하지만 그러기 위해서는 제자 삼는 목회자가 자신에게 이미 주어진 계획을 따라 성도들이 그런 일들을 할 수 있도록 준비시켜야 한다. 마치 다섯 살 난 아이가 직업을 얻고 생계를 꾸려나가기를 기대할 수 없는 것처럼 교회에서도 훈련되지 않은 사람들이 사회를 변화시킬 것이라 기대할 수는 없다.

이 부분이 교회가 담당하는 분야이다. 교회는 모든 인생에게 그리스도의 통치하심을 전하는 수단이다. 필자에게도 이 일은 평생 동안의 동기로 삼기에 충분하다. 우리는 이 땅을 향하신 그분의 공의로우심을 전할 책임이 있다. 우리는 그분의 사절단인 것이다.

제자 삼는 목회자는 강한 사람들로부터 강한 헌신을 얻을 수 있다. 왜냐하면 그가 충분히 큰 비전 - 모든 인생에게 그리스도의 통치하심을 전파하는 일만큼 커다란 - 을 가지고 있기 때문이다. 그는 또한 이 일이 담력과, 확신과, 하나님의 백성들의 희생을 요구할 것이라는 사실을 이해한다. 그러므로 하나님의 왕국만을 모델로 삼을 뿐만 아니라, 십자가를 그 수단으로 삼는 것이 필요하다.

십자가가 그 수단이다

십자가에 달리시기 십 개월 전 예수님께서는 제자들에게 십자가에 대해서 말씀하셨다. 그것은 참으로 혁신적이고, 충격적이며, 실망스러워서, 제자들에게 십자가에 대해 일찍 말하는 것은 그들의 변절을 가져올 수도 있었다. 예수님께서는 기다리셨고 정해진 시간에 그들에게 말씀하셨다. 적합한 때 행하신 십자가에 대한 가르침은 하나님이 세상을 통치하고 계심을 전하는 결과를 가져왔다. 필자는 수단이라는 단어의 의미를 자원과 특성에 관한 것으로 사용하는 것이지, 방법을 뜻하려는 것은 아니다.

십자가는 하나님의 백성들을 통해 두 가지 방법으로 세상에 하나님의 통치하심을 이루려는 수단들을 제공한다. 첫째로, 부활과 함께 십자가는 일의 성취를 위한 초자연적인 자원들을 제공한다. 십자가는 거듭남과 성령의 능력 안에서 매일 살아갈 수 있도록 신성한 능력을 가져다 주었다. 예수님께서는 자신의 목숨을 많은 사람의 대속물로 주기 위해 오셨다(막 10:45)고 말씀하셨다. 예수님은 인류의 죄를 구원하기 위한 대가로 자신의 목숨을 주셨다.

둘째로, 헌신과 자기 희생과 같은 십자가의 교훈들은 사람들에게 자신들이 헌신하는 이유들을 제시했다. 십자가는 우리가 타협할 수 없는 책임이 있다고 가르친다. "인자가 많은 고난을 받고 장로들과 대제사장들과 서기관들에게 버린 바 되어 죽임을 당하고 사흘 만에 살아나야 할 것을 비로소 저희에게 가르치시되"(막 8:31).

인생은 우리가 반드시 해야 하는 것들로 가득차 있다. 직업상의 일, 학교, 집청소, 그리고 치과를 가야 하는 일 등은 피할 수 없는 또 다른 일들 중 일부분일 뿐이다. 십자가의 첫번째 교훈은 우리가 분명 어떤 어려움을 당한다는 것이다. 어려움이란 식사나 선호하는 텔레비전 프로그램을 놓치거나 하는 등과 같은 작은 희생에서부터 가족과의 이별이나 감금 등의 더 큰 희생을 요구하는 것일 수도 있다. 그럼에도 불구하고 우리는 그것을 해야만 한다.

십자가에 관한 예수님의 선언 직후에, 베드로는 십자가의 어처구니 없음에 대해 비난하려고 예수님을 불러 세웠다. 예수님의 대답은 정확했고 베드로의 골수에 깊이 사무쳤다. "사단아 내 뒤로 물러가라 네가 하나님의 일을 생각지 아니하고 도리어 사람의 일을 생각하는도다"(막 8:33).

사람들이 헌신하도록 동기를 부여하는 일에서 목회자들이 부딪치는 주된 장벽은 하나님이 원하시는 것과 사람이 원하는 것간의 고질적인 갈등이다. 첫째로, 사람들에게 하나님의 왕국을 세상에 도래할 수 있도록 하는, 보다 커다란 비전을 보여주라. 큰 비전은 큰 노력을 축적시킨다.

둘째로, 그 일은 희생을 요구하고 또한 그만한 가치가 있음을 확신시키라. 예수님께서는 십자가를 피하시지 않으심으로 그분의 십자가에 대한 결단을 보여주셨다. 그는 그를 따르는 모든 이들이 자신들의 십자가를 짐에 있어서 십자가를 피하지 않는 것이 기본 자세임을 말씀하셨다. "무리와 제자들을 불러 이르시되 아무든지 나를 따라오려거든 자기를 부인하고 자기 십자가를 지고 나를 좇을 것이니라"(막 8:34).

이러한 제자도에의 부르심은 하나님의 정예 특공대 같은 사람들만을 위한 것이 아니다. 예수님께서는 그 요구조건들을 공표하시기 전에 일부러 전체 무리를 부르셨다. 보다 큰 무리를 부르신 사실은 제자도가 모든 그리스도인들을 향한 것임을 보여준다. 두 가지의 행동들이 그 요구조건들을 채우기 위해 필요하다.

첫째로는 자기 부인이다. 많은 사람들이 자기 부인을 식사 후 디저트를 안 먹거나, 또는 사탕을 더 먹지 않거나, 아니면 포도주를 한 잔 더 하지 않는 정도의 사소한 것들과 연관시킨다. 또 다른 극단적인 예는 자신을 학대하거나 개인의 필요들을 무시하는 수단으로 자기 부인이라는 개념을 사용하는 일이다.

진정 그것이 뜻하는 바는 바로 자신의 삶과 행함에 있어서 자기 자신을 그 중심에 두는 행위를 멈추는 것이다. 이제 나는 나의 모든 부분을 지배하기를 포기하는 것이다. 이제는 더 이상 나의 몸과, 나의 경력과, 나의 재물과, 나의 시간이 아닌 것이다. 우리가 살고 있는, 자만적이고, 자기 실현적이며, 자기 형상과 자기 사랑, 그리고 최고만을 원하는 자기라는 단어가 앞에 붙어있는 사회 속에서 자기 부인이란 인기있는 것이 아니다.

자기 부인은 자기 자신을 향해서는 부인하고, 하나님을 향해서는 "예"라고 대답하려는 충분한 의지를 의미한다. 자기 부인은 간단하게 말해 하나님께서 원하시는 것을 가로막는 장애물이나 사람이 원하는 것을 제거하는 것이다. 만일 그리스도를 따르는 것이 나에게 풍성한 삶을 가져온다면 나는 기뻐할 것이다. 만일 그것이 고통을 가져오면 나는 그것을 견디어 낼 것이다. 첫번째 행동의 성공은 두번째의 행동을 가능하도록 만든다.

두번째의 행동은 십자가를 짊어지는 것이다. 만일 한 유대인이 어깨에 십자가를 지고 있는 어떤 사람을 보면 곧 그 사람이 죽을 것이라는 사실을 안다. 우리 대부분이 이 구절에 대해서 농담식의 대화 이외에는 들어본 적이 별로 없다. 거만한 사돈, 정상적이지 않은 이웃, 잡초, 또는 계속해서 새는 엔진 윤활유 같은 것들이 "내 생각에는 그것이 바로 내 십자가인 것 같아!"라는 말을 즉시 내뱉게끔 한다. 그러나, 우리 삶 속에 불편함이 있는 것은 사실이나, 십자가는 그런 삶의 불편함과는 비교될 수 없는 훨씬 그 이상의 것이다.

십자가는 사명을 위한 필수요소이다. 십자가는 하나님께서 나에게 주신 사명이다. 예수님에게 있어서 십자가는 "내가 꼭 해야만 하는" 것이었다. 나의 십자가는 "내가 꼭 해야만 하는" 것들이다. 내가 그것을 좋아할지도 모르고, 그것을 억지로 견디어야만 할지도 모른다.

나는 날마다 십자가를 지고 예수님을 따를 것이고, 절대로 뒤를 돌아보지 않을 것이다. 예수님께서는 의무와 헌신과, 심지어는 하나님을 기쁘시게 하기 위해 죽음까지도 각오하는 의지의 미덕들을 가르치셨다. 그분은 줄곧 그런 생애를 보내셨고 그가 마지막 숨을 거두며, "이제 다 이루었다"고 말씀하셨을 때, 그 진리대로 사셨었던 것이다.

지도력이란 사람들이 자신을 부인하고 오직 하나님께 순종하도록 도와주는 일을 뜻한다. 그리스도인들이 십자가를 이해하고 적용하기 전까지는 일들이 그다지 성취되지 않을 것이다. 그들은 예수님께서 십자가에서 이루신 업적을 통해 가능케 된 자원들을 적절히 사용해야 한다. 그리고는 십자가의 교훈, 즉 헌신, 자기 부인, 그리고 예수를 따르기 위해 날마다 제 십자가를 지는 것을 기꺼이 원하는 마음 등을 실행에 옮겨야 한다.

십자가라는 수단이 없이는 모델로서의 왕국과 인생의 모든 영역을 그리스도가 통치하신다는 사실은 채워지지 않는 좌절감밖에는 아무 것도 아니다. 그러므로 제자 삼는 목회자는 항상 큰 그림에 초점을 맞춰야 한다. 사람들에게 향하는 목표를 지적해 주고서 어떻게 거기에 도달하는지를 가르쳐 주라.

지상명령이 그 방법이다

만일 제자 삼는 목회자가 그리스도인들의 헌신을 원한다면 그들의 확신을 세워나가야 한다. 분명히 이해된 목표는 충분한 확신을 얻게 한다. 지도자들은 목표를 분명하게 전달해야 한다. 하나님의 종들을 통한 역사 속의 하나님의 목표는 세상에 그분의 통치하심, 즉 그분의 왕국을 도래시키는 것이다. 결국 이 역사의 모든 피조물들을 그리스도께서 통치하시는 것이다.

그리스도인이 일단 큰 그림을 소유하면, 그는 그 목적에 부합하는 자원들을 필요로 하게 될 것이다. 그리스도께서는 십자가 안에 그 수단들, 즉 초자연적인 자원들과 십자가의 교훈들로부터 파생된 특성들을 제공하셨다.

다시 말하자면, 왕국은 소망을 제공하고 십자가는 그 왕국을 위한 자원들을 공급한다는 것이다. 그러나 그런 후 우리는 "무엇이 계획이고 어떻게 그것을 이룰 것인가?" 하는 점을 물어보아야 한다. 여기에 바로 교회가 개입된다. 이 문맥상 교회가 바로 그 질문을 진실로 이해하게 되는 오직 유일한 방법이다.

교회는 사명을 위해 존재한다. 교회는 사명을 위해 존재하고 불이 산소로 유지되듯이 교회는 사명으로 인해 유지된다. 교회를 일컫는 일반적인 비유들, 즉 소금이 음식을 저장하고, 빛이 어둠을 밝히며, 누룩이 빵덩어리 전체에 영향을 끼치고, 한 사람의 군사가 적진을 돌파하는 등의 비유들은 교회의 적극적인 역할을 가르친다. 이방인으로서, 외국에서 온 대사들로서, 그리고 여행길 순례자로서의 그리스도인들에 대한 일반적인 묘사들은 하나님 백성들의 임시적인 상태와 사명 지향적인 모습을 가르쳐 준다.

교회의 효율성을 측정하는 방법은 바로 그 교회의 성도들이 그리스도를 위해 자신들의 주변세상을 침투해 들어가는 능력이다. 교회를 성장시키는 가장 최선이며 최적의 방법은 그 교인들에게 세상을 침투하는 능력을 향상시키는 것이다.

교회는 하나님의 가정이고, 제사장들의 왕국이며, 건물이고, 몸이며, 성전이다. 그리고 교회의 정체를 교회의 기능으로부터 동떨어뜨릴 수 없다. 교회는 지상명령을 위한 수단이며 세상을 전도하기 위한 하나님의 도구이다. 교회는 그 명령을 위해 존재하는 것이지 교회 그 자체 때문에 존재하는 것이 아니라는 사실은 재삼 강조해도 지나치지 않다. 교회는 사명을 우선순위에 둠으로 해서 그 존재가 정당화된다. 그렇지 않은 다른 행위는 그 임무를 변절시킨 것이다.

예수님은 왕국 소망에 관한 확신을 세우셨고, 그 확신을 십자가의 헌신을 통해 보이셨다. 그는 또한 십자가에 대한 헌신과 마찬가지로 특별히 중요한 한 가지 방법에 헌신하셨다. 바로 여기에서 제자 삼는 목회자와 제자 삼는 교회가, 일반적인 목회자와 일반적인 교회와 그 길을 달리하는 것이다.

제자 삼는 목회자는 지상명령인 "제자를 삼아"를 온 세상 복음전파의 방법으로 본다. 제자를 삼는 일은 배가의 방아쇠이며 세계전도의 열쇠이다. 배가생산하지 않는, 세계복음화는 복음주의적인 정신적 장난감에 지나지 않는다. 제자 삼는 일은 제자를 만드는 것 그 이상으로 세계를 복음화하는 필수적인 방법이다.

제자 삼는 목회자는 대부분의 시간을 자신들을 재생산하기 위해 훈련받기 원하는 사람들과, 왕국에의 소망을 공유한 사람들과, 십자가를 향해 헌신하려는 사람들과, 그리고 배가생산이야말로 세계복음화를 위해 분부된 방법이라고 믿는 사람들을 위해 사용한다. 제자를 삼는 목적은 바로 그 자체만을 위한 것이 아니란 사실을 절대 잊지 말자. 우리가 목표로 하는 일은 천국을 확장하고 인생을 구원하며 삶을 변화시키는 예수 그리스도의 말씀을 가능한 한 모든 이들에게 전하는 것이다.

성경적인 목회자는 제자 삼는 목회자이다. 필자는 하나님께서 모든 목회자가 제자 삼는 자들이 되기를 원하신다고 믿는다. 이것이 실제화 되기 위해서는 목회자들이 자신을 배가할 사람들을 제자로 삼는 일에 기꺼이 초점을 두어야 한다. 그들은 그러한 자신들의 위치를 오직 커다란 그림을 소유하고 있을 경우에만 지킬 수 있다. 그들은 도전해오는 다른 사상들을 능수 능란하게 처리하기 위해 성서적으로 다져진 철학적인 체계가 필요하다. 그 큰 그림은 목회자로 하여금 그 사상들을 걸러내고 그가 특정한 일에 초점을 계속 유지할 수 있게끔 한다.

예수님의 다시 오심이 그 동기이다

제자 삼는 목회자에게 있어서 책임감은 자신의 삶에 대단히 소중하다. 그러므로 그는 예수 그리스도의 다시 오심은 상급의 가능성과 책임의 현실성을 가져온다는 사실을 교회에 부지런히 상기시킨다.

하나님의 왕국이라는 소망이 일단 세워지면, 십자가의 자원들과 교훈들은 어떠한 어려움에도 불구하고 그 왕국을 위해 헌신할 마음을 불러일으킨다. 이 일은 그 방법이, 즉 제자를 삼음으로 지상명령을 이루기 위한 실행계획이 제자리에 위치함으로써 그 뒤를 잇는다. 최종적인 도전은 그 헌신을 지속적인 동기 부여와 적절한 관리를 통해 유지하는 일이다.

예수께서 다시 오신다는 사실은 모든 그리스도인들이 자신들의 일을 해나가는 데 도움이 되는 전체 그림에 대한 유용한 단편들을 제공한다. 첫째, 그리스도께서 오시는 표지들은 이미 형성된 확신들을 더욱 강하게 만든다. 그리스도인들이 여러 예언의 사건들이 현실로 이루어지는 것을 보게 될 때 그들의 영혼은 생기를 띠게 된다.

두번째로, 그리스도가 오심과 그가 오시면 모든 고통이 끝난다는 사실을 아는 것은 확신들을 유지시킨다. 세상은 구원을 원하며 탄식한다. 사회를 유린하는 적대감, 실망, 탐욕, 그리고 부정직 등이 실망을 가져온다. 언젠가는 나아질 것이고 갈등도 그칠 것이라는 바람은 그리스도인으로 하여금 더욱 잘 견디게 만든다.

세번째이자 가장 중요한 예수님의 다시 오심이 뜻하는 바는 바로 개인적인 상급과 책임을 가져온다는 것이다. 예수께서는 열두 제자들에게 하나님의 나라에서 요직에 앉힐 것을 약속하셨는데 그것은 즉 그들이 예수님의 옆에 있는 특별한 자리에 앉아서 다스릴 것이라는 약속이다.

개인적인 상급. 예수님께서 일반 성도들에게 특별한 자리를 약속하신 일은 결코 없었지만, 그들이 상급을 얻을 것이라고는 말씀하셨다. 마태복음 25장의 달란트 비유를 통해 하나님께서는 믿는 자가 주어진 것으로 무엇을 하였는가 하는 것으로 그를 평가할 것이라고 가르치신다. 바울은 그리스도인들이 남기는 일의 질에 따라 판단받게 되는 것을 가르치기 위해 불로 시험받는 재료들로 묘사했다(고전 3:12-15).

사람들은 상급에 관해 긍정적인 반응을 보인다. 운동선수들은 메달과 트로피와 돈과 명성을 위해 안간힘을 쏟는다. 아이들은 아빠가 등을 다독거려 주기를 바라므로 열심을 낸다. 어느 누구나 "굉장한데!", "잘했어!", "바로 그거야!" 등의 말을 듣기 좋아한다. 언젠가는 그리스도로부터 칭찬과 더불어 직접 피부로 느낄 수 있는 상급을 받는 기회가 온다는 약속은 진지한 그리스도인들의 사기를 매우 고취시킨다.

개인적인 상급은 사람들이 생각할 때 "내가 선하고 열심이기만 하면 나의 삶은 행복해질 것이고 많은 상급을 받을 것이다"라는 식으로 그들이 잘 납득할 수 있도록 만든다. 이런 종류의 동기는 그리스도인들에게 호소력 있고 대부분 효과가 있다.

그러나 그러한 반면 거기에는 또한 하나님의 기대하심에서 멀어져가고 불순종하게 되는 경향이 있을 수도 있다. 예를 들어 상급을 받을 가능성은 없어지고 그리스도가 다시 오시면 책망하실 책임만이 그대로 있을 때 발생한다.

개인적인 책임. 불로써 사람들의 공력이 시험받으리라는 바울의 묘사는 긍정적인 면과 부정적인 면을 동시에 소유한다. 이미 위에서 언급한 바 있는 긍정적인 면은 그 공력이 불 시험을 통과하고 커다란 상급을 받는 것이고, 부정적인 면은 그 공력이 불에 타 없어지는 것이다. 눈 앞에서 평생 동안 해 놓은 일들이 녹아 없어지는 것을 보게 된다는 생각은 두려운 것이 아닐 수 없다. 이것은 그리스도인이 더욱 신중한 노력을 기울이도록 재촉하는 충분한 책임감을 제공한다. 모든 그리스도인들은 그들 평생 동안의 사명을 매우 활발하게 유지하기 위해 이 요소가 필요하다.

학생들이 시험 없이 무엇을 배우겠는가? 마감 시간이 없이 무슨 일이 이루어지겠는가? 어느 청소년들이 부모의 엄청난 꾸짖음 없이도 자기들의 방을 치우겠는가? 왜 교사가 교실을 잠시 비우거나, 코치가 운동장을 떠나거나, 부모가 집을 비우면 학생들, 선수들, 그리고 아이들의 행동이 달라지는가? 그 대답은 간단하다. 그것은 바로 사람 본성의 문제인 것이다. 그렇다. 거듭난 사람도, 항상 성숙한 인간의 본성도 완벽하지 못하다. 보고서 양식들, 성적표들, 권위 있는 사람들과 조직들은 사람들의 좋은 목표달성을 위해 필요하다.

지상명령의 말씀 하나하나가 재차 떠오른다. “내가 너희에게 분부한 모든 것을 가르쳐 지키게….” 책임감이 없는 영적인 성숙함이란 헛소리이다. 영적인 권위를 사용하고 받아들여야 함에도 책임지기 싫어서 그것을 거절하는 자들은 영적인 진부함에서 도대체 벗어날 수 없을 것이다.

자주, 교회가 어떤 행동들과 도덕규범을 옳다고 가르치지만 그들이 저지르는 분명한 잘못들을 대수롭지 않게 여김으로 인해 사람들이 불순종하도록 조장한다. 교회가 가르치는 교리에도 불구하고 교회가 실행하는 그것이 사람들에게 전수된다. 이것이 바로 사람들로 하여금 불순종하도록 가르친다.

예수께서 다시 오심은 상급의 가능성과 일평생의 행함이 평가받는다는 사실의 동기로서 효과를 발휘한다. 이것이 효과적인 이유는 유동적인 인간과는 달리 하나님께서는 자신의 말씀을 완벽하게 지키실 것이기 때문이다. 예수님께서 다시 오셨을 때, "이것 보게, 사실 난 지옥에 관해서, 또 자네들의 삶이 평가를 받는다는 것에 관해서 농담한걸세. 모든 것을 용서하니 잔치나 베푸세!"라고 말씀하시리라고는 기대하지 말라. 하나님께서는 진실로 이렇게 하시지도 또한 하실 수도 없다. 하나님께서는 그분이 하신 약속을 거역하시거나, 공의와 진실로부터 그분의 공약을 떠나실 수도 없다. 하나님은 어떠한 사과도 필요없이 그분의 기준을 지키신다.

그리스도인은 지속적이고, 열심히 수고하며, 위를 쳐다보도록 부르심을 받았다. 당신의 확신을 따라 열심히 일하고, 그분께 "잘하였도다, 착하고 충성된 종아"라고 칭찬받기를 기대하라.

커다란 그림은 퍼즐의 모든 조각들을 끌어모으고 제자 삼는 목회자에게 분명한 비전을 제시한다. 하나님의 나라가 본보기이고, 십자가가 그 수단이며, 지상명령이 그 방법이고, 예수님의 다시 오심이 그 동기이다. 이 커다란 하나님의 설계도로부터, 목회자는 자신의 시간과 계획에 대한 중대한 관건들에 집중할 수 있는 것이다. 그 분명한 초점은 교회의 역할이고, 지상명령은 방법이다. 이것은 우리를 제자 삼는 목회자의 두번째 특성인 헌신으로 이끈다.

제 6 장

제자 삼는 목회자의 헌신

제자 삼는 목회자는 네 가지의 헌신들을 소유한다.

그는 제자 삼는 사역을 교회의 심장부에 위치시킬 것을 헌신한다.
그는 목회자와, 성도의 역할에 대해서, 그리고 제자 삼는 사역의 과정에 대해서 확실하게 하며 또 그것을 분명하게 전달하는 일에 자신을 헌신한다.
그는 만인이 제사장이라는 사실에 헌신한다.
그는 배가생산에 헌신한다.

이러한 자신의 헌신 없이 목회자가 자신의 회중을 제자 삼는 사역으로 이끌 수는 없으며, 또한 그들을 재생산하는 성도들이 되게끔 하기는 더욱 어려울 것이다.

모든 것은 그가 제자 삼는 사역을 교회와 연관해서 어디에 위치시키는가 하는 문제의 핵심에서 시작한다.

제자 삼는 사역을 교회의 심장부에 위치시키는 일

이사야를 통해서 하나님께서는, "…이 백성이 입으로는 나를 가까이 하며 입술로는 나를 존경하나 그 마음은 내게서 멀리 떠났나니…"(사 29:13)라고 통탄하신 바 있다. 많은 목회자들과 교회의 지도자들이 입으로만 제자 삼는 사역에 대해 큰 관심을 표한다. 제자 삼는 사역을 반대하는 행위는 믿음의 가장 중요한 신조를 부인하는 것과 같다. 하지만 그들이 막상 제자 삼는 사역을 위한 용기를 보여야 할 순간에 이르면, 그들의 행위는 자신들의 마음이 진심이 아닌 것을 나타낸다.

이러한 표리부동함에는 그 이유들이 있다. 첫번째로는, 제자 삼는 사역은 교회의 한 부서에 적합한 프로그램이어서 관심있는 사람들에게는 주어지지만 그것이 교회의 주 동력은 아니라는 잘못된 믿음이다.

두번째로는, 목회자가 제자 삼는 사역이 교회 전체의 건강에 있어서 중요한 역할을 한다고는 생각하지만 그 사역을 자신의 개인적인 책임으로는 여기지 않는다. 그는 전담 사역자를 고용하거나 외부로부터 고문을 불러들이고 평신도 지도자들을 감독할 것을 생각한다. 그러나 그는 자신의 역할은 설교를 하고, 상담을 하며, 지도자들을 지휘하는 것으로만 여긴다. 그는 소수의 사람들에게만 관심을 집중할 수는 없다고 생각하고 또한 그렇게 하는 것은 자신의 시간을 잘 활용하는 것이 아니라고 믿는다.

이러한 태만함은 불순종이라기보다는 무능력에서 기인한다. 목회자들은 자신을 목회자/교사로 여기는 데 반해 실제로는 목회자/연사로 행동한다. 그들은 사실 정보를 제공하는 것 그 이상의 일은 아무 것도 하지 않으면서, 스스로는 사람들을 가르치고 준비시키는 일을 한다고 여긴다. 그들은 오직 제자 삼는 사역의 입문적인 부분에만 연관하면서, 자신들이 지상명령을 완수하며 맡은 임무를 하고 있다고 생각한다.

세번째 이유는, 제자 삼는 사역은 지교회에 너무 협소한 것이라고 많은 목회자들이 생각한다. 그들에게 있어서 제자도란 성경 암송구절들을 가지고 다니고 필경 장래에 전담 목회자가 될 소수의 극단적인 십자가 군병들이고, 그 군병들은 성경공부에 오랜 시간을 보내고, 각 가정 방문전도를 하며, 그리스도를 섬기는 일에 자신을 희생해 왔다고 생각한다. 이것은 소수에게는 굉장한 것이지만, 일반적인 성도들을 위한 것은 아니라고 여긴다. 목회자들은 그런 사람들과 어울리기 좋아하는데 이는 대부분의 목회자들이 그런 부류이기 때문이다. 하지만, 그들은 그런 모습이 그리스도인의 기준이라고는 생각하지 않는다.

위에서 언급된 십자가 군병들의 모습이 그리스도인의 일반적인 예는 아니다. 하지만, 이런 생각이 많은 목회자들로 하여금 제자 삼는 사역을 좀더 편한 개념으로 피상적으로 여기게끔 만들어 왔다. 그들은 이렇게 생각한다. "제자 삼는 사역을 강조하는 것은 교회에 너무 편협된 것이고, 대부분의 그리스도인들에게 너무도 어렵고, 실제적인 일이 아니다. 그것은 회중을 '가진 자들'과 '가지지 않은 자들'로 양극화시킨다. 사람들이 교회를 떠나든지 아니면 내가 직장을 잃든지, 혹은 두 가지 다 일어날 것이다."

의심할 여지없이, 목회자들의 그러한 표리부동함의 주된 이유는 제자 삼는 사역을 어떻게 교회의 핵심적인 사역으로 만드는지 모르는 것이다. 세 가지 주요 실행 지침은 그 일을 핵심적인 사역으로 만들 것이다.

제자 삼는 사역을 강단에서 선포하라

제자 삼는 목회자는 제자도에 대한 자신의 신념을 강단에서 선포한다. 그는 교회의 목적과 목표들을 선포한다. 제자 삼는 사역이 교회의 핵심이 되도록 목회자는 그런 사실을 가르쳐야 한다. 그는 그의 요청을 확고한 성서강해로 정당화한다. 그는 교회의 성도들을 설득하기 위해 그가 지닌 가르침의 은사를 통해 가능한 모든 장점들을 사용한다. 제자 삼는 사역에 대한 성경의 확신들은 재삼재사 선포되어야 한다. 효과적인 제자 삼는 목회자는 사람들의 마음에서 비전이 사라지도록 절대로 내버려두지 않는다.

많은 목회자들은 이런 일이 혹시나 회중을 분극화시키지나 않을까 두려워한다. 거기에는 피해야 할 함정이 있다(필자도 그 대부분의 함정에 빠져본 일이 있다). 하지만 그 일은 어쨌든 이루어져야 한다. 왜냐하면 강단으로부터의 상세한 성경 해설과 설득 없이는 제자 삼는 일이 교회의 간판 사역으로서 생존하지 못할 것이기 때문이다. 가장 중요한 점은 이것이다. 제자 삼는 사역은 교회의 심장이며, 모든 믿는 자가 제자가 되는 것이 하나님의 뜻이다. 이것을 자주, 큰 소리로, 그리고 분명하고 열정적인 확신을 가지고 말하라.

제자 삼는 사역을 명문화하고 교회 신조로 삼으라

사람들이 그 사역이 명문화된 것을 보면, 사역을 심각하게 받아들일 것이다. 사역을 교회헌법에 기입하라. 다른 출판문서에도 그 사역을 분명하게 서술하라. 사람들이 그것들을 지속적으로 강단을 통해, 교회헌법을 통해, 그리고 교회발간 문서들 내에서 보게 되면, 그 사역을 신조로서 받아들이게 된다.

개인적으로는 제자가 되는 것이고, 연합해서는 역동적인 제자 삼는 교회가 되기 위해 함께 수고한다는 목적을 열망하도록 사람들의 사기를 진작시키는 방향으로 그것을 명문화하라.

"장로들은 명시된 목표들에 의거해서 매년 교회의 모든 프로그램들과 행사들을 평가한다"는 목적들과 목표들에 대한 정기적인 평가를 요구하라. 만약 그 목적이 제자를 삼는 일이고, 다른 사람들에게 그리스도를 소개하는 것이며, 배가하는 것이라면, 교회의 회중은 당신이 진지하다는 사실을 알게 될 것이다. 이것은 미래의 교회 임원들이나 목회자들이 같은 우선순위를 계속 지향하도록 보장할 것이다.

제자 삼는 사역이 장로들 내에서 본보기로서 이루어지도록 하라

목회자가 제자 삼는 사역을 명문화하고 선포할 수는 있지만, 만일 그가 먼저 지도층에서 그 사역을 실행하지 않는다면 그 사역을 교회 중심부에 위치시킬 수는 없다. 어느 한 가지를 진실되게 선포하고, 실제로 다른 것을 행하는 것은 어리석은 일이다. 교인들에게 제자도를 알리기 위해서는 그들이 축소판으로 된 본보기를 볼 수 있도록 하라.

장로들은 그들의 직분을 담당하기 이전에 제자 삼는 능력을 과시할 수 있어야 한다. 기대되는 장로들을 훈련할 수 있는 확립된 과정을 개발하라. 지교회를 가장 쇠약하게 만드는 것은 선포된 우선순위들과 지도층의 실행이 서로 다를 때이다.

슬프게도, 많은 교회의 문제점들은 교회 지도자들의 미성숙함과 이기적인 안건들에서 발견된다. 공통적으로, 전체 교회에서 가장 어울리기 어려운 그룹이 교회의 지도자들이다. 그들은 종종 논쟁적이고, 폐쇄적이며, 권력을 차지하기에 굶주려 있고, 자신들의 영역을 굳게 하는 일에 전력을 쏟는다.

일단 교회의 중심부가 썩게 되면, 부흥을 꾀하기란 거의 불가능하다. 썩는다는 것은 중심인 지도층이 교회가 명시한 성서적인 목표들을 실천해 나가지 않는 것을 뜻한다. 그들은 개인적인 전도나, 기도나, 성경공부나, 도움이 필요한 자들에게 손길을 뻗치는 일 등의 중요한 책임있는 면들로부터 자신들을 격리시킨다. 죄악된 그들의 태도는 자신들의 영향력을 파괴시킨다. 이 결과, 다시금 사람들이 불순종하게 된다. “우리 교회의 목적은 제자를 삼는 것이지만, 이 사역이 우리 지도층에는 적용되지 않는다.” 또다시 지도자들은 “그저 말한 것뿐이고, 사실 그것을 의미하지는 않는다”고 말한다.

제자도가 교회의 심장이 되기 전에, 장로들은 그 목표를 모범적으로 보여야 한다. 이것을 어떻게 하는가에 대해서는 나중에 살펴보겠지만, 기존 교회들의 장기적인 기간을 통한 재활성화와 새로운 교회들의 올바른 우선순위의 확립은 그런 모범이 없이는 이뤄지지 않는다.

재활성화는 하향식이지, 상향식이 아니다. "일반 성도들로부터 시작되는 부흥"에는 한계가 있다. 성도들이 제자가 되고 제자 삼기를 시작하는 많은 예들이 있다. 성도들의 기쁨은 교회에 새로운 에너지를 불어넣는다. 그러한 에너지가 교회의 지도층과 세차게 충돌하게 될 때 문제는 발생한다. 지도자들은 부흥의 긍정적인 측면들에 대해서는 찬사를 보내겠지만, 전체적인 부흥을 위해 구조와 우선순위들을 바꾸려 하지는 않을 것이다.

재부흥의 에너지가 지도층의 중심부까지 이르기 전에는 그것이 교회의 심장이 되지 않을 것이다. 그러므로 제자 삼는 사역을 교회의 심장부에 위치시키는 일이 중요하다. 그렇게 되면 제자 삼는 교회에 있어 중요 부분인 생명과 활력이 지도자들 안에 살아 있게 된다. 그것이 지도자들 안에 살아 있으면, 지도자들은 그것을 한 세대에서 다음 세대로 전수할 것이다. 그것은 새로운 교회들이 확립되는 가운데 성장하며 배가할 것이다. 하지만 그것은 상향식이 아니고 하향식이어야 한다.

분명한 신분과 의사 교통

제자 삼는 목회자는 분명한 비전과 함께 깊은 확신을 갖는다. 그는 확고부동하게 자신의 영적 확신들을 설계한다. 그는 하나님의 백성들에게 자신이 누구이고, 그들이 누구이며, 그리고 그들이 어디로 가고 있는지를 말한다. 결과는 열정적인 지도력이다. 지상명령에 대한 순종을 요구하는 깊게 뿌리를 내린 이념은 그를 실행으로 이끈다. 사람들이 제자 삼는 사역에 순종하는 방향으로 결정할 것을 기다리는 대신, 그는 나아가야 할 길을 지적하며, "나를 따르라"고 말하는 것이다. 교회가 순종하도록 인도하는 이 열정이 그를 다르게 만드는 면이다. 그는 세 가지의 기본들을 분명히 전달함으로 애매한 생각을 배제한다. 이것들로 인해, 그는 혼동을 피하고 그의 일관성을 과시한다.

목회자, 그는 누구인가

그는 하나님의 사람들에게 그가 그들의 영적 지도자, 즉 그들의 코치라고 말한다. 그에게는 하나님께서 명하신 일들을 하도록 사람들을 준비시킬 책임이 있다. 이러한 선언은 성경에 깊은 뿌리를 내리고 있음을 강조하면서 그는 그가 해야 할 일이 무엇인지를 가르치고 그들의 이해를 돕기 위해 그 일을 상세히 밝힌다. 그는 자신의 에너지와 시간 할애와 우선순위는 하나님의 말씀에 의해 지시됨을 분명하게 밝힌다. 제자 삼는 목회자의 직무는 확신에 의한 것이지 교회의 전통에 의해 정해지는 것이 아니다.

그는 그가 담당하는 일의 우선순위들을 확립하고는 성도들에게 어느 부분에서 일하고 또 왜 그 일을 하는지 말한다. 그는 그들에게 어디에 시간을 보낼 것인지 그리고 왜 그렇게 하는지에 대해서 말한다. 그는 사람이 아니라 하나님께 순종함으로 결국은 그들에게 가장 유익이 되도록 하려 한다고 말한다. 그러므로, 그는 변덕스러운 생각들과 이기적인 의견들에 의해 반응을 보이지 않고 교회 전체의 건강에 대한 중대한 문제들에 집착할 것이다.

심장부위에 관한 개념. 만일 교회가 그리스도의 몸이라면 건강의 핵심은 양호한 심장혈관부이다. 그러므로 목회자는 자신이 심장 전문의가 되는 것이다. 만약 제자를 삼는 일이 지상명령과 세상을 전도하려는 하나님 계획의 핵심이라면, 목회자는 그의 최선의 시간과 노력을 그 일을 위해 바쳐야 한다. 그는 건강한 심장혈관부를 유지하기 위해 필수적인 일들을 식별하고는 "이것이 내가 집중하는 분야이고 이것이 내가 소명받은 일이며 이것이 내가 가장 노력을 기울여야 하는 부분이다" 하고 선언한다.

심장 혈관조직은 두 가지의 요소들로 이루어져 있다. 첫번째는 제자 삼는 사역을 다스리는 원칙들이다. 성서적 원리들로부터 방법을 유도하라. 건강한 그리스도인들을 만들기 위한 원리들을 식별하라. 이제 심장혈관부의 원칙을 갖춘 것이다. 한 가지 그런 원칙적인 예는 책임감의 필요성이다. 지시방향과, 상담고문과, 교정 등이 없으면 그리스도인들은 그들의 본성에 좌초되어 버린다. 그러므로, 그들은 어떤 통제체제에 순복하도록 되어야 한다.

두번째 요소는 그 원칙들을 용이하게 하는 수단이다. 여기에는 여러 가지 방법이 있다. 소그룹이라든가, 일대일 관계라든가, 또는 서면을 통한 보고식도 있다. 그 중 가장 좋은 방법을 다른 바람직한 요소들, 즉 훈련이나, 성경공부나, 계속 진행되는 교제 등과 결부시킨다. 계속적인 조력을 위해 제자 삼는 목회자는 그 소그룹 내에 책임의식이 있도록 해야 한다. 초기단계에서는 목회자 자신이 그 그룹을 인도할 것이다. 그룹이 배가되고 지도자들이 훈련받음에 따라 목회자는 그룹 지도자들에게 초점을 맞춘다. 우리가 예로 든 것을 계속 보자면, 제자 삼는 목회자는 소그룹들 내에 책임의식이 존재하도록 확실히 하는 일에 초점을 두었을 것이다. 초기단계에서는 목회자 스스로가 그 그룹을 인도했을 것이다. 그룹이 배가하고 지도자들이 훈련되면, 그는 그룹 지도자들의 훈련에 집중했을 것이다. 이것이 바로 필자가 말하는 양호하고 열심인 자들에 초점을 맞춘다는 것이다. 제자 삼는 목회자는 관례적인 역할보다는 훈련과 감독 등의 일에 개인적으로 관여함으로써 긍정적인 행동을 취한다.

그는 설교사역과, 소그룹 지도자들 훈련과, 전임 사역자들을 이끄는 일과, 교회 개척자들을 모집하는 일과, 교재를 만드는 일과, 훈련일정에 따라 교회 위원회를 인도하는 일들이 자신의 대부분의 시간을 차지할 것을 제안할 것이고, 이런 일들은 몸의 나머지 부분들이 그 기능을 효과적으로 발휘하게끔 만들 건강한 심장혈관조직을 형성할 것이다.

그러므로 심각한 긴급상황이 아니면, 그는 대부분의 위원회 모임들과, 각 가정 심방과, 병원 방문 및 의무적인 사교 등에서 벗어날 것이고, 심지어는 상담 등과 같은 전형적인 요구도 줄일 수 있을 것이다. 사실, 목회자가 그의 해야 할 일을 하고 건강한 심장혈관조직을 만들면, 많은 상담건이 없어질 것이다. 남은 상담건은 은사가 있고, 훈련받은 사람들이 맡을 수 있다. 필자가 상담에 관한 지루한 이야기를 하려고 하는 것이 아니지만, 목회자가 상담에 많은 시간을 소비한다는 것은 이해할 수 없다. 상담자의 역할을 우선적으로 하는 목회는 성서적인 역할에서 변질된 형태이다. 상담 목회자는 그의 50% 내지 75%의 시간을 영적으로 병든 자들에게 할애한다. 이것은 더욱 깊은 병을 가져오고, 목회자를 문제의 해결점으로부터, 그리고 영적으로 건강한 은사받은 자들로부터 떨어져 있게끔 한다. 건강한 자들과 함께 그의 대부분의 시간을 보냄으로 목회자가 약한 자들을 더욱 잘 도울 수 있다.

상담도 필요하다. 하지만, 훈련받은 평신도와 전문적인 상담자들이 목회자보다도 그 일을 더 잘 감당한다. 예외적인 것은 위기 중재(crisis intervention)라고 부르는 것이 더 나을, 위기 상담이다. 이런 경우에는, 목회자가 중요한 역할을 담당한다.

제자 삼는 목회자는 심장과 그 혈관조직이 그 기능 - 가르치는 일과 훈련하는 일과, 나중에 상세히 살피게 될 제6단계 훈련과정을 거치게 하는 일들 - 을 더욱 잘 발휘하도록 만드는 일에 집중하는 전문가인 것이다. 그는 자신이 누구이고, 그의 책임들이 어떤 것들인지 정의하고, 그 일들에 전념한다.

사람들. 목회자의 역할을 광의적으로 나타내는 다섯 가지 원칙들 중의 두번째는, 에베소서 4장에 있듯이, 하나님의 사람들의 신분을 적합하게 규명하는 일이다. 그러므로, 제자 삼는 목회자는 그 목표를 분명하게 전한다. 공동의, 그리고 각 개인의 목표들은 잘 알려져 있다. 그는 자신의 역할이 봉사를 하게끔 그들을 준비시키는 것임을 밝혔다. 그는 구경꾼들을 이끄는 사역자가 아니고, 사역자들을 인도하는 목회자이다. 교회 회중이 목회자의 역할을 이해할 때, 그들의 책임은 보다 더 분명하게 정의된다. 교회 회중의 역할과 정체성이 적합하게 규정되기 전까지 그들은 자신들의 그릇된 감정적인 개념에 빠져 쇠약해질 것이다.

제자 삼는 목회자는 성도들이 모두 하나님께서 안수하신 사역자들임을 그들에게 말해준다. 모든 그리스도인들은 사역을 하도록 부르심을 받았다. 그들 스스로가 교회의 사명과 사역에 대한 책임이 있음을 알게 되면 그들은 자신들의 인생에 대해 완전히 새로운 관점을 갖게 된다. 그렇다면 목회자의 일은 성도들이 교회의 성공에 필수적인 존재들임을 성서강해를 통해서, 효과적인 대화를 통해서, 그리고 실제적인 프로그램을 통해서 회중을 확신시키는 일이다.

과정. 과정은 목회자가 반드시 잘 운영되게끔 만들어야 하는 부분이다. 일단 그가 목표들을 명시하고 역할들을 밝히면, 과정은 그것을 현실화시킨다. 많은 목회자들이 성도들의 정체와 그들의 역할들을 말하는 데에는 능숙하지만 그 일을 어떻게 하는지 가르치는 일에는 치명적일 정도로 약하다.

목회자는 성도들이 사역자이며, 자신의 역할은 그들이 사역을 하도록 준비시키는 것이라고 말했다. 이제는 그들에게 보여주어야 한다. 그는 바라는 결과들을 산출할 특별히 고안된 수단들을 지적한다. 목회자는 "제자는 말씀을 이해하므로 이제는 당신에게 어떻게 성경을 공부하는지 가르쳐 줄 소그룹들 중의 하나에 참석하라"고 말한다. 교회가 성도들에게 그 가르침을 실제적으로 적용할 수단들을 제공하지 않는다면, 당신은 새로운 그리고 열정적인 영적 생명을 유산시키는 것이다. 교회가 안고 있는 고질적인 병폐 중의 하나는 행함의 수단없이 행위만을 찬양하는 것이다. 그 추악한 결과는 그리스도를 위한 삶을 포기한, 당황하고, 죄책감을 느끼며, 분노에 찬 그리스도인들이다.

잠재적인 사역자들에게 실제 적용의 각 단계들을 지적해 주어야 한다. 거기에는 명확하게 정의된 개발단계들이 있어야 한다. 필자의 막내아들이 요즘 가라데 교습을 받기 시작했다. 아이의 열정은 그의 단호한 집중적 연습에서 알 수 있다. 그는 어떤 목표에 도달하려는 성취감에 간절해 있다. 그는 가라데의 각 기본기술과 연속동작을 아주 정확하게 반복한다. 각 색깔의 띠는 진보의 정도를 표시한다. 그 프로그램의 기발한 면 중의 하나는 그것이 쉬운 단계부터 기초를 밟아 어렵고 힘든 단계로 이행하는 까닭에 처음 시간부터 학생들이 어떤 성취를 이루어 낼 수 있고, 진보할 수 있으며, 한 단계가 끝날 때마다 청띠 홍띠 하는 식의 상을 받게 된다는 점이다. 본인의 아이는 자신이 어디쯤와 있는지 그리고 어떻게 하고 있는지 알고 있다. 그는 목표가 무엇인지, 주어진 과제가 무엇인지, 그리고 거기에 도달하기 위해 해야 할 일들이 어떤 것인지 안다.

예수님께서는 그분의 제자들이 어디쯤 서 있는지를 알게 하셨다. 그는 간단한 초청들을 다음과 같이 연장시키셨다. "와 보라", "나를 따르라", "나와 함께 있으라", 그리고 "내 안에 거하라".[1] 이러한 초청들은 제자들을 위한 예수님의 훈련단계들을 이룬다.

네 부분으로 이루어진, 위에서 언급된 철학적인 체계는 교회 성도들에게 그들의 진보를 측정하게끔 한다. 필자는 예수님께서 자신을 따르도록 사람들을 결코 만드시지 않았다고 가르친다. 예수님은 단순히 초청하심을 연장하신 것이다. 성도들은 이러한 단계들간의 차이점을 알며, 그들이 어느 단계에 있는지 안다. "와 보라"는 단계는 우리가 당신을 환영하고 돌보고 관심을 가지는 곳이다. "나를 따르라"는 곳에서는 당신을 확립시키고, "나와 함께 있으라"는 단계에서는 당신이 다른 이들을 가르치도록 우리가 당신을 가르치며, "내 안에 거하라"는 단계에서는 우리가 당신을 파송(배치)한다. 후에 이러한 단계들에 대해서 좀 더 자세히 말하겠지만, 현재로서는 단계적인 과정의 중요성만을 이해하면 된다. 또한, 단계적인 과정을 갖추는 일만큼 중요한 것은 사람들이 어디쯤 있는지 알게끔 돕고, 그들이 앞을 향해 전진하도록 사기를 북돋는 일이다.

앞에서 언급한 바 있는 제자 삼는 목회자의 또 다른 특징은 목표 지향적인 지도력이었다. 목회자가 자신의 일에 있어서 목표 지향적이 된다는 것은 물론 교회 성도들도 그같이 되도록 납득시켜야 한다는 것을 의미한다. 그리스도인들은 그들 생활의 거의 모든 영역, 즉 사업, 가정, 정년퇴직, 여행, 취미 등등에 관한 목표들을 설정한다. 하지만 그런 사람들에게 영적인 목표들에 관해서 물어보면 그 대부분은 당황한다.

제자 삼는 목회자는 교회 성도들을, 자신들이 누구인지 알고, 그들이 진보 속에서 어디쯤 서 있는지를 알며, 그들이 어디로 향해 가고 있는지를 아는 사역자 군대로 변형시킨다.

만인 제사장직

필자는 제자 삼는 이의 신조를 헌신이라고 표현하고자 하는데 그 이유는 그리스도인들의 제사장직이라는 개념 속에서는 그것이 전혀 이상하지 않기 때문이다. 헌신이란 자신의 신조들을 실행한다는 뜻이다. 제자 삼는 목회자의 사역은 이 우선순위를 반영한다. 그의 시간 배당과, 제자 삼는 사역과, 그리고 모든 훈련 프로그램들은 하나님이 전체 그리스도인들을 사역자들로 부르셨다는 명제를 근거로 형성된다. 그는 이 교리에 대해서 설교할 뿐만 아니라 그의 전체 사역이 그 교리의 진실성에 의존한다.

평신도라고 불리는 계층의 폐지는 교회에 있어 우선순위가 되어야 한다. 교회의 부흥은 평신도라는 개념이 소멸된 잿더미로부터 일어날 것이다. 제자 삼는 목회자는 두번째의 개혁을 이끌도록 정해져 있다. 첫번째 개혁은 하나님의 말씀을 성직자들의 수하에서 확실하게 벗어나게 해서 그것을 성도들에게 넘긴 것이고, 두번째 개혁은 사역을 성직자들의 수하에서 확실하게 벗어나게 해서 그것을 정작 담당해야 하는 사람들에게 넘기는 것이다. 베드로와 요한은 그리스도인들을 제사장이라고 일컬었다(벧전 2:5, 9; 계 5:10). 구약시대 대제사장의 사역은 하나님께 사람들의 이익과 필요들을 상달하는 것이었다. 히브리서는 예수님을 완전하시고 영원하신 대제사장이라고 분명하게 밝힌다. 그리스도는 하나님의 우편에 계신 성도들을 위한 중보자이시다. 그리스도의 업적을 통해서, 믿는 자는 이제 하나님의 보좌로 나아갈 수 있으며, 모든 그리스도인들은 현재 이 권위와 권리를 누린다. 믿는 자들의 공동체는 제사장들의 왕국이다(벧전 2:5; 계 5:10).

만인 제사장직이 함축하는 바는 그리스도인들이, 제사장직이 전통적으로 그랬듯, 그리스도를 위해 사역할 권리와 의무를 가졌다는 것이다. 당신이 만일 믿는 이들의 사역에 대한 소명을 가지고 만인 제사장직에 가담한다면, 당신은 또한 모든 그리스도인들이 봉사를 위해 부름을 받았다고 가르쳐야 할 이유가 있다.

소명이라는 단어를 사역과 관련해서 살펴보기로 하자. 이 단어의 희랍어원은 클레토스이고, 사전은 그 단어를 "부름받은" 또는 "천직"이라 정의를 내린다. 바울은 "형제들아 너희를 부르심을 보라…"(고전 1:26)와 "…부르심을 입은 부름에 합당하게 행하여"(엡 4:1)라고 말한다.

바울은 전문적인 엘리트에 관한 아무런 언급도 하지 않고 있다. 문맥은 분명히 그리스도 안에서의 모든 지체들을 의미한다. 바울은 로마서 1:1-8에서 동일한 종류의 생각들을 배열한다. 바울은 자신을 특별한 범주로 간주했는데 그것은 자신이 사도였기 때문이다. 더욱 중요한 것은 그가 "부름을 받았다"고 말한 것이다(롬 1:1). 하지만 바울의 가르침은 자기 자신으로 그치지 않았다. "너희도 그들 중에 있어 예수 그리스도의 것으로 부르심을 입은 자니라 로마에 있어 하나님의 사랑하심을 입고 성도로 부르심을 입은 모든 자에게"(롬 1:6, 7).

"그들 중에"라는 것은 이방인들을 뜻하고, 로마에 있는 그리스도인들은 구속받은 공동체 안에 포함시켰다. 바울은 "성도로 부르심을 입은"이라고 7절에서 재삼 강조해서 언급한다. 하나님의 모든 가족은 공동체로 부름받고, 거룩한 자들 또는 성도들로서 부름받았다.

논리적인 다음 단계는 부름받은 성도들이 하는 일들을 식별하는 일이다. 성도들이 봉사의 일을 하기 위해 훈련받아야 하는 것(엡 4:11, 12)은 이미 잘 전개된 사실이다. 모든 이들이 사역을 위해 부름받았지 소수만이 아닌 것이다. 우리의 이해를 증가시킬 또 한 부분이 있다. 고린도인들에게 보내는 두번째 서신에서 바울은 사역을 소유한 자들을 분간한다. "모든 것이 하나님께로 났나니 저가 그리스도로 말미암아 우리를 자기와 화목하게 하시고 또 우리에게 화목하게 하는 직책을 주셨으니 이는 하나님께서 그리스도 안에 계시사 세상을 자기와 화목하게 하시며 저희의 죄를 저희에게 돌리지 아니하시고 화목하게 하는 말씀을 우리에게 부탁하셨느니라"(고후 5:18, 19).

"우리"라는 말은 그리스도의 공로에 의해 화목하게 된 교회의 지체들을 뜻한다. 두 가지 중요한 언급은 "우리에게 화목하게 하는 직책을 주신 것"과 "화목하게 하는 말씀을 우리에게 부탁하셨다"는 것이다. 사역의 책임은 성직자라고 불리는 그리스도의 몸의 1%도 안되는 그룹에 주어진 것이 아니라, 성도들이라고 불리는 교회를 이루는 지체의 100%에게 주어진 권리이자 소명이다.

그래서 어떻다는 말인가?

그래서 그런 것이 실제에 있어서는 어떻다는 말인가? 믿는 이들의 제사장직은 이론상으로는 인기가 있다. 즉, 많은 이들이 받아들이지만 실제적인 것은 거의 행해지지 않는다. 만인 제사장직은 설교와 교회 위원회에서 가장 많이 거론된다. 목회자들은 보다 많은 사람들을 거기에 관련시키고자 설교하고 평신도들은 목회자들의 권위를 견제하느라 그것을 언급한다. 교회의 가장 큰 병폐 중의 하나는 모든 그리스도인이 제사장이므로 모든 그리스도인의 의견은 동등한 가치를 지닌다는 어리석은 견해이다. 이것은 불순종적이고 하나님의 말씀에 무식한 그리스도인들이 하나님의 교회를 향한 그분의 계획을 고의적으로 방해하는 자신들의 죄스런 태도들과, 무지를 과시하는 것과 같은 큰 불행의 연속을 야기시킨다. 냉소적인 비판이라고 생각하는가? 물론 그렇지만 타당한 것이다. 만인 제사장직은 모든 이들이 할 일이 있고 모든 사람들이 할 말이 있는 것 그 이상을 뜻하는 것이어야 한다.

제자 삼는 목회자는 자신을 만인 제사장직에 헌신한다. 그는 각 사람이 영적인 은사를 지니고 있다는 것과 특별한 소명이 있음을 믿으며, 어떤 구체적인 사역에서 그리스도를 섬겨야 한다고 믿는다. 그렇다면 제자 삼는 목회자가 그의 헌신을 어떻게 나타내 보일 수 있는가?

그는 허락한다. 대부분의 그리스도인들은 만인 제사장직을 그렇게 쉽사리 믿지는 않는다. 일반적인 그리스도인은 그가 소명받은 복음의 사역자라는 생각을 우습게 여기면서 막상 그렇게 된다는 것을 두렵게 여긴다. 그는 항상 다른 이들의 헌신을 이해해 왔고 심지어 그러한 헌신에 감동하기까지 한다. 하지만 그가 사역자가 될 수 있다는 생각은 초현실적으로만 여겨지는 것이다.

평신도들은 이렇게 생각한다. 만일 내가 사역자라면, 나는 사역자들이 하는 일들을 하게 될 것이다. 사역자는 성경을 가르치고, 성찬식과 예식을 거행하며, 마음 상한 이들을 상담하고, 장례식도 집행한다. 나는 그런 일에는 아무런 관심도 없고, 게다가 그런 훈련도 받은 적이 없다.

사역에 들어서는 일에 대한 또 다른 염려는 누군가 규칙을 바꾸었다고 생각하는 것이다. 평신도는 “수년간 나는 거룩하다는 것은 교회를 다니고, 교회 교육 위원회에서 일하며, 성가대에서 봉사하는 것으로 들어왔다. 그런데 이제는 하나님과 온전한 관계를 유지하려면 사역의 길로 들어서야 한다고 말한다”고 항의할 수 있다.

잘못된 인식과 염려는 지체들이 사역에 최대한 참여케 하는 일을 가로막는 실제적인 장애물이다. 제자 삼는 목회자는 사람들로 하여금 사역에 들어서도록 허락함으로써 그의 제자도에 대한 헌신을 보여준다. 그는 성도들에게 그들이 사역자들이라고 말해 주며, 온전한 가르침으로 잘못된 인식과 염려들에 대해 밝힌다.

목회자들은 종종 성도들이 제사장직을 수행하는 데 방해가 된다. 그들은 제사장직을 활기차게 가르치지만, 자신들의 가르침을 이치에 맞는 결론으로 도달시키지 못한다. 많은 목회자들은 성도들이 “조력자”의 위치보다 더 상승하는 것을 기대하지 않는다. 그들은 그런 일이 일어나는 것을 본 적도 없고, 그런 일은 있을 수 없다고 믿는다. 교회 회중이란 교회의 많은 자리들(집사 자리, 장로 자리, 제직위원 자리 등등)이나 채우는 것으로 되어 있다. 만일 그들이 돈을 낸다면 그들은 전담 사역자들로부터 좋은 설교와 꽉 찬 예배 프로그램을 그 대가로 받는다.

성도들에게 하나님께서 주신 소명을 위해 살라고 주장하는 목회자는 종종 둔감하고, 성도들을 보살피지 않으며, 너무 일에만 치우치는 것처럼 여겨진다. 사실은 그 정반대이다. 그리스도인들을 선한 조력자들로만 여기고, 자신의 위치로까지는 생각하지 않는 목회자는 성도들을 사랑하지 않으며 그들을 낮게 보는 것이다. 반면에 사랑하며 높게 여긴다는 의미는 대개의 그리스도인이 은사를 지닌 복음의 사역자이며 중요한 영적 사역에 대한 책임을 감당할 수 있다고 믿는 것이다.

사람들이 사역을 하도록 훈련시키지 않고 자신이 사역을 감당하는 목회자는 사랑이 없고 돌보지 않는 태도를 취하는 것이다. 필자는 그가 사랑이 없고 보살피지 않는 사람이라고 하지는 않았음을 유념해 주기 바란다. 필자가 의도하는 바는, 그가 마치 어떤 부모가 그들의 자식이 성숙하지 않기를 원하는 것처럼 행동하는 것과 같다고 말하는 것이다. 이런 형태의 목회가 교회에서 볼 수 있는 현재와 같은 나약한 분위기를 계속 조장한다. 목회자가 사역을 통제해야만 하고 사역들의 가장 최고의 부분이 전임 사역자들을 위해 남겨질 때, 사람들은 계속 연약하고, 기생적이 될 것이다. 목회는 계속해서 비현실적일 것이고, 교회들은 나약하고 의존적인 상황 속에 있을 것이다. 모든 자진하는 성도들을 훈련시키지 않고 그들의 속박을 풀어주지 않는 것은 목회에 있어서 가장 심각한 죄악이다.

성도를 높여주는 관점은 일반적인 그리스도인들을 존경해 주는 것이다. 평범한 성도도 환자를 방문할 수 있고, 그들을 위해 기도할 수 있으며, 자신의 아이들에게 침례(세례)를 줄 수 있고, 성찬식을 집행하며, 제자 삼는 그룹의 지도자들을 훈련시킬 수 있다. 그는 이러한 일들을 목회자보다 더 잘 할 수 있고, 그렇게 하는 일에 자유함을 느낀다. 사실, 제자 삼는 목회자가 그에게 그런 일들을 어떻게 하는지를 가르쳐준 것이다.

목회자는 성도들이 사역에 보다 더 많이 참여하는 것에 위협을 느끼지 않는다고 그들에게 말함으로 그들의 사역 참여를 허락한다. 사실, 그들이 더 관여하고 효과적이 되는 것은 목회자를 성공으로 이끄는 일이다. 몸의 지체가 사역을 할 때, 몸은 더 좋아지고 목회자 또한 그렇다.

지체들이 사역에 전적으로 참여할 때, 사람들이 그리스도를 통한 능력과 훈련을 통한 기량을 믿을 때, 그들이 사는 곳에서 일하는 곳에서 그리고 다른 이들과 게임을 즐기는 곳에서 효과적으로 그들의 추수터를 침투해 들어갈 때, 교회 성도들이 사람들에게 그리스도를 소개하고 근본적인 원리를 세우며 목회자를 직접 관여시키지 않고도 새신자들을 교회 회중 속으로 동화시킬 때, 그리고 교회 사역들이 직접적인 목회자의 관련 없이 창출되고 시작되며 진행될 때, 목회자는 성공적이게 된다. 간단히 말해, 성도들이 주일날의 모습과 대화처럼 주중에도 그대로 보여줄 때, 목회자는 최고의 기량을 발휘하는 것이다.

방향을 제시한다. 제자 삼는 목회자가 만인 제사장직에 대한 자신의 헌신을 과시하는 또 다른 방법은 방향을 제시하는 것이다. 그는 사역자의 의미에 재정의를 내렸다. 다음과 같은 사역에 대한 재정의가 필요하다. 그렇게 함으로써 교회 회중이 "사역에 들어섬"이란 장애물을 극복할 수 있게끔 해준다. 사역에는 커다랗게 세 가지의 범주가 있다.

화목(고후 5:18-21). 이것은 그리스도를 필요로 하는 자들을 향한 그리스도인들의 개인적이고 공동체적인 전도이다. 여기에는 선교와 전도가 있다.

서로를 세움(엡 4:11-16). 이것은 그리스도의 몸을 세워감을 말한다. 성도들은 서로를 사랑하도록 부름받았다. 로마서 12장은 우리가 서로에게 지체들인 것을 인식하도록 지적함으로써 서로에게 향한 사역을 보여준다. 바울은 우리가 서로간에 헌신하고, 존경하며, 한마음이 되고, 칭찬하며, 위로하고, 반가이 영접할 것을 지시한다. 또한, 베드로는 서로를 섬기기 위하여 우리의 영적 은사들을 활용할 것을 말한다(벧전 4:10, 11).

서로를 섬기는 표현은 그리스도인들의 숫자만큼이나 많다. 건강한 지교회는 지체들간의 상호적이고, 영속적이며, 생기를 주는 상호작용을 즐긴다. 화목은 세상을 향한 사역이고, 서로를 세우는 것은 교회의 몸을 위한 사역이다.

육체상의 필요. 그리스도께서 자신의 고향에서 선포하신 말씀의 목적을 대충 읽더라도 모든 믿는 자들은 이 책임에 직면한다. "주의 성령이 내게 임하셨으니 이는 가난한 자에게 복음을 전하게 하시려고 내게 기름을 부으시고 나를 보내사 포로 된 자에게 자유를, 눈먼 자에게 다시 보게 함을 전파하며 눌린 자를 자유케 하고 주의 은혜의 해를 전파하게 하려 하심이라"(눅 4:18, 19).

예수님께서는 그분의 설교를 가난한 자들과, 감금과 기아와 그리고 신체적인 고통과 같은 상황에 의해 억눌린 자들과 연결시키셨다. 복음주의자들은 육체상의 필요들을 위한 사역을 뒤로 한 채, 화목과 서로를 세워주는 사역에 집중해 왔다. 전도에는 합당한 중요 순서가 있고, 말로 복음을 전하는 것이 그 순서의 맨 우위를 차지한다. 그렇지만 여전히 복음주의자들은 육체상의 필요들에 대한 자신들의 태만함을 교정해야 한다. 80년대의 경향은 복음주의자들이 그런 방향으로 움직이기 시작했음을 보여준다.

육신적인 고통중에 있는 사람들을 도울 만한 마음을 가진 너무도 많은 그리스도인들이 방관하고만 있다. 그런 사람들이 치유의 은사들과 함께, 자비의 은사와, 돕는 은사와, 격려의 은사를 사용하도록 그들을 배치시켜야 한다. 도시들은 부랑자들, 구타당하는 부인들, 학대당하는 아이들, 알코올 중독자들, 마약 상습자들, 매춘가와 같은 분야에 많은 필요를 안고 있다.

입양하기를 원하는 사람들의 숫자가 증가하는 반면, 기대하지 않고 원하지 않은 수백 수천의 임신은 죄없는 태아를 불필요하게 살해하는 원인이 된다. 하나님께서 영적 은사를 주신 그리스도인들이 너무도 오랫동안 이러한 분야에서 활발하게 활동하지 못했다. 성도들을 향한 재정의된 사역은 세상을 향한 화목과, 교회를 향한 서로 세움과, 어디에서 발견되든 간에 육체상의 필요에 대한 사역이다.

제자 삼는 목회자는 사역의 재정의와 사람들이 탐구하고 창조하도록 자유롭게 함으로써 만인 제사장직에 대한 자신의 헌신을 과시한다.

훈련시킨다. 훈련없이, 그리스도인들이 경험하는 것이라고는 당황함밖에 없다. 제자 삼는 목회자의 훈련 수단들은 그가 믿는 바와 일치한다. 열심인 신도들의 장래를 파괴시키는 가장 효과적인 방법은 그들을 훈련시키지 않고 감동만 시키는 것이다. 즉, 그들이 하나님의 제사장들이며, 복음의 은사받은 사역자들이라고 그들에게 말해주고는, 그것이 어떻게 실현되는지는 보여주지 않는 것이다. 사단은 이것을 그리스도인들에게 잔학함을 저지르는 가장 위력있는 무기 중의 하나로 삼아왔다.

영적으로 성숙하는 비결은 지속적인 기간을 통해 진리를 적용하는 것이다. 바울은 자신이 하나님의 평강을 체험했는데 이는 그가 모든 상황 속에서도 만족하는 비결과, 그리스도를 통해 모든 것을 할 수 있다는 확신을 배웠기 때문이라고 단언했다(빌 4:11-13). "배우다"라는 단어는 마데테스로서 성경의 다른 곳에서는 "제자"로 사용된다. 이 단어는 지속적인 기간 동안 실습하는 과정을 뜻한다. 사도 바울에게 무척이나 도움이 되었던 비결은 바로 변화는 진리와 함께 시작되지만 진리의 중요성은 계속적인 적용에 달려 있다는 것이다.

신약의 말씀은 두 가지의 진리를 가르친다. 첫번째는 경험에 구애받지 않는 진리인 성경 말씀들이다. 예를 들면, 그리스도의 신성이 있다. 진리의 두번째 종류는 바울이 "아는 것"(골로새서 1:9에 의거함. 에피기노스코는 경험에 의거한 지식 즉, 정확하게 또는 완전하게 아는 또는 알기 위해 배우는[2] 등으로 사용)이라고 한 것이다. 그리스도의 신성을 "아는 것"은 개인의 삶 속에서 그리스도의 능력을 체험함을 뜻한다. 예수님은 이론만이 아니고 실제에 있어서도 주님이 되신다.

잘 가르쳐진 이론을 "아는 것"으로 전환시키는 것이 목회자가 직면하는 가장 큰 도전이다. 만인 제사장직은 제자 삼는 목회자로 하여금 성도들이 자신들의 새로운 믿음과 기술 등을 실습하기 위한 안전한 장소를 제공하는 수단들을 통해, 그들이 실제 행하도록 고무된 일들을 적용하도록 돕는 방법들을 개발할 것을 요구한다.

제자 삼는 목회자는 만인 제사장직에 대한 자신의 헌신을 성도들의 사역을 허용함과 그들에게 방향을 제시함과 그리고 훈련을 제공함 등의 세 가지 기본적인 방법들로 표현한다. 그는 모든 그리스도인들이 그리스도의 특별한 소명을 받은 사역자들이라는 확신에서 우러난 용기를 자신의 삶으로 표현한다. 그는 자기 자신을 성도들의 제사장직에 헌신한다. 왜냐하면 만인 제사장직의 개념 없이는 재생산과 배가생산이 일어날 수 없고 지상명령을 실현하는 일은 불가능하기 때문이다. 만일 지상명령이 불가능하다면 전 세계 복음화는 환상이 되어버릴 것이다. 그렇게 되면 제자 삼는 목회자의 개념은 순 이론상의 개념, 즉 아무런 쓸데없는 토의가 되어버린다. 만인 제사장직의 진리를 소유하지 않은 제자 삼는 목회자는 설 땅이 없는 목회자요, 무기 없는 군인이며, 명분을 상실한 반항자이다.

배가생산

지상명령의 성공적인 완수는 배가생산에 달려 있다. 제자 삼기는 재생산을 초래하고, 뭇사람 중에 이루어지는 재생산의 결과는 배가생산이다. 예수님께서는 그분께서 행하신 대로 지상명령을 말씀하셨는데, 이는 "모든 족속으로 제자를 삼아"라는 것이 "모든 족속을 회심시켜"라는 것보다 훨씬 많은 것을 의미하기 때문이다. 오직 건강한 제자들만이 재생산한다. 만일 교회가 제자 삼는 일에 실패한다면, 그 교회는 배가생산에도 실패한다. 만일 교회가 배가생산에 실패한다면 교회는 사실 실패한 것이다.

명령은 "회심자를 만들라"거나 "그리스도인들을 만들라" 또는 "교인을 만들라"는 것이 아니었다. "제자를 삼으라"는 명령은 "너희가 과실을 많이 맺으면 내 아버지께서 영광을 받으실 것이요 너희가 내 제자가 되리라… 너희가 나를 택한 것이 아니요 내가 너희를 택하여 세웠나니 이는 너희로 가서 과실을 맺게 하고 또 너희 과실이 항상 있게 하여…"(요 15:8, 16)라는 예수님께서 내리신 정의에 기반을 둔 함축적인 의미가 충만한 것이다.

제자를 만들라는 사명은 교회로 하여금 좋은 품질의 소산을 내라는 명령이다. 교회는 자신들을 재생산하는 이들을 생산해야 한다. 그렇지 않은 그리스도인들은 영적인 임신이 불가능하다.

재생산은 배가생산과 다르다. 한 사람의 제자를 재생산하는 일은 매우 훌륭한 일이다. 하지만 그것은 영적인 확장 그 이상이다. 이론상으로는 한 제자가 많은 사람들을 그리스도께 인도할 수 있다. 하지만 만일 어느 회심자도 제자를 양성하지 않으면 재생산은 있지만 배가생산은 발생하지 않는다.

배가생산을 설명해 보자. 당신은 오늘 10억원을 갖기 원하는가 아니면 오늘 10원을 가지고, 내일은 20원, 그리고 모레는 40원, 이렇게 30일 동안 매일같이 배가되는 돈을 갖기 원하는가? 필자는 수학자가 아니지만, 10원을 가지고 계속 배가하는 쪽을 택하면 10억원의 몇 배에 해당하는 돈을 가지게 될 것을 안다. 실제로 계산하면, 5,368,709,120원이 된다. 누가 10억원 대신에 수십억 원의 돈을 선택하겠는가? 처음 보기에는 그다지 신통한 것 같지 않지만, 배가는 후에 보다 엄청난 결과를 산출한다.

예수님께서는 우리를 제자 삼는 일에 부르셨는데 이는 오직 제자들만이 자신을 재생산하는, 그래서 배가의 생산을 가능하게 하는 제자들을 생산하기 때문이다.

전 세계 인구의 50%가 아직도 복음을 전해 듣지 못하고 있다. 배가생산 없이는, 온 세계 복음화가 세계인구의 증가에 따라 계속 거북이 걸음으로 진행될 것이다. 천 명의 그리스도인들이 365일 걸려서야 한 명에게 그리스도를 전할 수 있다. 이런 비율로는 전 세계 복음화란 망상일 뿐이다.

배가생산이 드문 주된 이유는 교회가 제자 삼는 일을 원하지 않기 때문이다. 제자 삼는 일은 시간이 너무 오래 걸리고 기존 교회의 본격적인 재구조를 요구한다. 현상을 유지하는 것이 훨씬 쉽다. 누구나 성공에 대한 전형적인 측량법에 빠지고자 하는 강한 유혹을 경험한다. 규모와, 돈과, 그리고 건물 등은 세상적인 개념에서의 "올바른 것"을 소유하는 것에 대한 현세적 기준이다. 필자는 교회를 그 규모와, 금전, 그리고 건물 등으로 저울질하는 일은 그런 따위의 "올바른 것"을 소유하는 것 이외에는 아무 것도 아니라고 강력하게 주장한다.

세계 복음화는 주춤해져 있는데 그 이유는 충분한 배가생산이 이루어지지 않고 있기 때문이다. 현세의 통상적인 성공에 대한 유혹과 욕심이 교회가 온전한 관심을 소유하는 것을 어렵게 만든다. 너무도 많은 교회들이 병들었든지 아니면 존재조차 없는 심장 조직과 함께 빈 껍질조각이 되어가고 있지만, 겉으로는 매우 양호해 보인다. 표면상으로는 많은 교회들이 건강한 듯하나, 실제로 그들은 나약함을 생산하는 공장들인 것이다. 만일 당신이 조금만 요구하고 멋진 쇼를 공연한다면, 당신은 항상 관중들을 모을 수 있다. 많은 군중들이 증명하는 것은 단지 몇몇 재간있는 사람들이 많은 관중들을 모을 수 있다는 것 이외에는 그 이상 아무 것도 없다. 그것은 제자도를 뜻하지도, 지상명령에의 순종을 뜻하지도, 배가생산을 뜻하지도 않는다.

지상명령에의 순종은 제자를 삼는 일에 헌신하기로 작정했음을 의미한다. 제자 삼는 목회자는 배가생산에 자신을 헌신하는데 그 이유는 그렇게 하는 것이 올바른 일이기 때문이다. 그는 역류를 거슬러 헤엄칠 것이지만, 자신을 헌신하는 것은 바로 성서가 그것을 명백히 명령하기 때문이다.

이제 배가생산을 확실하게 할 원리들을 밝히는 몇몇 적합한 성서적인 자료들을 살펴볼 차례이다.

제자 삼는 우선순위(마 28:18-20)

"…가서 모든 족속으로 제자를 삼아…침례(세례)를 주고 내가 너희에게 분부한 모든 것을 가르쳐 지키게 하라" (마 28:19, 20).

제자 삼는 목회자는 배가생산을 위해 자신을 제자 삼는 일에 헌신하고, 그런 일을 첫번째 우선순위에 둘 것이다. 또한 그는 잘 홍보되어 있고 자주 언급되는 기대, 즉 각 성도가 제자를 재생산해야 한다는 기대가 살아 있는 제자 삼는 사역을 위한 분위기를 조성할 것이다. 그러나 극소수의 교회들만이 강단에서 이런 기대를 공고하고 선포한[illegible] 다가 목회자와 교회 지도자들의 행함이 이 목표와 일치하는 회중은 더욱 보기 힘들다.

요한복음은 열매를 맺는 일이 그리스도 안에 거하는 자연스러운 결과인 동시에 또한 기대되는 일임을 보여준다(요 15:8, 16). 분명히 제자는 재생산을 하기 때문에 제자 삼기는 배가생산을 가능하게 만든다.

지교회가 우선순위들과 그 우선순위들을 지탱하는 책임있는 훈련방법들을 소유할 때, 그 교회는 한꺼번에 다수의 제자들을 생산할 수 있으며, 그 교회 구조는 제자들을 일관성있게 계속 생산해 낼 수 있다. 제자 삼는 사역이 지속되는 교회는 건강할 것이고, 성장할 것이며, 하나님은 하나님의 교회와 하나님을 떠나있는 세상을 위해 이 사역을 원하신다. 배가생산을 하는 제자 삼는 사역의 종국적인 결과는 천국백성들이다. 지름길이란 없으니 그러한 것들을 택하지 말라. 당신이 소유한 확신으로부터 나오는 용기를 과시하고, 부단히 정진하며, 성도들을 훈련시키고, 제자를 삼아 하나님을 기쁘시게 하라.

일꾼의 올바른 선택(딤후 2:2)

"또 네가 많은 증인 앞에서 내게 들은 바를 충성된 사람들에게 부탁하라 저희가 또 다른 사람들을 가르칠 수 있으리라" (딤후 2:2).

이 부분에서 필자는 주제에 대해서 대강 설명하고 나중에 구체적으로 밝히기로 한다. 바울은 배가생산을 가능하게 하는 네 가지의 원리들을 제시한다.

배가생산은 수차례의 바톤이 이어지는 것을 요구한다. 바울, 디모데, 충성된 사람들, 그리고 다른 사람들이라는 4세대가 언급되어 있다. 바울은 복음이 널리 선포되기 위해서는 그 메시지가 다른 사람들에게 광범위하게 맡겨져야 한다는 철학을 세운다. 그 일은 적은 인원이 감당하기에는 너무 크고, 한 세대가 감당하기에는 너무 길다. 바울의 진술은 배가생산 그 자체에 내포된 신뢰가 예수님으로부터 제자들에게, 제자들로부터 바울에게, 그리고는 디모데에게 전달된 사실에 상당한 믿음을 부여한다.

배가생산은 그것을 소유한 자들이 다른 사람들에게 다시 전달할 것을 요구한다. 바로 이전의 원칙은 전달의 배가가 필요함을 강조하고, 이번 원칙은 전달하는 그 자체를 강조한다. 배가생산이 중단되는 경우는 대부분 전달할 때가 다가오면 발생한다. 대부분의 목회자들과 지도자들의 주된 장애물은 그들의 사역을 다른 이들에게 전달해야 한다는 견고한 확신이다. 거의 대부분의 지도자들은 다음 세대로 계속 전달해야 하는 필요를 느낀다. 진지한 젊은이들이 사역과 선교지로 향하기 위해 훈련이 필요하다는 사실에는 폭넓은 의견의 일치가 이루어진다. 하지만 이런 대부분의 훈련은 하나님께서 역사하신 우연한 사건에 의해 일어난다. 모순적이라고 생각하는가? 그렇다. 그렇다면 그것이 적절한 표현인가? 또한 그렇다.

하나님께서 역사하신 우연한 사건은 하나님의 신실하심이 우리의 불순종을 덮어주실 때이다. 교회가 제자들을 생산하지 않을 때에도 하나님께서는 배가 계속 물에 떠 있기에 충분하도록 하신다. 우리는 이 사실을 아직도 교회가 존재하고 있다는 사실을 통해 안다. 만일 하나님께서 하나님의 교회를 세우시는 일에 집중하시지 않으신다면, 교회는 이미 오래 전에 사라졌을 것이다. 공정하게 말해서, 교회가 목회자들의 공백을 채우기 위해 전문적 지도자들을 준비시키는 데 적합한 역할을 해온 것이다. 전문가들로부터 전문가들에게 믿음을 전달하는 일은 잘 이루어져 왔고 계속해서 잘 될 것이다.

우리는 사역이 평신도들에게 전달되어야 한다는, 그리고 평신도가 복음을 전달하도록 훈련시키는 일에 온전히 유익하고, 최우선적인 노력을 기울여야 한다는 사실을 전문 사역자들에게 설득시켜야 한다.

배가생산은 그것을 알맞은 사람에게 전달해야 함을 의미한다. "최상을 찾아서"(*In Search of Excellence*)와 "최상을 향한 열정"(*A Passion for Excellence*)의 베스트셀러 작가인 톰 피터스는 일의 분담이 현대 경영에 있어서 가장 급선무라고 말한다. 분명히, 다른 이들에게 일을 분담하는 일이야말로 비지니스 사회의 가장 큰 도전이라는 것이다.

가치있는 것을 신뢰할 수 없는 사람에게 계속 전한다는 것은 어리석은 일일 것이다. 우리는 어떤 사람에게 우리 차를 운전하도록 허락하고, 우리 집에 머물도록 허락하며, 우리 아이들을 돌보고, 우리의 재물을 관리하도록 허락하는가? 우리는 우리가 사랑하는 것들은 매우 신중하게 다른 이들에게 전한다. 내가 소중히 여기는 것을 남에게 잘 간직하라고 전해줄 때, 나는 그 사람의 신뢰성을 본다. 신뢰도란 "신용할 수 있음"을 뜻한다. 당신은 그 사람을 신용할 수 있다. 바울은 배가생산에 있어서 신뢰도의 필수성을 가르친다. 그리고 그는 그 진리를 허공에 대고 가르치는 것이 아니라 장래 세대들을 위해 정의한다.

"지극히 작은 것에 충성된 자는 큰 것에도 충성되고…"(눅 16:10). "그리고 맡은 자들에게 구할 것은 충성이니라"(고전 4:2).

바울은 충성의 중요함에 대한 예수님의 가르침을 실천했다. 바울과 예수님은 책임을 맡기기에 알맞은 사람이란 믿을 수 있다고 입증된 사람들이라고 가르친다. 교회가 이 간단하지만 의미 심장한 원칙을 따르지 않는 횟수는 부끄러울 정도로 잦다. 우리는 이런 말을 자주 듣고 있지 않는가? "아무개는 안내 역할을 하는 일에는 싫증을 내지만 장로가 되면 믿을 만하게 될 것이다." 바울과 예수님께서는 이런 말은 터무니없는 것이라고 하실 것이다. 그분들은 그와 정반대로 가르쳤다. 열심과 부지런함과 책임감이 없기 때문에 하나님의 일을 중요하지 않게 여기는 사람들에게 감히 중요한 일을 맡길 생각조차 하지 말라.

신뢰성과 하나님 일에 대한 관계는 기초공사와 건물에 대한 관계와 같다. 그것이 없이는 사역에 대한 책임감의 무게가 몇몇 안되는 그 무게를 지탱하고 있는 충성된 사람들을 짓누를 것이다. 소수의 신실한 사람들이 책임감이 입증되지 않은 충성스럽지 못한 사람들에게 사역을 넘기면 잠시 동안은 일이 되는 듯 하지만 두번째, 세번째 세대로 넘어감에 따라 사역에 이미 생긴 결점들 때문에 무너져버릴 것이다. 배가 생산이 무너지는 이유는 바로 믿을 수 없는 자들에게 책임이 맡겨지기 때문이다.

교회는 신실한 지도자들을 훈련시키고 준비시키라는 명백한 명령을 무시해 왔다. 바울은 두 차례에 걸쳐 지도력에 필요한 자질들을 가르치고 실행할 것을 젊은 목회자들에게 편지했다. 디모데전서 3장과 디도서 1장은 지교회의 지도력이 갖춰야 할 자질들을 자세히 말한다. 바울은 또한 충고하기를, "이에 이 사람들을 먼저 시험하여 보고 그 후에 책망할 것이 없으면 집사의 직분을 하게 할 것이요"(딤전 3:10)라고 했다.

이 가르침은 확실히 장로들에게도 잘 적용되었다. 디모데서의 말씀에 디도서의 내용을 더하면 우리는 "신뢰성 있는"이라는 용어에 대한 강력한 정의를 얻을 수 있다. 바울은 이런 지도자들을 편견없이 선택할 것을 강조했다. "하나님과 그리스도 예수와 택하심을 받은 천사들 앞에서 내가 엄히 명하노니 너는 편견이 없이 이것들을 지켜 아무 일도 편벽되이 하지 말며"(딤전 5:21).

신뢰성이 없는 지도자들에게 권위를 부여하는 것은 위험스런 일이다. 첫번째로 그 교회는 지도자들을 훈련시키고 준비시키는 데 헌신하지 않았으므로 책임을 맡길 만한 사람들이 없게 된다. 신실한 사람들이 충분치 않으므로 사역이 진행되지 않거나 진행되더라도 형편없이 되어간다. "사람들이 봉사하기 싫어한다", "아무도 선두에 나서려고 하지 않는다", 그리고 "사람들이 그들의 사역에 자부심이 없다"는 등의 부정적인 패배주의와 잘못된 진부한 상투적 용어들만이 그 교회의 분위기 속에 맴돈다.

두번째로 위험스런 일은 그런 분위기에서는 배가생산이 일어나지 못한다는 것이다. 신실하지 않은 사람들이 사역을 할 때 그 사역은 질질 끌리게 되고, 일관성도 없으며, 지루하고 형편없이 되어 버린다. 누가 그런 바람직하지 못한 상품을 수출하기 원하겠는가? 그런 환경 속에서는 사역이 분담되었을 때 질이 형편없이 떨어지고, 급기야는 그 분담되었던 일이 재정비나 매장되기 위해 분배한 사람에게 되돌아온다.

효과적인 배가생산을 만들려면 신뢰성을 중요한 시금석으로 삼으라. 신뢰감은 제자 삼는 사역의 소산이다. 신뢰감이 강단에서 존중되고, 목회자와 교회 지도자들이 본을 보이면 성도들도 그렇게 될 것이다. 다양한 원리들이 그 과정을 지배하지만 현재로서는 배가생산이 신뢰감이라는 견고한 기반 위에서 산출된 소산이라고만 밝혀둔다. 교회에 사역을 이어받을 만한 믿음직한 사람들이 있을 때, 그 사역은 배가할 것이다.

배가생산은 자격이 있는 사람들에게 그것을 전달함을 의미한다. 합당한(올바른) 사람들이란 신뢰할 수 있는, 믿을 만한 사역자들이다. 그들은 자격이 있고 이전의 일들을 잘 감당함으로 그 자격을 증명해 왔다. 합당한(올바른) 사람들이 기반이 되어야 하는 것은 물론이려니와 그들 자신들도 또한 성공적인 기능을 위해서 합당한 기술들을 소유해야 한다. 바울은 디모데에게 그들이 “또 다른 사람들을 가르칠 수 있으리라”(딤후 2:2)고 말했을 때 분명히 기술의 중요성을 설명했다.

만약 필자가 야구단을 창단하려 한다면, 제일 먼저 모든 관심있는 사람들의 상태를 점검할 것이다. 튼튼한 몸, 인내심, 노동관, 그리고 긍정적인 태도 등의 일반적인 성격들이 기반을 이룰 것이다. 하지만 막상 경기를 할 때는 구체적인 야구 기술을 소유한 사람들이 필요할 것이다.

우리는 신뢰성을 바탕으로 배가생산의 사역을 세운다. 그러나 사역 책임을 전달하는 순간이 되면 은사들과 기술들이 그 역할을 감당한다. 상식적인 견지에서 보더라도, 만약 사역이 교사로서의 사역이라면 우리는 교사로서의 은사와 교사의 경험이 있는 사람을 요구한다. 만약 그 일이 행정이라면 행정가, 문병이나 시한부 인생을 사는 사람들을 상대로 하는 일이라면 자비의 은사를 소유한 사람을 요구한다. 이러한 은사와 임무를 연결하는 것은 자연스러운 일이다. 이것에 관한 많은 좋은 자료들이 있다. 그러나 교회는 이렇게도 자연스러운 책임에 있어 이중적인 고통을 겪어왔다.

첫번째, 교회는 성령의 은사에 관한 훈련에 실패해 왔다. 거의 대부분의 교회들은 각 사람이 그리스도의 소명을 받고 은사를 받은 사역자라는 사실을 성도들에게 전해주지 않는다. 필자는 “전한다”는 것이란 만인 제사장직을 근본적인 신앙교리로서 가르치는 것이라고 정의한다. 성도들에게 그러한 사실을 알게 한 후 교회는 은사들의 특성에 대해 가르쳐야 하고 그들의 은사를 개발함으로 그들을 지지해 준다. 그리고는 그들에게 자신들의 은사들을 적용하도록 하는 지도가 필요하다.

또 다른 심각한 훈련상의 잘못은 은사교육과 평가 등을 시작이라고 생각하지 않고 도착점으로 여기는 것이다. 성도들은 그런 훈련과정을 마치면 도착점에 도달했고 이제는 다 끝났다는, 무언가 편하지 않은 느낌을 갖게 된다. 학생이 대학을 졸업하는 것과 같이 이제 그들은 자신의 책임 아래 있게 된다. 하나님과 교회 의존에 적절한 균형을 이룰 때 독립심은 좋은 것이다. 그리스도인들은 훈련과, 격려, 그리고 책임감을 절대적으로 필요로 한다. 진정 활력있는 지도자는 오직 회중만이 공급 가능한 창조력과 예민함이 필요하다. 진정으로 효과적인 사역 초반에 이러한 사실을 가르치는 일이 필수 불가결하다.

두번째 문제는, 지도자가 되려는 이들에게 지도력을 심어주지 못하는 것이다. 바울이 "저희가 또 다른 사람들을 가르칠 수 있으리라"(딤후 2:2)고 묘사한 이유가 바로 이것이다. 일반 성도들 사이에서는 은사훈련이 대체로 실패할 확률이 높다. 따라서 이러한 은사훈련 단계는 지도자들을 대상으로 집중된다. 성품, 책임감, 그리고 은사들은 훌륭한 사역의 기초이다. 많은 이들에게 기술개발이 필요하다. 지도자들은 의사소통이 필수이다. 전도를 하건, 성경을 가르치건, 다른 이들의 사기를 고취시키건, 또는 어떤 프로그램을 진행하건 간에 의사전달은 핵심적인 기술인 것이다. 바울에 의하면 만약 그들이 의사전달을 제대로 하지 못하면 그들은 책임감을 평가하는 시험에서 실패한다.

다른 이들을 가르친다는 일은 많은 것을 포함한다. 그것은 다른 이들이 능력을 전달할 수 있도록 가르치는 것을 뜻하고, 다른 이들을 가르칠 수 있는 사람들만을 가르치는 것을 의미한다. 다시 말해서, 어떤 사람이 전달 가능한 능력을 갖도록 하는 어떤 기술적 프로그램이 요구된다. 모든 신자가 배가생산자는 아니다.

어떤 사람들은 그런 이양능력(transferability)을 소유하지 못하고 있을 것이다. 그 주된 이유는 불순종이다. 많은 사람들이 그 능력을 소유할 수 있었지만, 그들이 원하지 않음으로 없는 것이다. 이양능력의 부재상태를 절대 용납할 수는 없으나, 바로 그런 상태가 현실이다. 하나님께서는 모든 이들에게 이양할 수 있는 자질이 있는 필요한 은사들과 능력들을 주셨다. 바울이 디모데에게 배가생산자들을 선발할 때 통찰력을 사용할 것을 가르친 데에는 두 가지 이유가 있다. 첫번째는 범죄함과 신뢰성의 부재이고, 두번째는 은사와 그 사람의 소명이다.

두번째 이유는 영적인 문제가 아니고, 적합성에 관한 것이다. 이러한 이유로, 교회의 지도자들은 성도들을 평가하고 특별히 배가생산의 은사가 있는 이들을 선발해야 한다. 지도자들은 보다 막중한 사역의 책임을 위한 준비단계에서 훈련과 기술의 첨예화를 제공해야 한다. 오직 자격요건을 신중하게 다룸으로써 사역이 효과적인 배가생산을 하는 것을 기대할 수 있다. 의사전달이나 가르치는 능력은 이양능력의 기본이다. 이것은 바울의 "다른 사람들을 가르칠 수…"라는 구절과 일치하며, 가장 우선적인 기술인 것이다. 이에 덧붙여, 지도자는 사람들을 관리하고, 일을 분담시키고, 계속 후원하며, 협동적인 분위기를 창조하는 등등의 능력이 필요하다. 세번째로, 지도자는 사람들에게 동기를 부여하고, 감화시키는 능력이 있어야 한다. 배가생산자는 확신의 소유자이다. 그는 자신의 영혼에 불꽃을 간직하고 다니는 사람이다. 게다가 그는 사람들이 경험하는 일반적인 문제들을 자신 스스로도 감지할 수 있고 함께 일하는 사람들을 상담할 수 있는 기본적인 상담능력이 있다.

마지막으로, 그는 잘못을 저지르는 사람들을 바로잡아 주는 기본적인 기술을 소유한다. 그는 사람들을 놓치지 않으면서 그들로 하여금 책임감이 있는 자들이 되도록 할 수 있다. 그는 교정시키는 것과 바로잡는 일간의 균형을 어떻게 유지해야 하는지 알고 있다.

배가생산은 사역이 끊임없이 이어질 때 가능하다. 사역을 전달받는 자들은 또한 그 사역을 전달해야 한다. 지도자들은 합당한 사람들, 즉 신뢰할 만한 인격을 갖추고, 적합한 은사의 자질을 소유한 배가생산자들에게 사역을 전달해야 한다.

배가해야 하는 이유들(마 9:36-38)

배가해야 하는 이유들은 장기적인 헌신에 지극히 중요하다. 배가생산에 헌신하게 되는 세 가지 이성적인 근거들이 있다. 이미 우리는 제자 삼는 사역의 우선순위를 세웠다. 첫번째는 결과적인 소산이 없으면 배가생산을 할 사람이 아무도 없다는 사실이다. 두번째 원리는 제자들 중에서 배가생산자들을 선발하는 일이었다. 이제 우리는 세번째 영역인, 사람들이 배가생산에 자신들의 일생을 바치는 소명이 되게끔 만드는 일반적인 원동력들에 대해서 알아보자.

진정한 사랑과 배가생산. 제자 삼는 목회자들은 종종 사역의 배가를 옹호한다고 비난을 받는다. 이유는 분담사역을 하기 때문이다. 분담사역은 기존에 해오던 일반 목회자들의 역할 즉 전체적으로 "목사님"으로서 담당해야 하는 기능과 역할을 버려야함을 의미한다. 일반 목회방식을 따르는 사람들은, 분담사역을 하는 목회자는 자신의 일을 피하려 하거나 사랑이 없는 자라고 생각한다.

그러한 생각과는 대조적으로, 예수님께서는 그분의 예를 통해 배가생산이야말로 진정한 사랑의 자연스러운 표현이라고 가르치신다. 사실, 목회자가 자신의 사역을 다른 이들을 통해 배가시키는 것만큼 장기적인 사랑을 보다 잘 표현할 길은 없다.

"무리를 보시고 민망히 여기시니 이는 저희가 목자 없는 양과 같이 고생하며 유리함이라 이에 제자들에게 이르시되 추수할 것은 많되 일꾼은 적으니 그러므로 추수하는 주인에게 청하여 추수할 일꾼들을 보내어 주소서 하라 하시니라 예수께서 그 열두 제자를 부르사 더러운 귀신을 쫓아내며 모든 병과 모든 약한 것을 고치는 권능을 주시니라" (마 9:36-10:1). 마가복음은 여기에 "열두 제자를 부르사 둘씩 둘씩 보내시며…" (막 6:7)라고 덧붙인다.

충족되지 못한 필요가 예수님으로 하여금 배가생산을 공식적인 사역으로 삼으시도록 만들었다. 그 원칙이 이 책의 전체 논제 아래 깔려있다. 제자 삼는 목회자가 제자를 삼음으로, 그 합심한 교회는 건강한 재생산하는 그리스도인들을 생산할 것이다. 그러면 바로 그 건강한 그리스도인들이 세상을 향한 자신들의 책임을 다하고 그 세상을 복음화시킬 것이다.

이런 일의 결과는 천국백성의 증가이다. 세상의 충족되지 못한 필요들이 예수님께서 지상명령을 분부하시게 된 이유이며, 또한 그와 동일한 이유가 바로 제자 삼는 목회자로 하여금 교회를 같은 순종의 방향으로 계속 인도하게끔 한다.

예수님께서는 그분께서 당면하신 충족되지 못한 필요가 만족되려면 13명이 12시간 일하는 것이 1명이 하루에 18시간 일하는 것보다 더 많은 수확을 거두리라는 사실을 깨달으셨다.

이런 사실이 바로 배가생산이 진정 사랑을 표현하는 이유가 된다. 구하는 자는 배울 것이고, 병든 자는 치료를 받으며, 낙심한 자들은 격려를 받는다. 사람들의 진정한 필요들이 더욱 잘 채워질 수 있게 된다. 교회가 배가생산에 관심을 기울이지 않았던 것과 제자 삼는 일을 회피한 것, 이 두 가지는 참으로 알 수 없는 일이다.

너무나도 많은 사람들이 사랑이란 교회 담임목사가 직접 관련해야만 사랑이라고 해석한다. 분명 이런 생각의 근원은 현문화에서 온 것이고 또한 이런 생각이 교회를 나약하게 만든다. 제자 삼는 목회자는 사역이 분화되도록 교회를 이끄는 담대한 행위를 취해야 한다. 예수님의 모범을 성경적인 이유로서 제시하라. 반발이 있겠지만 시간이 지나면 문제 없을 것이다. 마침내는 사역을 하면서 긍정적인 영향을 받은 사람들과, 사역을 통해 도움을 받은 사람들이 당신에게 감사를 표하게 될 것이다. 배가생산을 위한 동기인 진정한 사랑에서 우러나오는 동정심은 거절할 수 없다.

기도와 배가생산. 할 일은 많은데 일꾼은 적다고 예수님께서 말씀하셨을 때, 예수님은 심각한 상황을 말씀하신 것이다. 당면한 필요들이 일꾼들 - 전도를 위한 일꾼들, 육체상의 필요들을 채우는 일꾼들, 상한 마음을 돕는 일꾼들 등등 - 보다도 더 많은 것이다. 도와줄 사람없는 상처받은 많은 사람들과, 추수할 일꾼없이 추수되어야 하는 시기에 있는 많은 사람들 때문에 지도자가 근심한 것은 아니다.

예수님께서 그런 말씀을 하신 이후로 이 상황이 그렇게 많이 바뀌어지지는 않았다. 세상이 안고 있는 필요들은 그것을 채울 일꾼들을 훨씬 능가한다. 이런 사실은 우리를 좌절시키고 당황하게 만든다. 칼 바르트(Karl Barth)는 "당황스러움은 단지 우리가 사역자들이라는 이유 때문에 온다"라고 말했다. 예수님께서는 추수할 일꾼들을 위해 기도하라고 간단한 해결책을 말씀하셨다.

채워지지 않는 거대한 필요 앞에서 진정한 동정심은 사려있는 그리스도인들로 하여금 선택하도록 강요한다. 예수님께서는 양면적인 선택을 내놓으신다. 그 첫번째는 추수터에서 당신 자신이 일할 수 있도록 준비할 것과, 두번째는 하나님께서 다른 이들을 추수터로 보내시도록 기도하라는 것이다. 기도하라, 왜냐하면 기도는 하나님의 추수터이기 때문이다. 기도하라, 왜냐하면 오직 하나님만이 사람들을 그분의 추수터에서 일하도록 확신시키실 수 있다. 기도하라, 왜냐하면 아무도 자기 혼자만의 영향력을 가지고 충분한 일꾼들을 모을 수는 없기 때문이다. 세상 곳곳에서 일꾼들이 추수터로 모여들도록 기도하라.

예수님께서는, "제자를 삼으라"고 하셨고 "일꾼들을 위해서 기도하라"고도 말씀하셨다. 하나님께서는 모든 그리스도인들이 재생산하는 제자가 되기 원하신다. 그러나 제자가 평생을 사역에 바치고자 결정하려면 여기에는 하나님의 부르심이 필요하다. 필자는 일꾼보다 제자가 덜 중요하다는 것이 아니라, 그 둘 사이에는 종류의 차이보다는 정도의 차이가 있다고 말하는 것이다.

제자와 일꾼의 차이점은 경험과 확신에서 오는 것들이다. 일꾼은 다른 사람들을 전도하거나 돌보는 일에 대한 진지한 헌신이 가능토록 하는 경험과, 기량과, 그리고 골수에 사무친 확신이 있을 수도 있고, 없을 수도 있다. 예수님께서 열두 제자들에게 사명을 주셨을 때, 그는 높은 기대감과 함께 그렇게 하셨다. 하지만 예수님께서는 자신이 직접 관여하지 않으시면서 그들이 나가서 사역하도록 도전하시기까지 2년을 기다리셨다. 기도는 지도자들이 소유한 가장 효과적인 모집 수단이다. 예수님께서는 우리에게 더 많은 일꾼들을 보내주시도록 하나님 아버지께 기도하고 간구하라고 격려하셨다.

지도자들은 다양한 일꾼 모집을 위한 방법을 사용할 수 있다. 연회를 베푼 후 요청하는 방법, 죄책감을 자극한 후 요청하는 방법, 그들의 호감을 산 후 요청하는 방법, 강요한 후 요청하는 방법, 감동적인 영화나 이야기 다음에 감정적으로 호소하는 방법 등등이 있다. 이런 것은 보편적이지만, 일꾼을 모집하는 방법들로서 지시된 것들이 아니다. 상기한 다양한 요청 방법들은 강요하는 내용의 기도 전이나 후에 있게 된다. 하지만 단체들이 기도를 그들의 근본적인 모집 방법으로 사용하는 것을 얼마나 일반적으로 생각하는가? 솔직히 말해서 모르겠고, 아마도 알고 나면 실망할 것이다.

필자는 기도와 더불어 다른 방법들을 사용하는 것을 반대하는 게 아니라 다른 방법들을 기본적인 모집 방법으로 삼는 것을 반대하는 것이다. 기도를 근본 방법으로 삼으려면 성도들에게 기도를 부탁하라. 이것은 특히 필요를 놓고 기도하는 기도그룹이나 기도회를 조직하는 노력을 말한다. 모집하는 방법 중 왜 기도를 근본적인 것으로 선택했는가 하는 점을 성도들에게 정확하게 가르치라.

배가생산을 위한 계획. 훌륭한 지도자는 안건에 대한 계획을 어떻게 구상하는지 안다. 예수님께서 사역의 배가를 위해 필요한 것을 어떻게 구상하셨는지 보라. 채워지지 못한 필요에 대한 동정심이 기본적인 동기였다. 예수님께서는 도와줄 사람없이 번민하는 상처받은 사람들의 세계를 생생하게 표현하셨다. 배가생산의 목적은 하나님의 사랑과 돌보심을 보다 폭넓은 작업능력을 통하여 보다 더 넓은 곳에 퍼뜨리고자 하는 것이었고, 기도는 부재중인 작업능력을 채울 일꾼들을 모집하기 위한 기본적인 방법이었다.

예수님은 거기에서 멈추시지 않았다. 즉, 예수님께서는 제자들에 대한 작업계획을 가지고 계셨던 것이다. 그는 열두 제자들에게 둘씩 짝을 지어 나가도록 분부하심으로 즉각적인 행동을 취하셨다. 마태복음 10장은 그들의 첫번째 독립적인 전도여행에 관한 예수님의 지시사항들을 상세히 묘사한다. 예수님께서는 2년간 사역의 본을 보이셨고 그들이 출발하기 직전에 다시 한 번 상세하게 그들을 복습시키셨다. 그분은 구체적인 지시들을 내리셨고, 최대한도 성공이 보장되도록 계획하셨다. 그들이 전하는 메시지와, 목표로 삼는 사람들과, 심지어는 그들의 일정과 짐의 부피까지도 극소로 한정시킴으로써, 예수님께서는 그들의 이익을 위해 목적을 좁혀주셨다.

제자 삼는 목회자는 이 본보기를 통해 많은 것을 배우고 또 적용할 수 있다. 그는 일꾼들을 위해 기도하고, 그 기도하는 이유들을 설교함으로 배가생산에 대한 자신의 헌신된 모습을 보인다. 하지만 예수님처럼, 제자 삼는 목회자는 거기에서 그치지 않는다. 그에게는 기꺼이 자진하는 일꾼들을 실제적인 배가생산 사역 내로 투입시키는 구체적인 계획이 있다.

황금알을 낳는 거위를 잡아죽이는 가장 좋은 방법은 사람들이 사역을 하도록 그들에게 동기를 부여하지만 실제적인 일을 하도록 이끌어주지 않는 것이다. 그 대신에, 일을 하도록 그들을 훈련시키고는 그들이 받은 훈련을 적용할 기회를 제공하라. 필자는 그리스도인의 삶의 기본적인 내용들로 성도들을 훈련시키는 2년에 걸친 훈련 프로그램을 사용한다. 이것이 필자가 이전에 언급한 유망한 야구선수들의 상태를 점검하는 과정이다. 2년간의 훈련기간이 끝나갈 때쯤 되면 우리는 각 구성원의 은사들과 능력들을 평가한다. 이 일은 하나님이 그들의 인생을 인도하시는 사실에 대하여 그들이 받은 인상과 배운 것들을 고려하는 작업이다. 여기에서 우리는 구체적인 기술들을 구체적인 사역과 매치시킨다. 이것은 코치가 특별한 야구기술을 소유한 선수들을 원하는 것과 마찬가지이다. 여기에서 배가생산이 일어난다. 이 그룹은 그룹으로 계속 남아있지 않고 퍼져서 둘씩 짝을 지어 사역을 하게 되는 것이다.

우리는 그 구성원들에게 그들이 누구인가 하는 평가를 제공할 뿐 아니라, 그들이 사역에 참여하는 것을 반갑게 맞아줄 교회 내의 사역 기회들이 적혀있는 목록도 함께 준다. 또한 우리는 많은 종류의 전도사역도 하도록 권유한다. 즉, 우리는 그들이 비전을 가지고, 창조적이 되며, 하나님께서 그들을 가장 효과적인 사역으로 인도하시기를 원한다. 추수터에 사람들을 배치시키는 일에 있어 간과시되는 핵심적인 요소는 그러한 배치 이전에 받는 2년간의 훈련이다. 그 훈련이 없다면 훨씬 많은 불상사가 발생할 것이고 배가생산은 무너질 것이다.

교회는 배가생산을 위한 계획이 필요하다. 계획이 의미하는 것은 바로 당신의 신념들을 계속 밀고 나가는 전적인 의지를 말한다. 제자 삼는 목회자는 사역을 위해 사람들을 훈련시킨 후 그 훈련을 배가생산으로 전환시키는 계획을 제공한다.

제 7 장

제자 삼는 목회자의 실제적인 일들

당신은 제자 삼는 목회자를 그가 실제 하는 일들로 식별할 수 있다. 이미 우리가 살펴보기 시작한 것과 같이 그는,

선택의 원리를 실천한다.
지도자층의 철학적 순수함을 가르치고 실행한다.
책임감의 중요성을 확신하고 실행한다.
제자 삼는 사역을 위해 소그룹을 효과적으로 사용한다.
목양 사역의 분산을 믿으며 실행한다.

선택의 원리

이 원리는 제자 삼는 목회자에게 가장 커다란 시험이다. 비록 많은 사람들이 선택의 교리에 동의하지만 실제로 그것은 엄청난 반발을 몰고 온다. "예수님이 그렇게 하신 것은 좋지만, 우리 교회에서는 그런

식으로 하지 맙시다. 지도자들을 선택하는 우리의 방식도 좋습니다. 그러니 고맙지만 사양합니다!"라는 식으로 교회의 개척 교인들이 소리친다. 선택의 원리의 그 어떤 점이 그렇게 잇단 비난을 일으키는가?

첫번째로 그 점을 밝히자. 선택의 원리는 기록된 역사만큼이나 오래되었다. 하나님은 방주 건축을 위해 노아를 선택하셨고, 선민의 씨앗으로 삼기 위해 아브라함을 선택하셨다. 하나님께서는 사울과, 다윗과, 솔로몬을 이스라엘의 왕으로 삼으셨다. 예수님께서는 하나님 나라의 메시지를 전달케 하고자 12명을 선택하셨다. 충성된 자들이 바로 그리스도의 방법이었다. 예수님께서는 사역의 책임을 질 사람들에 대한 선택을 매우 신중하게 하라고 말씀하셨다(눅 16:10). 바울은 복음을 전하기 위해 훈련받아야 하는(딤후 2:2) 사람으로서 디모데를 선택함으로 예수님의 교훈을 수행했다.

바울은 두란노서원을 세웠는데, 그곳에서 간혹 12명까지의 사람들이 도제로서 훈련을 받았다. 바울은 지도자들의 신중한 선택에 대해 신약의 어느 저자보다도 더욱 자세한 정보를 제공했다(딤전 3:1-10; 딛 1:5-9).

선택이란 지도자들을 선정하는 문제에 있어서 성경에서 가르치는 자질을 적용하는 과정이다. 그 목표와 목적을 주목하라. 그것은 지도자들의 선택이다. 선택의 원리는 지도자들을 선택하는 동일한 기준으로 일반 성도들에게 적용되지는 않는다.

어떤 이들의 생각과는 대조적으로, 선택은 용납하는 분위기를 위협하지 않는다. 선택은 훈련을 받은 사람들 중에서 이루어진다. 그 일은 그리스도를 향해 나아가고자 하는 사람들이나, 도움과 격려가 필요한 사람들의 위치를 위협하는 것이 아니다. 사실, 지도자들의 자질이 신중하게 여겨질 때, 사역의 질은 향상되므로, 교회는 정죄한다거나 옹졸한 자세를 보이는 것이 덜해지게 된다. 용납과 사랑이 가장 절실하게 필요한 사람들이 더 쉽게 선택을 받게 된다.

선택이란 또한 지도자의 역할을 담당하는 사람들의 의도적인 훈련과 준비를 의미한다. 현존의 지도자들은 단지 성경의 기준들을 적용하는 것뿐만 아니라, 그러한 기준들을 획득하는 일이 가능하도록 훈련과 경험을 공급한다.

필자가 앞에서 언급하기를 종종 선택은 제자 삼는 목회자에게 가장 힘든 전투라고 했다. 개인적인 경험에 비추어 볼 때, 이 문제보다 더 심각한 문제를 야기시키는 것은 별로 없다고 생각한다. 본인이 처음 목회를 시작한 그 첫주에 인선위원회 회의에 참석했다. 의장은 기도로 그 모임을 시작하고는 자발적인 일꾼들의 부족으로 비어있는 35군데 자리들에 관해 비관적으로 말하기 시작했다. 그리고는, 필자는 "강압적이고 거짓말"이라고 부를 그런 전략을 제시했는데 즉, 강요해서 일을 시키고 그 일이 요구하는 것에 대해서는 거짓말을 하고 봉사하도록 그들에게 압력을 넣고 그 일이 아주 쉽다고 강조하라는 것이었다.

필자는 성경적인 견해를 제공해야겠다고 생각했다. 우리가 먼저 성경적인 자질들에 대해서 공부를 한 후 그것에 부합하는 사람들의 명단을 작성하고 만약 적합한 사람을 찾지 못한다면 그대로 비워두자고 제안을 했다. 그러자 꽤 많은 헛기침이 들려왔고, 벌겋게 상기된 얼굴들이 몇몇 보였으며, 의장은 크게 웃음을 터뜨리고는 "지금 하신 제안은 사실 거의 효과가 없는 것입니다. 정말 목회 초년생답군요"라고 말하는 것이었다. 필자가 목회 초년생이라는 그의 말은 사실이었다. 그렇지만 15년이라는 세월과 수많은 경험 후에 필자는 그가 자격의 중요성을 경시한 것은 분명 잘못된 것이라고 확신한다. 사실, 교회의 온전함은 우리가 그 자격들을 신실하게 따르는 데에 따라 결정된다.

왜 그 문제가 논쟁이 되는가?

왜 교회들이 선택을 반대하는가? 첫째로, 그것은 누가 힘을 소유하고 있으며, 그들이 어떻게 그 힘을 획득했는가 하는 등의 힘의 균형을 깨뜨리기 때문이다. 교회들은 오랫동안 "예전 좋은 시절의" 체계에 따라 움직여왔다. 이 체계는 교회를 다닌 기간, 교회에 대한 충성심, 봉사하려는 마음, 원로 교인들로부터의 인기, 그리고 모든 사람의 의견은 같은 비중을 차지한다는 생각을 높게 여긴다.

선택은 이러한 체계를 위협하는데 그것은 편견을 배제하기 때문이다. 선택은 인기에 굽신거리지 않는다. 그것은 객관적인 바탕 위에서 선별하고, 장로들의 행함을 측량한다. 또한 그것은 훈련과 배움을 요구한다.

훈련과 배움은 기존의 "예전 좋은 시절의 그 사람들"에게는 종종 옛날에 끝난 이야기로 되어 있다. 선택은 그 체계를 흔들기 때문에 힘의 기반을 위협하는 것이다.

선택은 또한 규례를 바꾼다. 한가지 공통된 반발은 다음과 같다. "오랫동안 나는 거룩한 성도의 삶이란 교회의 예배에 참석하고 성가대에서 노래하고 십일조를 바치고 교육위원회에서 봉사를 하는 것으로만 들어 왔다. 그런데 이제 와서 당신은 내가 훈련을 받아야 하고, 열매맺는 제자가 되어야 하고, 전도하고, 스스로 성경을 공부하고, 다른 사람들을 가르치고 훈련시키는 각도에서 생각해야 한다고 말한다. 나는 이 모든 것을 잘하고 있다고 생각했는데, 지금에 와서는 잘하는 것이 아니라고 하고 장로나 집사로서의 자격이 없다고 말한다." 이것은 두 가지의 문제가 겹쳐져 있는 것이다. 왜냐하면 선택은 힘의 기반을 흔들어대고 기존 지도자들의 자격에 대해 의의를 제기하는 것이기 때문이다. 규율은 변하게 되고, 사람들은 변화를 싫어한다.

교회들은 또한 선택이 편애를 보이는 일이라는 편견을 가지고 저항한다. 이것이 가장 많이 언급되는 반대이다. 위의 두 가지 문제가 진정한 사실이나, 대부분의 사람들의 교만이 진실로 그들이 느끼는 것을 인정하게끔 하지 않는다. 그러므로, 목회자가 편애를 한다고 비방하는 것이 안전한 계략인 것이다.

그들의 방어적인 입장에서 볼 때, 선택은 꽤 자주 편애주의적으로 보일 수 있는데 그 이유는 지도자적 역할을 담당하도록 선택되는 사람들은 훈련을 받았기 때문이다. 훈련을 시키다 보니, 필요에 의해 피훈련자들과 목회자가 가깝게 지내게 된 것이다. 이런 일은 편애한다는 비난을 받게 되기도 하는 훈련자와 피훈련자간에 우정을 가져온다. 필자는 예수님께서 어떤 특정한 제자들을 다른 사람들보다 더 가까이 하신 일이 편애로 여겨졌을 것이라고 확신한다. 120명 중에서 12명을 선택하신 일은 매우 놀랄 만한 일이었을 것이다. 심지어는 그 12명 사이에서도 자신들 중 누가 가장 큰 자인가 하는 것과 하나님의 왕국에서의 특별한 자리에 대해 질투가 있었다. 그렇다면 20세기의 교회에도 그와 같은 오해가 있을 것을 예상하는 것은 당연하다.

선택이 공정하지 않은 것처럼 보이는 것은 바로 다르기 때문이다. 오랫동안 사람들은 치명적인 "교회의 신학들" 아래 고생해 왔다. 예를 들자면 많은 성도들이 생각하길 그들 모두 죄인이고 사실 모두 다 자격미달이니 그것에 대해 무엇 때문에 힘들게 생각하는가 하는 것 등이다.

그런 생각은 자격들을 아주 낮은 공통점으로 끌어내리는 슬픈 결과를 초래한다. 즉, 교회 출석이란 공통점이다. 그런 생각이 맺는 결실이란 지도력의 성품을 타협적으로 생각하므로 서로를 향한 사역과 세상을 향한 선교 또한 타협적인 태도를 취하게 되는 것이다.

모두가 통과할 수 있을 정도로 기준을 낮추는 것은 나약하고, 이기적이며, 고집이 센 사람들을 영적인 지도자들의 무리에서 제외시키는 체제를 창출하지 못한다. 그렇게 되면 지도력은 변덕과 야심과, 편견에 의해 다스려지는 개인적인 의견들로 뒤범벅이 되어버린다. 그렇다. 편견이 판을 치게 되는 것이다. 만일 당신이 교회 내에서 편견을 조장하고 싶다면 지도자들에 대한 자격들을 없애버리고, 훈련도 없애면 편견이 교회를 다스리게 될 것이다. 자격조건들이 심각하게 여겨지지 않을 때, 오직 편견만이 남게 된다. 바로 이 점이 바울이 디모데에게, "하나님과 그리스도 예수와 택하심을 받은 천사들 앞에서 내가 엄히 명하노니 너는 편견이 없이 이것들을 지켜 아무 일도 편벽되이 하지 말며"(딤전 5:21)라고 권면한 이유이다.

좀더 넓은 근거에서 기인되었다고 느껴지는 또 다른 반대는 다른 부분, 즉 목회자의 담당 사역의 변화에서 생긴다. 제자 삼는 목회자는, 예수님께서 그러하셨듯, 신중하게 선택된 소수의 사람들에게 집중하고 많은 사람들은 이 새로운 엘리트 방식을 반대한다. 그들은 그 소수의 사람들이 목회자의 시간과 관심을 빼앗을 것이라고 잘못 생각한다. 물론 그들은 긴 안목으로 볼 때, 더 나은 목회를 위해서는 개인적인 배려를 희생해야 한다는 사고방식을 배운 적이 없다. 목회자는 훈련된 평신도들과 사역을 분담하므로 그들은 모든 면에서 더 높은 수준의 사역을 받게 될 것이다. 교회가 선택에 대해서 떠들어대기는 하지만 실제로는 피비린내 나는 전쟁터이다.

교회들은 마치 납세자 같다. 우리 모두는 정부가 지출을 삭감하고 부채를 줄이기 원하지만, 자신들의 삶에 직접 영향을 미치는 일은 거부한다. "아, 네, 우리는 그런 일들이 중요하다고는 믿습니다. 하지만, 현재로서는 그런 것이 우리 교회에 맞지 않는다고 생각합니다."

왜 선택이 중요한가?

선택은 소산물을 보호한다. 지극히 민주주의적인 문화 속에서 차별은 잘 받아들여지지 않는다. 그러나 만약에 교회가 제자라는 고급의 소산물을 생산하기로 계획한다면 우리는 차별을 해야 한다. 선택은 그 소산물을 보호한다. 모든 구성원들은 하나님의 피조물들로서 동등한 가치를 지닌다. 그러나 그의 피조물들을 향하신 하나님의 사명을 미루어 볼 때 모든 자들이 동등한 것은 아니다. 그리스도 밖에 있는 자가 교회를 이끄는 후보자가 될 수는 없다. 너무 바쁘거나, 너무 나약하거나,

탈진상태에 있거나, 순종하지 않거나, 무관심적인 성격을 소유한 그리스도인들은 교회를 이끌 후보가 되어서는 안된다. 어리고 또한 경험이 없는 초년생들도 하나님의 일을 하는 지도자층에 서면 안된다. 일반적인 상식 하나만으로도 하나님의 피조물들 중의 대부분이 제외되는데, 사실 그들이 그리스도이든 아니든 간에 하나님의 백성들을 지도하는 자리에 서기에는 부족하다.

마찬가지로 상기한 그룹들의 의견들은 성숙한 지도자들의 의견들과 가치가 동등한 것이 아니다. 경험이 풍부하고 잘 훈련된 지도자들의 의견들과 판단들이 교회가 행동하는 근본이다. 만약 교회가 사람들을 선택하고, 훈련시켜 점차적으로 지도자로서 이끄는 과정이 없다면, 교회의 질과 결정은 가장 낮은 공통분모로 전락할 것이다.

대기업은 경험이 없는 입사 초년병의 의견과 노련한 부사장의 의견을 동등한 비중으로 여기지는 않을 것이다. 모든 사람들의 의견이 동등하게 여겨질 때, 혼란이 그곳을 지배한다. 교회는 결정력의 부재로 인해 고통을 당한다. 즉, 지도자들이 인도하지 못하게끔 방해를 받아 전신이 마비가 된다.

일을 시행하기에 앞서 모든 사람들이 동의해야 한다고 생각하는 교회는 호위단 사고방식으로 인해 고통을 당한다. 호위단 사고방식이란 모든 성도들이 나아갈 방향에 대해 동의하고 호위단을 형성할 때까지는 아무 것도 이루어질 수 없다는 생각이다.

게다가 사람들의 비위를 맞추려는 일들이 비일비재하다. "위원회가 끝내 만들어낸 것은 말이 아니라 낙타가 되어버렸다"라는 옛 속담이 뜻하는 바와 같다(원래 의도한 바와는 전혀 다른 결과가 이루어짐을 말함 - 역자주). 모든 사람들의 의견이 고려되고 하나님의 계획이 위원회에서 사라질 때쯤이 되면 타협된 교회의 소산물은 더 이상 제자나 제자를 삼는 자와 흡사한 점이 없게 된다. 그 이유는 간단하다. 당신은 자격미달의 사람들이 방책을 만들도록 했기 때문이다. 어느 조직체도 이념적인 온전성이 그렇게 희미해지면 생존할 수 없다. 원래의 생산 디자인이 보호될 때, 그리고 품질 관리가 존재할 때, 교회는 계속 그 건강이 유지될 것이고, 그 사명을 만족시킬 것이다.

선택은 양질의 소산물을 생산한다. 지도자의 역할을 담당하기 위해 훈련될, 그리고 지도층의 직위를 채울, 가장 자격을 잘 갖춘 사람들의 선택은 훌륭한 생산력을 유지할 것이다. 교회는 성장할 것이고 배가생산을 위해 절대적인 창조력과 온전성이 계속 유지될 것이다.

선택은 교회가 문제에 봉착하게 되는 것을 방지한다. 어떤 사상이나 체계도 교회를 갈등에 빠지지 않도록 방지하지는 못한다. 사실 갈등이 그리스도인의 경험 중 자연스러운 부분이 될 것이라는(요 16:33) 교회를 향한 말씀이 있었다. 그러나 몇 가지가 갈등이 생길 가능성을 줄인다. 태도들, 체계들, 그리고 기관의 형태 등이 불필요한 갈등에서 교회를 벗어나게 할 수 있다.

이것은 교회의 이중 보호를 제공한다. 첫째로, 그 본질상, 선택은 지도할 만한 가장 최고의 자질을 갖춘 사람을 뽑는 것을 의미한다. 또한 그것은 당신이 객관적인 기준에 의해 선택함을 뜻한다. 그에 대한 기쁜 결과는 교회의 방향과 방법에 일치하는 성숙하고 경험을 갖춘 지도자들이다. 그러므로 선택은 뒤죽박죽식 위원회의 미약함을 제거한다.

두번째로, 선택은 자격미달자를 제거함으로써 교회를 보호한다. 고집이 센 사람, 반항적인 사람, 배우기를 싫어하는 사람, 다른 사람들을 억압하는 사람, 그리고 앙갚음을 하는 사람들이 선택과정에서 제거된다. 객관적이고 기준이 세워져 있는 선택과정이 잘 운영되려면 여러 해가 필요하다. 선택과정을 정치적으로 만드는 말썽꾼들은 선택의 원칙이 지배할 때 꼼짝하지 못한다.

선택은 목표를 본보기로 보인다. 본을 보이는 것이 사람들을 변화시킨다. 이것은 부모가 아이를 양육하는 경우에도, 기업의 혁신에도, 교회 개척에 있어서도 사실이고, 그리스도의 지체들이 나누는 의사소통에 있어서도 분명 적용된다. 지상명령은 제자를 삼는 일을 "가르쳐 지키게" 하는 것으로 밝힌다. 가장 위력있는 교수법은 본을 보이는 것이다. 즉, 아버지가 아들에게, 혁신적인 기업주가 그 사원들에게, 교회지도자들이 성도들에게 본보기가 되는 것이다. 아들이 아버지의 말은 모른 척할 수 있다. 그러나 그 아버지의 본보기 앞에서는 어쩔 수 없다. 교회 회중이 소극적일 수 있다. 그러나 만약 지도층이 본을 보이면, 그들은 그 온전함에 존경을 표할 수밖에 없다.

교회 내부의 이중성은 교회가 지닌 가장 큰 취약점이 되어 왔다. 교회는 그 전하는 메시지를 본보이기보다는 모순되는 일에 더 익숙하다. 설교자는 전도하라고 말한다. 하지만 만일 그 교회의 지도자들이 다른 이들에게 그리스도를 전하고 사람들을 교회로 인도하지 않는다면, 성도들은 진짜로 여기게끔 되는 메시지 즉, "우리는 당신들이 전도해야 한다고 말하지만, 진짜로 그렇게 할 것을 의미하지는 않는다. 왜냐하면 당신이 보듯, 우리 스스로도 전도를 하지 않고 있다"는 것을 지도자들로부터 전해 듣는 것이다. 이것은 사람들로 하여금 불순종하도록 가르치는 것이다. 불행하게도, 어떤 교회들은 이런 일을 아주 잘한다.

교회 지도자들이 그들의 가르침에 대한 본보기가 되지 않는다면, 교회의 비전은 그 온전함을 상실한다. 선택능력은 기준들과 훈련방법들을 창출하고, 전하는 메시지를 본보기로 보이는 일에 대한 책임감을 조성한다. 효과적인 말과 실생활의 적용으로 보여주는 온전함의 역동적인 조화는 사람들을 제자도로 이끌 것이며, 교회에 아름다움을 가져다 준다.

선택은 사람들에게 선망의 대상을 부여한다. "제자가 그 선생보다 높지 못하나 무릇 온전케 된 자는 그 선생과 같으리라"(눅 6:40). 기준이 서고 지켜질 때, 사람들은 그것들을 표준으로서 받아들인다. 전형적인 지도자가 협동조직체 내에서 세워지면, 그 지도자는 모든 사람들이 따라야 할 기준을 세운다.

이 일은 젊은이에게 그리스도인 지도자가 된다는 것이 무엇을 의미하는지에 대해 본이 되는 선망의 대상을 부여한다. 또한 그것은 교회의 성도들에게 자신들의 교회의 온전함과 기준의 질에 대한 확신을 준다. 그것은 장로들 자신들이 전하는 것이 온전한 이들에게 전달될 것을 확신하게끔 한다. 운동경기에서부터 법에 이르기까지 모든 노력은 본보기와 스승을 필요로 한다. 선택의 교리는 교회에 그 두 가지를 다 가져다 준다.

지도층의 철학적 순수함

소수의 교회들이 신학적인 이유로 좌초한다. 대부분은 방법이라는 암초에 의해 부숴진다. 만약 신학이 체계화되어 있고 적용이 된다면 신학이 그 방법을 결정할 수 있다. 예수님은 제자들을 12명의 소그룹으로 훈련시키셨다. 그러므로, 소그룹이 주요 제자 삼는 방법이라고 할 수 있다. 정예화되지 않은 대규모 지도자 그룹은 소그룹의 사용과 그 우선권을 반대할 것이다. 어떤 이들은 소그룹의 관리가 어렵고 자칫하면 이단이 발생하는 온상이 된다고 항의할지도 모르겠다. 다른 이들은 소그룹은 저절로 없어지거나 어떤 파벌을 조장할 수 있다고 말한다. 또 다른 사람은 소그룹은 너무 많은 훈련시간을 요구하는 반면, 효과는 너무 적다고 생각한다.

지도자들이 소그룹에 대해 긍정적인 공통의 경험을 가지고 있지 않으면, 그 방법을 사용할 때 마찰이 생긴다. 이것은 교회를 나약하게 만들고 분열시키는 수많은 방법론의 갈등 중 한 가지이다. 제자 삼는 목회자는 철학적 순수함을 가르치고 실행함으로써 이런 많은 문제들을 피할 수 있다.

철학적 순수함이란 교회의 목표나 소산물에 관해 지도자들간에 동의한 바를 말한다. 거기에 덧붙여, 그것은 다른 이들을 향한 사역들의 우선권과 그 우선권의 목표를 달성하기 위해 사용하는 방법들에 관한 동의이다. 철학적 순수함이란 바로 성경에서 말하는 바와 같이 하나가 되는 일이다. 하나가 된다는 것은 조화를 이루는 의견의 일치를 뜻한다. 사중창단은 다같이 한 노래를 부른다. 하지만, 다른 파트를 담당하는 것이다. 그들은 같은 시간에 시작해서 같은 시간에 끝나고 숨까지 같이 쉰다. 그들 각자는 그 노래를 다르게 부르지만, 그들은 의견의 일치를 본 방법을 가지고 있다. 그들의 방법은 음악이다. 그들은 하나의 구체적인 곡을 선정해서 구체적인 방법을 통해서 발표하기로 동의했다.

어떤 이유 때문인지는 모르나 많은 교인들이 그렇게 많이 의견의 일치를 본다는 점에 대해서 상당한 적개심을 품는다. 그들은 지도층이 너무 친하다든지, 한 사람에 의해 일이 좌우된다든지, 목사가 그저 모든 일에 맞다고 말하는 사람들에게 둘러싸여 있다든지 하는 식으로 비난한다. 이보다 더 이상한 생각은 바람직한 지도층이란 서로 적대시하는 팀이라는 생각이다. 서로 의심을 품는 분위기가 예외가 아닌 규례로 된다. 그들은 하나가 된다는 것을 의견의 만장일치라고 여겨왔다. 만장일치는 "모든 안건에 대한 완전한 동의"를 뜻하고, 하나가 된다는 것은 "공통된 목표를 바탕으로 의견의 일치를 보는 것"이다.

철학적 순수함은 효과적인 장기간 사역을 위해 필수적이다. 그것은 배가사역에 특히 온전한 교회들을 개척하는 일에 필수 불가결하다. 제자사역의 결실인 제자들은 그들이 어디로 가든지 제자를 재생산하게 되는 철학적 체계를 소유해야 한다.

이 원리는 일반 교인들이 아니고, 지도자들에게 적용된다는 점을 주시하기 바란다. 일반 성도들도 보편적으로 동의를 하는 쪽으로 되는 것을 바라지만, 지금 여기에서의 주요 관건은 지도층의 철학이다. 교회들은 종종 이 점에 있어서 현명하지 못하다. 그들은 사람들에게 그 교회에 등록하려면 규율에 동의하고 문서에 서명하라고 요구한다. 교회들이 교회 정회원에 대한 기준을 가지고 있어야 하는 반면, 그것은 사실 시작에 불과한 것이 되어야 한다. 거기에는 모든 신입교인들이 그리스도인으로서의 온전한 잠재력을 성장시키게 되는 단계들이 있어야 한다. 이 단계들도 정회원이 되는 기준과 같은 비중으로 중요시되어야 한다. 그러나 교회들은 지도자들에게 더 강한 동의를 요구하지 않고 오직 교인의 정회원 자격에 대한 동의에만 온 심혈을 기울인다. 철학과 방법의 동의에 관한 요구가 그 교회의 장래에 지극히 중요하다.

모든 지도자에게 필요한 철학적인 순수함의 네 가지 특성들이 있다. 필자는 그것들을 여기에서 묘사하고, 그 적용에 관해서는 나중에 설명하기로 한다.

제자 삼는 사역에 대한 강한 열정이 있다. "강한 열정을 갖는 것"은 "확신을 소유하는 것"과 같다. 즉, 잠재력 있는 지도자는 그가 제자 삼는 과정의 소산이므로, 자신을 제자 삼는 사역에 헌신한다. 확신은 실제 경험을 통해 쌓인 믿음이다. 내가 그것을 이지적으로 알고, 구체적인 경험을 했으므로, 그것은 내 삶을 지배하는 근본적인 믿음이다.

제자 삼는 사역에 대한 열정은 추수할 밭에 들어가 예수님이 약속하신 추수를 거두고 싶은 열망과 함께 불탄다(마 9:36-38). 그것은 우선권이 제자를 삼고, 재생산하기를 원하는 열정적인 사람들을 발견하고, 그들과 함께 시간을 보내는 것에 있음을 의미한다. 그는 제자사역을 효과적이며 재생산을 하는 사역의 원천으로 본다. 그는 제자사역이 바로 배가생산의 열쇠이고, 지상명령은 배가생산 없이는 불가능하다는 것을 믿는다.

문제는 당신이 어떻게 사람들을 이런 태도를 소유하는 데까지 이끄는가 하는 것이다. 그에 대한 일반적인 대답으로는 바로 훈련 프로그램이 필요하다는 것이다. 훈련된 제자 삼는 사역자들이 교회에 저절로 생겨나는 것은 아니다. 그들은 오랜 기간을 통해 개발되어야 한다. 제자 삼는 목회자는 방향을 설정하고 나서 그것을 따르도록 모든 관심있는 교인들에게 부탁한다. 그 훈련 과정은 인격형성, 기술발전, 철학적, 성서적 훈련들을 포함하는 것이라야 한다. 또한 거기에는 영적 은사를 알아내고, 믿음을 성장시키기 위한 다양한 사역들이 있어야 한다.

그 일은 바로 예수님께서 사용하신 여섯 단계 교수법을 사람들이 통과하도록 만드는 것이다. 예수님의 여섯 단계 교수법이란 “사실을 가르치라”, “이유를 설명하라”, “방법을 보여주라”, “함께 행하라”, “스스로 하게 하라”, “일을 맡기고 파송하라” 등이다.[1]

현재 우리 교회에서는 한 사람이 이 과정을 통과하기 위해서는 적어도 3-4년이 걸린다. 그런 훈련 과정을 성공적으로 끝낸 다음에야 그 사람은 교회 지도자로 추천된다. 시간은 사람의 개발에 지극히 중대하다. 즉, 성숙함과, 지혜와, 전문적 지식과, 인격과 기술개발을 위한 시간과 또한 고집 세고, 반항적이고, 야망적이고, 번민하는 사람들의 마음 상태를 알고 그들을 제외시키는 시간 등이 매우 중요하다. 이것은 교회를 보호하고 철학적인 순수함을 보증해 준다.

입증된 제자 삼는 사역자이다. 그는 그가 훈련시켰고 현재 다른 사람들을 제자로 삼는 일을 하고 있는 사람들의 이름을 댈 수 있다. 그는 그리스도에게 인도한 사람들의 이름을 말하는 정도로 만족하지 않는다. 말씀, 기도, 교제, 그리고 전도를 하는 사람들을 확인하는 것으로 만족하지 않는다. 그는 또 다른 사람들을 제자 훈련하고 있는, 그가 훈련시킨 사람들의 이름을 댈 수 있어야 한다. 이것은 그들이 다른 사람들의 기초를 놓고 이제 그 다른 사람들이 재생산을 할 것이라는 뜻이다.

거기에 덧붙여, 그는 공동체적인 사역을 이끄는 지도자적 은사가 있는 훈련된 제자 삼는 자들을 증거로 보일 수 있다. 그 한 가지 예는 교회를 개척한 훈련된 제자 삼는 자들일 것이다. 입증된 제자 삼는 사역자는 또한 제자 삼는 사역과 배가생산이 귀하게 여김을 받는 협동적인 분위기를 창조하는 지도자의 재생산을 증거로 보일 수 있다.

이것이 의미하는 바는 그는 지도자적 은사가 없는 제자 삼는 사역자들을 재생산했을 뿐만 아니라 전체 사역을 재생산한 지도자적인 은사를 지닌 제자 삼는 사역자들도 재생산했다는 것이다. 지교회는 실행없는 신학자들이나 좋은 사역에 대해 말만 하고 실제로 그들이 했다는 결실과 입증할 만한 것이 없는 사람들을 이제 더 이상 필요로 하지 않는다.

지도자들은 생산적이고 입증된 제자 삼는 사역을 통해 다른 사람들을 지도하는 권리를 얻어야 한다. 그렇다. 이러한 기준들은 높다. 하지만 제자 삼는 사역의 지도자는 입증된 제자 삼는 사역자여야 한다. 그렇지 않으면, 그 신뢰도는 사라지고, 지향한 목표의 모델은 없어지며, 사람들은 또다시 불순종하도록 가르쳐진다.

더욱 비극적인 종국은 지도자들이 자신들의 일을 수행하도록 훈련되어 있지 않은 것이다. 만약 누구인가 제자 삼는 교회의 장로라면, 자신에게 보고하는 사람들에게 동기를 부여하고, 가르치고, 일을 분담시키고, 감독하는 법을 이해해야 한다. 그는 자신의 보살핌하에 있는 사람들에게 최선의 공동 가치인 사역 철학을 가르쳐야 한다. 그는 그들이 자신들의 사역을 통해 재생산과 배가생산을 하도록 훈련시켜야 한다. 만약 그런 가르침과 훈련이 없다면, 그들이 저절로 그런 일을 하리라고 기대할 수 없다. 또한 만약 그렇게 할 수 없다면, 전체 시스템은 붕괴되고, 사역은 고통 속에 빠지며, 제자 삼는 사역 자체의 철학이 공격을 받게 된다.

절대로 입증되지 않은 제자 삼는 사역자를, 입증된 제자 삼는 사역자가 필요한 지도적 위치에 임명하지 말라. 이것은 분명한 사실인데도, 자주 일어나고 있다. 누군가가 지도자의 위치를 원한다면 그가 그 위치를 노력 끝에 얻도록 하라. 그렇지 않으면 그는 그 위치의 진가를 모를 것이고, 일반 성도들은 그를 존경하지 않을 것이다.

풍부한 성경적인 지식을 소유한다. 이전에 필자가 강권하길 제자 삼는 목회자는 그를 인도하는 철학적인 뼈대를 가지고 있어야 한다고 했다. 그 뼈대는 성경에 기반을 두어야 하고, 신중하게 고려된 것이어야 하며, 그 철학을 적용하기 위한 적절한 수단들을 소유해야 한다. 또한 철학적인 순수함이 유지되려면 교회의 지도자들에게도 똑같이 적용되어야 하는 진리이다. 실제적인 점에서 이것은 무엇을 의미하는가?

그것은 그가 성경에 대한 실용적인 지식을 소유하고 있다는 뜻이다. 그는 기독교 신앙의 근본 교리들을 방어하고, 설명하며, 가르칠 수 있다. 구체적으로, 만약 모든 잠재력을 소유한 지도자들이 교회의 교리를 설명하고, 방어하며, 조리있게 말할 수 있다면, 그들은 충분히 지식을 소유한 것일 것이다. 거기에 덧붙여서, 그들은 제자 삼는 사역에 대한 성경적인 기반들을 설명하고, 방어하며, 가르칠 수 있어야 한다.

모든 가능성 있는 지도자들을 원하는 목적지에 이르도록 하기 위해 사용되는 수단들은 다음과 같다. 특별한 세미나들이 구체적인 교리를 가르치기 위해 열린다. 기본적인 교리는 2년에 걸친 제자그룹 과정에서 가르쳐진다. 이 단계는 "나와 함께 있으라"는 단계로 올라가는 사람들을 위해 교회 교리를 다룬 자습서에 의해 뒷받침된다. 특별한 모임들이 제자 훈련에 관계된 구체적인 교리들을 배우기 위한 훈련의 일환으로 열린다. 가장 효과적인 학습방법은 그들로 하여금 그들이 이해해야 할 내용을 가르치게 하는 것이다. 그들이 배우는 것을 가르침으로 그들은 잘 배우고 그 내용을 자기 것으로 만든다.

훈련된 제자 삼는 사역자가 주요 지도자의 위치에 고려되면, 선택과정에서 그가 소유한 지식을 검토한다. 그는 두 가지의 필기시험을 치르게 되는데, 그 첫번째는 일반적인 기독교 교리에 관한 것이고, 두번째는 제자 삼는 사역에 대한 그의 철학적 기반들에 관한 것이다. 이와 같은 방법은 지금까지 진실로 잘 배우지 않은 사람들을 걸러내는 훌륭한 심사방법으로 입증되어 왔다. 시험 절차는 그가 어느 과정에 있는가를 측정할 수 있다. 그것은 겉으로는 준비된 듯 보이지만, 사실은 그렇지 않은 사람들을 분별함으로써 교회를 보호한다. 그것은 어떤 이가 실패하게 되는 위치에 임명되는 것을 미리 막아 그 사람을 보호하는 것이다. 또한 그것은 그의 장래 발전을 위한 개인상담과 추천들을 제공하는 수단들이다. 필기시험 다음에는 자신이 기술한 바에 대한 구두시험이 있다. 지교회의 지도자를 선출하는 일은 적어도 인선위원회에서 목회자를 심사하는 과정만큼의 노력을 기울일 가치가 있다. 사실, 평신도이건 사역자이건 간에, 지도자들에 대한 선택과정을 향상시킬 필요가 있다.

종종 필자는 어떻게 장로들을 훈련시키는가 하는 질문을 받는다. 거기에 대해, "어떤 사람이 장로로 선택되었을 때에는 그 사람은 이미 훈련받았다"는 필자의 대답은 많은 사람들을 놀라게 한다. 훈련된 장로는 아무 것도 새로이 배울 것이 없다는 말은 아니지만, 직무를 담당하기 위해 요구되는 인격, 기술과 은사는 벌써 개발되어 있어야 한다. 자격을 갖춘 지도자는 그의 정식 훈련 과정 때보다 그가 직접 사람들을 인도할 때 더 많은 것을 배운다. 다른 사람들을 지도하는 일에서 그는 그가 이미 아는 바에 대해 더욱 많은 것을 배우게 되는 것이다. 그는 자신의 일을 더 잘하게 되고, 더욱 능률적으로, 광범위하게 처리하며, 지혜를 얻는다.

이러한 원칙들을 신중하게 고려하는 교회는 어느 정도의 기간 내에, 많은 자격을 갖춘 지도자들을 소유할 것이다. 실로, 당신은 자리를 채워야 할 지도자들의 숫자보다도 더 많은 자격있는 지도자들을 소유할 것이라고 필자는 약속한다.

교회의 우선순위와 방법에 관해 동의한다. 아무리 조심해도 지나친 것이 아니다. 제자 삼는 교회의 중요한 지도자로 고려되는 사람은 이미 우선순위들과 방법 등에 동의를 했어야 하지만, 마지막 순간에 다시금 시험하는 것이 우리가 마음 상하게 되는 일을 예방해 준다. 제자 삼는 교회에서는, 방법들이 철학적 목표로부터 나온다. 짚고 넘어가야 할 몇 가지 안건들은 소그룹이 제자 삼는 사역의 수단으로서 기본이 되는 것과, 지도자들의 선택과정과, 지도자들에 관한 기준들과, 지도자가 되려는 사람들에게 요구되는 일들이다. 또한 사역분산의 우선권에 대한 동의를 보아야 하는데, 이는 즉, 목양사역, 전도, 행정, 그리고 지역사회를 효과적으로 전도해 가는 일에 관한 것 등이다. 일치해야 하는 다른 중요한 분야는 담임 목회자와, 전임 사역자와, 장로회의 역할에 관한 것이다. 그들은 교회개척과, 교회헌금의 10%를 선교사업에 바치는 것에 동의하는가? 지교회의 특성을 형성하는 이런 질문들과 많은 기지가 번득이는 질문들이 다루어져야 한다.

절대로 철학적인 순수함이 없이는 일꾼들을 쓰지 말라. 그 이유는 바로 당신이 원하는 배가생산을 할 수 없게 될 것이기 때문이다. 당신이 달을 향해 미사일을 발사한다면 그때 출발점에서 각도가 1도 벗어난 것이 그다지 커다란 일은 아닐 것이다. 그러나 그 미사일이 달에 가까이 갈 무렵이면, 그 1도는 수천 킬로미터나 벗어나게 만든다. 만약 우리가 제자를 재생산하고 재생산과 배가생산을 하는 건강한 그리스도인들과 건강한 교회를 창조하기 원한다면 먼저 지도층이 철학적으로 순수해야 한다.

책임감

책임감 없이는 제자를 생산할 수 없다. 그것이 가능하다고 믿는 것은 훈계없이 아이를 키운다거나, 규칙없이 기업을 운영한다거나, 명령계통없이 군대를 지휘할 수 있다고 믿는 것과 같다. 철로 없는 기차를 상상할 수 있는가? 또 책임감 없는 지상명령 수행을 생각할 수 있는가? 철로 없이는, 전 동력을 소유한 기차는 땅 속으로 처박히고 말 것이다.

그 기차의 에너지는 허비되고, 그렇게 되면 사실 그 기차를 운전하는 사람들의 뜻에 역행하게 된다. 철로는 엔진의 거대한 힘을 적합하게 사용하는 방법을 제공한다.

참으로 많은 열정과 창조력이, 아무도 그것을 조절하지 않기 때문에 그리스도를 위한 일에 사용되지 못한다. 기본적인 규율과 맞추어진 사랑어린 지도 없이는, 각 사람이 각기 제길로 가고, 자신들의 관심사만 수행하기 때문에 교회가 불구가 된다. 자유방임주의는 일이 되지 않는다.

왜 책임감이 필요한가?

책임감은 품질 조절을 위한 수단이다. 책임감은 개인과 교회에 필요한 훈육을 제공하고 함께 거룩한 목적에 도달하도록 지탱해 주며, 각 개인이 하나님께서 그의 앞에 주신 목적들에 도달하고자 하는 열망들을 쏟게 해주는 수단이다. 예수님께서는 "내가 너희에게 분부한 모든 것을 가르쳐 지키게…"되는 "제자를 삼아…"라는 것으로 지상명령을 말씀하셨다(마 28:19, 20).

순종하도록 가르친다는 의미는 사람들에게 순종해야 한다고 말하는 것 그 이상을 뜻한다. 그것은 늦추어진 영적 개발에 활력을 주는 권면과, 훈육과, 후원과, 그리고 훈련을 의미한다. 그것의 목적은 영적 성장을 돕고, 지체간에 거룩함을 유지하며, 그리스도의 이름을 더럽히고, 파괴하며 부끄럽게 하는 자들을 제거하기 위함이다(딛 3:10; 딤전 5:15-19).

책임감이 필수 불가결한 이유는 바로 그리스도인들이 외고집쟁이들이기 때문이다. "우리는 다 양 같아서 그릇 행하여 각기 제길로 갔거늘…"(사 53:6). 그리스도인들은 권위 없이는 사랑하는 한 팀으로서 함께 일을 하지 않을 것이다. 인간의 본성에다 반항적인 사회의 영향을 더해보라. 그러면 당신은 권위에 도전하는 두 강력한 힘들을 보는 것이다.

척 스윈돌(Chuck Swindoll)은 현대 문명을 다음과 같이 묘사한다.

> 미국의 대통령조차 예전에 소유하던 권위를 상실했다. 현세대는 말을 순순히 받아들이지 않고, 반격하며, 매우 조그마한 자극에도 반발하고, 고소하려는 준비가 되어 있는 보복주의적인 사회이다. 미국의 상징인 순종적인 긴급 소집병(Minute Man, 독립전쟁 당시 독립군에 순종적으로 가담한 민병대원들 -역자주) 대신에, 비뚤어진 윗입술과, 욕설을 외쳐대는 열린 입과, 그리고 허공에 휘둘러대는 두 주먹이 현대 문명을 더 잘 묘사한다. 시비와, 반항과, 폭력과, 그리고 보복 등이 이제는 우리의 "스타일"인 것이다.[2]

제자 삼는 목회자는 물길을 거슬러 헤엄치고 있다는 사실을 안다. 그는 자신이 책임감이 없이는 제자를 삼지 못한다는 사실을 이해한다. 또한 그는 사람들이 하나님께 순종하지 않는 한 자신의 시간을 허비한다는 사실도 이해한다. 순종함이 없이는 제자사역이란 없다. 권위에 순복하지 않고는 참된 순종이란 있을 수 없다. 권위에 순종함은 하나님께 순종함을 시험하는 것이다.

코치의 말을 듣지 않고 경기하는 법을 배우지 않으며, 경기에 이기려고 열심히 노력하지 않는 선수들로 구성된 축구팀은 패배할 것이다. 지도자들을 따르려 하지 않고, 기독교 신앙의 근본 진리들을 배우려 하지 않고, 그 원리들을 실행하지 않으려고 하는 교회 또한 실패할 것이다. 거기에는 반드시 훈육이 있어야 하는데, 사람들은 다른 이들의 격려와 감화가 있을 때에만 그들 자신을 훈육할 수 있다. 그들은 그들 자신을 겸손하게 하고 전체 규칙들에 순복한다. 그들은 자신들의 개인적 목표를 더 커다란 목표 앞에 순복하며, 그러한 결과는 그리스도의 몸에 기쁨이 넘치는 효과가 있는 것이다.

그리스도의 몸은 교향악단과 같이 합력해야 한다. 바울이 고린도전서에서 쓴 단어는 심포니(symphony)와 같은 어원에서 유래한다. "오직 하나님이 몸을 고르게 하여(combined)…"(고전 12:24). 어떤 번역은 "조직되어"라고 하지만 "고르게 하여"도 좋은 번역이다. 원하는 소산물을 생산하기 위해서는 교향악단의 구성원들이 더 큰 목표를 달성하기 원하는 공동체적 욕망을 소유해야 하며 강도 높은 훈련과 함께 지시를 따라야 한다.

목회자는 제자들이 그리스도를 순종하도록 가르치는 데 자신을 헌신한다. 책임감은 가르치는 데 꼭 필요한 요소이고, 겸손은 순종하는 데 필요하다(벧전 5:5, 6). 만약 사람들이 하나님과 그분의 불완전하지만 선출된 교회 지도자들 앞에서 자신들을 기꺼이 겸손하게 하지 않는다면, 단순히 그들은 제자가 되지 않을 것이고, 지상명령은 온데간데 없이 사라진다.

교회의 가장 큰 역설 중의 하나는 선택의 원칙과 책임감을 실행하라는 성서의 명령을 무시해 온 것이다. 목회자에게 이보다 더 어려운 과제는 없다. 지도자의 자격은 노력 후에 획득되는 것이어야 하고, 모든 교인들은 지교회의 권위에 책임져야 한다는 것을 오늘날의 그리스도인들에게 설득시키는 일은 기존의 어떤 사명만큼이나 어렵다. 그러나 제자 삼는 목회자는 이 필수 불가결한 진리들을 가르치는 데 자신을 바친다. 그러한 진리들이 교회를 다스려야 한다. 그렇지 않으면, 제자양육은 그 질이 희석되어지고 교회 소산물의 질은 떨어지게 된다. 책임감은 품질관리를 보증한다.

책임감은 지도력을 활발하게 만든다. 필자는 주님 앞에서의 개인의 책임에 관한 몇몇 훌륭한 설교들을 접해 왔다. 언젠가 필자는 그리스도 앞에 서게 될 것이고, 그분은 필자의 일을 평가하실 것이다. 고린도전서에서 바울은 올바른 동기에서 한 일을 금, 은, 보석들에 비유한다. 또한 이기적인 동기에서 한 일을 나무, 건초, 짚 등으로 비유한다. 하나님의 면밀하신 눈길이 그러한 봉사의 속마음을 꿰뚫어보실 때, 그분의 심판의 불길이 우리의 평생 동안의 사역을 정결케 하거나, 아니면 멸할 것이다(고전 3:10-15).

교회의 가장 통렬한 순간은 설교자가 개인의 삶을 하나님께 바치라는 감동적인 설교를 하는 순간이다. 그리고는 이제 모든 그리스도인이 듣기를 사모하는 말을 속삭인다. "잘했다, 나의 착하고 신실한 종아." 그 장소는 아멘과 그리스도인의 삶의 이 중요한 목표와 순간에 대한 수긍함으로 가득찬다.

필자는 다른 그리스도인들이 언젠가 하나님 앞에 서게 된다는 사실을 어떻게 그리 쉽게 받아들이는지 항상 흥미롭다. 하나님이 우리가 한 모든 말과 행동에 대한 책임을 물어보실 것이라는 생각이 대부분의 믿는 자들을 걱정시키지는 않는 것 같다. 영원한 문제에 영향을 미치는 책임감을 수긍하는 그리스도인들이 또한 교회에서의 책임감에 대항해서는 제일 열심히 싸우는 역설을 필자는 이상하게 생각한다. 왜 그런 반발이 있는가?

표면상의 대답은 분명하다. 나는 전지전능하시고 공평한 하나님께서 주시는 책임감은 받아들이겠지만, 장로가 말하는 것을 할 생각은 추호도 없다. 이런 생각은 두 가지 약점을 지니고 있다. 그 첫째는 교만인데 즉, 하나님의 권세는 인정하나 사람의 권위는 인정하지 않겠다는 것이다. 우선 그것이 얼마나 모순적인가 하는 것은 생각하지 말자. 경찰, 세무국, 도시, 지방과 중앙정부, 그리고 디즈니랜드에서의 줄서는 규칙들을 언급하지는 말자. 그리스도인들은 하나님께 말로만 봉사하고 진짜 섬기지는 않기로 유명하다. 다음과 같은 격언도 있다. "사람들은 하나님을 입으로는 인정하나, 돈으로는 하지 않는다." 그런 생각은 바로 책임감은 미래에 있을 것이고, 지금은 정지상태에 있는 한, 그것을 인정하겠다. 그러나 그것이 나의 개인적인 삶에 방해를 주기 시작하면 어림도 없다는 식이다.

이런 사실은 사람들로 하여금 순종하도록 가르치는 문제로 우리의 시선을 돌리게 한다. 만약 성도가 미래적, 궁극적, 유토피아적인 책임감만 받아들인다면, 어떻게 그런 사람이 하나님의 명령을 지키도록 배우겠는가? 어떻게 그가 소그룹에 헌신함의 중요성을 배울 수 있겠는가? 그가 저항할 때, 소그룹의 지도자가 무엇을 바탕으로 그에게 가서 올바른 일을 하도록 권면할 수 있겠는가?

솔직하게 말해서, 지교회의 권위를 인정하지 않는 사람들은 거의 가망이 없다. 그를 인도할 바탕이 없는 것이다. 그는 마음이 내킬 때 반응을 보일 것이고, 또 마음이 내킬 때 저항할 것이다. 그는 하나님의 가장 좋은 것들로부터 보호받기를 거부하기 때문에 그의 삶은 불필요한 고통을 받게 될 것이다. 어떤 고난은 필요한 것이다. 그러나 많은 경우는 그의 삶에 있어 교회 권위에 저항하는 데에서 오는 결과이다.

지교회의 권위를 받아들이지 않는 사람은 두번째의 약점을 지니고 있다. 그는 하나님의 권위와 지교회의 권위가 다른 것이라고 믿는다. 하나님과 그의 지도자들 사이에는 확실히 몇몇 중요한 구별되는 점들이 있다. 즉, 하나님의 권위는 완전하고, 하나님의 지도자들은 불완전하다. 하나님은 실수하시지 않지만, 하나님의 지도자들은 실수를 저지른다. 하나님의 판단은 완전하고 그의 지도자들의 판단에는 실수가 있다. 교회 지도자들이 오류를 범할 수 있음에도 불구하고, 그들의 권위는 하나님의 권위인 것이다. 그들의 권위는 하나님께로부터 온다. 그러므로 그들의 권위를 불순종하거나 저항하거나 부인하는 것은 하나님을 향해 반발하는 것이다.

똑같은 원칙이 다른 분야의 지도자들에게서처럼 교회 지도자들에게도 적용된다.

> 각 사람은 위에 있는 권세들에게 굴복하라 권세는 하나님께로 나지 않음이 없나니 모든 권세는 다 하나님의 정하신 바라 그러므로 권세를 거스리는 자는 하나님의 명을 거스림이니 거스리는 자들은 심판을 자취하리라
>
> 롬 13:1, 2

이 구절은 세속적 사회에서 그리스도인들은 어떤 권세가 하나님의 법에 불순종하라고 지시하지 않는 한 모든 권세에 순복할 의무가 있다고 가르친다. 만약 시청이 그리스도인들에게 기도할 수 없다고 말하면, 그들은 시청에 불복해야 한다. 만약 세무서가 교회는 임신중절에 반대하는 설교를 하고서야 세금면제를 받는다고 하면, 교회는 세무서의 말을 무시하고 그 결과를 감수해야만 한다.

이 구절 내의 다른 논점은 모든 권세는 하나님께로부터 온다는 사실이다. 이 점이 그리스도인들을 괴롭히지는 않는 것 같다. 만약 비그리스도인인 경관과, 시장과, 주차단속자들 같은 세상의 권위가 그리스도인들에게 적용된다면, 이것은 교회에도 적용되지 않겠는가? 물론 그렇다. 만약 교회 지도자들이 성도들에게 하나님의 법을 지키지 말라고 요구한다면, 그리스도인들은 그들의 지도력을 거절해야 한다. 그렇게 하지 않으면, 그리스도인들은 교회 지도자를 따르는 특별한 책임을 지게 된다.

지교회의 지도층이 완전하지는 않다. 어떤 경우, 그것은 매우 형편없다. 또 어떤 경우에는 그 지도력을 거절해야 한다. 지도자들이 도덕적 윤리와 신학교리상의 분명한 성서적인 명령들에서 벗어났을 때, 그들은 거기에 대한 책임을 져야 한다. 만약 그들이 그들의 지도자적 직무에 실패한 사실이 증명되면, 그들은 책망을 받아야 하고 필요하다면 제명되어야 한다(딤전 5:17-21).

권위에 순종하려면 두 가지를 생각해야 한다. 첫째, 권위는 하나님으로부터 온 것이다. 권위에 대한 반항은 하나님께 반항하는 것이다. 둘째로, 하나님은 우리가 겸손해지기를 원하신다. 그분은 교만한 자를 대적하시지만 겸손한 자에게는 은혜를 베푸신다. 겸손은 우리가 그분 권세의 보호 아래 생활하는 것을 가능하게 만들고, 우리에게 배우는 자세가 있게끔 하며, 장차 우리를 더 훌륭한 지도자로 만들 것이다. 이러한 생각들을 배경으로 하고는, 이제 다음 단계로서, 우리는 지도자에게 순종하라는 그리스도인들을 향한 가장 명확한 명령을 보는 것이다. 그 명령은 우리에게 지도자들이 지도하기 위해서는 사람들의 책임감이 왜 필요한지 말해 준다. "너희를 인도하는 자들에게 순종하고 복종하라 저희는 너희 영혼을 위하여 경성하기를 자기가 회계할 자인 것 같이 하느니라 저희로 하여금 즐거움으로 이것을 하게 하고 근심으로 하게 말라 그렇지 않으면 너희에게 유익이 없느니라"(히 13:17).

어떻게 지교회의 지도자들이 지도자에 임명되었는가 하는 것을 지금 문제로 삼는 것이 아니다. 아마도 적절한 논평이라면, 사람들이 지도자를 따라야 하기 때문에 그들의 선택은 신중하게 이루어져야 한다는 것이다. 교회는 그 자격의 적합 여부를 측정하기 위한 객관적인 평가 기준을 가지고 있어야 한다. 선택과정은 지도력의 자질에 매우 중요하다.

기대되는 것은 지도자들이 방향을 제시하는 일이다. 다른 이들은 그들의 지시를 따르도록 강력히 권고받는다. 순종함과 복종함은 동전의 양면과 같다. 우리는 교인으로서, 지도자들의 권위에 복종하고 순종한다. 즉, 그들의 전문 지식, 자질, 성격에 순종하는 것이 아니라, 그들의 위치에 순복하는 것이다. 누가 지도자인가 하는 것이 문제가 아니다. 중요한 것은 그들이 나의 삶에 무엇을 의미하는가 하는 것이다.

그들의 보호를 받는 대신, 나는 그들에게 순종한다. 순종은 복종과 장단을 맞춘다. 나는 권위에 복종하기로 결정했기 때문에 구체적으로 순종한다. 순종은 어떤 경우에는 나 개인의 의지와 단체의 뜻이 대립하는 것이 불가피할 수도 있다. 만약 대립이 없다면 순종은 별문제가 되지 않을 것이다. 책임감이 잘 실행될 때, 지도자와 그를 따르는 자 양쪽에 이득이 있게 된다.

책임감은 교회 회중을 보호한다. 지도자들은 당신을 감독하게끔 되어 있다. 너무나도 자주, 사람들은 이 사실을 부정적으로 이해한다. 대부분의 사람들은 공동체적 책임감에 대해 부정적인 경험을 해왔다. 책임감은 교회협의회가 무엇인가 잘못한 사람들을 책망하는 일에 사용된다. 때로는 교회의 훈계가 중요하다. 그러나 여기서 말하는 감독의 의미는 보다 광의적이고 긍정적인 성격을 띠고 있다.

감독하는 것은 사람들이 잘못을 저질렀을 때, 그들을 바로잡는다는 뜻이 있을 뿐만 아니라, 바르게 일하도록 그들을 도와준다는 뜻이다. 제자 삼는 목회자와 그 지도자들은 올바르게 살고, 올바르게 사역하도록 사람들을 가르침으로써 그들을 도와주는 데 헌신한다. 이것이 바로 공동체적 가치관을 세우는 일이 지도층의 성공에 필수 불가결한 이유이다. 지도자들은 나아가야 할 방향을 정하고 그들의 분담된 권위를 가지고, 합치된 가치관과 목적을 향해 교회를 이끌고 나가야 한다.

목회는 하나님이 원하시는 자들을 만들기 위해 그들이 원하지 않는 것을 하도록 도와주는 일임을 기억하라. 이것은 지도자들이 지도할 자유가 필요하고 사람들을 따르게 하는 권위가 있어야 한다는 뜻이다. 그렇지 않으면, 순종과 복종은 화려한 말밖에 되지 않는다.

내가 순종하고 복종함으로 받는 것은 사역의 지시와 격려와 나의 무절제로부터의 보호이다. 나도 또한 팀워크의 중요한 부분이다. 왜냐하면 공동작업의 협동적인 가치와 권위 앞에 복종하는 것이 실행되기 때문이다.

책임감은 사역함을 기쁘게 만든다. 지도자는 고통스러울 수 있고, 또 사실 자주 고통스럽다. 그것은 사람들의 많은 비전과 생동력을 파괴시켜 왔다. 본문에서 말하듯, 지도력은 짐이 된다. 짐스러운 지도력의 문제는 일반 성도들에게 향하게 된다. 지도자들과 그 추종자들은 지도자들의 성공 여부에 대해 똑같이 책임을 진다. 추종자들은 단체의 성공 또는 실패에 관한 모든 비중을 지도자들에게 부담시킨다.

지도자들의 성공을 위한 중요한 기반 한 가지는 그 추종자들이 지도자들의 인도에 순종하고 복종한다는 합의이다. 책임감은 지도력이 잘 발휘되기 위해서는 필수적이다. 히브리서 13:17 말씀의 핵심은 지도자들에게 순복하라는 것인데, 만약 그렇지 않으면 "… 너희에게 유익이 없느니라." 무절제한 것이 지도자들에게도, 또 추종자들에게도 있을 수 있다. 그러나 보다 심한 정도를 따져볼 때, 대부분의 문제를 일으키는 무절제는 추종자들에게서 일어난다. 지교회에서의 대부분의 현대적인 문제들은 지도자들에게 순종과 복종을 하지 않는 일반 성도들의 완고함에서 기인한다.

어떤 교인들은 지도자들의 동기와 결정사항들에 대한 의심을 매우 소중한 공동체적인 가치로 여긴다. 반발없이 지도자들에게 순종하는 것은 무책임한 것으로 생각한다. 역사적으로, 이러한 교인들은 지도자들이 제안하는 모든 의견과 프로그램들에 도전한다. 그들의 교회 운영을 위한 회의는 그리스도의 이름을 부끄럽게 만든다. 거기에는 언쟁과 정치적인 권력투쟁과 탄원 등이 있는 것이다. *Roberts Rules of Order*(단체들이 일반적으로 참고하는 온갖 종류의 회의 진행 요령들을 수록한 책 - 역자주)가 성경보다 더 위력이 있다.

그 원인은 여러 가지이다. 그러나 그 핵심은 그 교회 성도들이 좋은 지도층을 따를 때 오는 이익들을 배우지 못함으로 발생하는 지도층에 대한 신뢰와 확신의 결핍일 것이다. 종종 그들은 좋은 지도층을 소유하지 못하는데 그 이유는 바로 그들이 지도력을 중요시하지 않기 때문이다. 만약 지도력을 중요시하지 않으면, 지도자를 훈련시키거나 지도자가 되려는 자들에 대한 높은 수준을 유지하는 데 우선권을 두지 않을 것이다. 거기에는 좋은 선택과정이 없을 것이다. 사람들이 지도력의 중요성과 지도자들이 반드시 이수해야 하는 엄격한 훈련을 이해한다면 그들은 더 잘 따르게 될 것이다. 기준, 신뢰, 훈련, 그리고 객관적인 선택 기준 등이 없을 때, 추종자들은 지도자들이 자신들의 일에 대해 후회하게끔 만들 것이다.

히브리서 저자는 의심에 찬 분위기가 추종자들에게 이익이 되지 않을 것이라고 말한다. 이것은 하나님께서 그런 그룹 안에서는 원하시는 많은 선한 일들을 이루시지 않을 것이라는 의미이다. 만약 회중이 지도층을 따르지 않고, 더 커다란 전체 의제 앞에 개인적 의제를 순복시키지 않으면, 그들은 모든 결정들을 가장 낮은 공통분모로 하락시킨다. 이런 분위기는 아이들에게 무엇을 하고 싶은지 물어보는 것과 다를 것이 없다. "너희는 학교에 가서 시험을 치르고, 말 잘 듣고, 훌륭한 사람들이 되기 원하니? 아니면 하루 종일 놀고 사탕 먹고 네가 하고 싶은 것을 마음대로 하기 원하니?" 여기에 대한 아이들의 대답은 분명하다. 솔직하게 대부분의 교인들은 그들의 영적 삶에 무엇이 좋은지 결정할 능력이 없다. 그들은 양떼이고 목자를 따를 필요가 있다.

슬픈 결과는 교회가 자기 본질을 발휘하지 못하는 것인데 그 이유는 추종자들이 하나님께서 원하시는 것을 타협했기 때문이다. 그것이 히브리서 저자가 지도력에 반항하는 것은 그 추종자들에게 아무런 유익이 없다고 말하는 이유이다. 원리는 분명하다. 교회가 효과적이기 위해서는 지도자들에게 지도할 수 있는 권위가 주어져야 한다. 그렇지 않으면 지도자들은 비탄에 빠지게 되고, 추종자들 스스로는 자신들에게 필요하고 원하는 것들을 부인하는 격이 된다. 지도자를 따르지 않는 것은 자기 배신의 최악의 종류이다.

히브리서 저자는 말하길, 순종하는 추종자들은 지도자들이 일하는 것을 기쁘게 만들고, 그 기쁨은 성도들에게도 파급된다고 한다. 기쁨은 행복과 다르다. 행복은 환경에 관계된 우연한 사건으로부터 발생한다. 즉, 환경이 좋을 때, 나는 행복하다. 환경이 나빠지면 나는 슬픔에 젖는다. 훌륭한 지도자와 신실한 추종자들이 함께하는 교회에 많은 좋은 환경들이 있을 수 있다. 이 본문은 말씀의 명령들이 준수되면 더 나은 환경에 접하고 근심이 줄어들 것이라고 가르친다. 하지만 기쁨은 주변 환경과는 무관하다. 기쁨이란 인생의 삶은 하나님께 순종하는 것이라는 지식에 기반을 둔 복된 삶의 깊은 깨달음이다.

지도자들이 기쁨을 소유한다는 의미는 그들이 그 기쁨을 가졌다는 것을 뜻하지는 않는다. 사실, 지도자들은 참으로 불행할 수도 있지만, 커다란 기쁨을 경험할 수 있는 것이다. 예수님께서는 십자가로 향하시는 길에서 기쁨을 경험하셨다. 많은 그리스도인들이 격심한 육체적 고통중에서도 자신들의 삶을 그리스도를 위해 기쁨으로 드렸다. 기쁨은 당신의 삶이 가치 있고 진보하고 있으며 당신의 행함이 하나님을 기쁘시게 하셨다는 사실을 아는 지식으로부터 오는 것이다.

기쁨은 지도자들이 자신들의 노력에 대한 보상을 바라볼 때 온다. 그 일은 힘들고 또 수많은 장애물들이 있는 반면, 만약 지도자들이 교인들을 인도해 공동의 목표를 향해 그들과 함께 일을 해 나간다면, 그들은 지도를 함으로 기쁨을 얻게 될 것이고, 교인들은 따르는 가운데 기쁨을 맛볼 것이다. 이것이 신뢰를 쌓는 방법이다. 지도자들은 책임감있게 인도하고, 추종자들은 자신들을 보다 큰 의제에 순복시킨다. 이런 종류의 팀사역은 효과적이고, 지도자들과 추종자들간에 공평함을 세워간다.

교회는 어디부터인가 시작해야 한다. 좋은 지도력과 추종자들의 체계는 장기간에 걸쳐 개발된다. 그 시작점은 믿음이다. 지도자들이 선택되고 지도할 권한이 주어진다. 사람들은 믿음으로 따른다. 그들은 "우리는 당신들이 우리를 인도할 수 있다고 생각하는데 이런 생각은 패배가 아닌 승리를 위한 당신들의 권한과 존경과 명예이다"라고 말한다. 다시 말해, 우리는 당신들에게 성공하기 위한 모든 기회를 부여하고, 당신들의 실수를 용납하며, 주요 교리적인 또는 윤리적인 비행을 저지른 경우가 아닌 이상, 우리는 당신들을 따르기로 한다는 것이다. 그것이 바로 건설을 위한 필수적인 기반이다. 만약 누군가가 임명된 지도자들의 존경스러움과 명예에 대한 교인들간의 합의된 입장을 따를 수 없다면, 그는 그가 순복할 수 있는 다른 교회를 찾아야만 한다. 만약, 그가 그 교회에 머물며, 반항적인 입장을 취할 것을 계속 고집한다면, 그는 징계를 받아야 한다.

책임감은 사람들이 하나님께 향한 헌신을 지키도록 도와준다. 사람들은 고립된 상태에서 그리스도를 향한 헌신을 지킬 수 없다. 한 사람이 그리스도께 일생을 헌신하려면 많은 도움이 요구된다. 한 평생을 통해서 거의 모든 사람이 여러 종류의 도움이 필요할 것이다. 이러한 도움을 구분하는 방법은 여러 가지이다. 필자가 선택한 방법은 바울이 데살로니가 교회에 보낸 편지에서 발견된다. "또 형제들아 너희를 권면하노니 규모 없는 자들을 권계하며 마음이 약한 자들을 안위하고 힘이 없는 자들을 붙들어 주며 모든 사람을 대하여 오래 참으라"(살전 5:14).

여기에 책임감에 관한 완벽한 사역이 있다. 세 가지 구분되는 도움이 필요한 그룹, 즉 규모 없는 자들, 마음이 약한 자들, 힘이 없는 자들을 위한 세 가지 주요한 종류들 - 권계함, 안위함, 그리고 붙들어 줌 - 등이 있다.

무엇보다도, 책임감의 사역에 대한 이러한 완벽한 묘사는 책임감은 개인이 모든 사생활과 선택의 자유와 질문하는 권리를 잃는 즉, 사람들을 돕기보다는 조종하려고 하는 "강제노동수용소적 기독교"를 키운다는 신화적인 통념을 일소한다. 이러한 통념이 지도층의 사역을 더욱 어렵게 만들어왔다. 위의 본문을 자세히 살펴봄으로써 필자는 우리가 도움의 종류들만이 아니라, 책임감 이면에 있는 정신도 이해할 수 있기 바란다.

규모 없는 자들을 권계하라. 이 부류는 사람들의 무리이다. 그들에게 붙은 이름은 "규모 없는 자"들이다. 헬라어로는 "지위에서 벗어난, 또는 질서 없는"이란 뜻을 가진 군대 용어이다. 군대가 한 방향으로 전진하고 있다. 지위를 이탈한 자들은 제각기 갈 길로 간다. 이 경우는 반란이나 태만함으로써 그리스도나 그의 몸된 교회에 대한 그들의 의무를 실행하지 않는 사람들에게 적용된다.

지도자들은 그들의 상태를 권계함으로써 이 그룹이 책임감을 가지도록 해야 한다. 권계라고 번역된 단어는 "누데토"인데, 그 의미는 "실수한 자를 말로 훈계하는 것"이다. 그것은 매우 지시적이고 강한 단어이다. 누데토의 부차적인 뜻은 대면자가 실수를 발견하고는 잘못한 자에게 구체적으로 고칠 부분을 가르치며 권면함을 뜻한다. 누데토는 교훈하고(롬 15:14), 훈계하고(골 1:28), 권계한다는(행 20:31) 뜻으로 바울에 의해 사용되었다. 이런 행위는 어떤 일이 분명히 잘못되었을 때 일어난다. 도움이 필요한 두 종류의 사람들은 반항적인 자들과 태만한 자들이다.

반항적인 자들을 권계하라. 이 일은 대부분의 지도자들이 회피하는 달갑지 못한 일이다. 그들은 그것을 잃고 또 잃어버리는 제안이라고 생각하는데 사실 대부분이 그러하다. 피대면자가 그 지도자를 비방하고 순교자인 체하기 때문에 그 지도자는 회중의 인식을 잃은 것이다. 또한 피대면자가 반항적이거나 분개하거나 복수하고 싶어하거나 또는 그 세 가지를 다하려고 하므로, 그 사람 역시 잃은 것이다. 회중의 신뢰를 잃고, 피대면자의 신뢰를 잃으므로 잃고 또 잃어버리는 제안이 되는 것이다.

두쪽 다 잃어버린다고 생각하게 되는 이유는 세 가지이다. 첫째로, 대면하는 데 긍정적인 경험이 없으므로 그런 생각을 하게 된다. 솔직하고 단도직입적으로, 반항하는 이들을 권면하는 일이 드물기 때문에 많은 사람이 그것의 이익을 이해하지 못한다. 대부분의 지도자들은 고통과 성도들의 노여움과 교인들이 떠나는 것을 초월해서 앞을 내다보지 못한다. 이 책은 대면하는 법에 관한 책이거나 대면하는 법을 비중있게 다룬 책은 아니지만 대면이 적절히 실행되면 이익들을 보게 된다. 이것이 보편적으로 실행되거나 또는 잘 이해되지 못한 것은 그 실행을 성공시키기 위한 기반이 부족했기 때문이다. 다 잃어버린다는 사고방식에 대한 다음 두 가지의 이유들이 이를 말해준다.

둘째로, 지교회 내에서는 영적 권위에 대한 존경심의 부족함 때문에 대면이 일반적으로 실행되지 못한다. 이것은 위에서 이미 언급되었다.

그러나 교인들이 기꺼이 권위를 존중할 때까지 대면을 통한 유익들은 인식될 수 없다(히 13:17). 그들은 그들의 지도자들을 신뢰해야 하고 대면, 경고, 훈계들이 하나님께 향한 헌신을 지키도록 도와준다는 사실을 이해해야 한다. 반항하는 순간에 그에 대한 책임을 지적해 주지 않으면 아무런 소용이 없다. 대면은 회개하는 반항자는 바로잡고 그렇지 않은 자는 교회에서 내어보낸다(딛 3:10). 사실 교회의 입장에서는 대면을 실행함은 두 가지에 다 이기는 제안이다.

대면이 널리 인식되지 못하는 세번째 이유는 그것이 사람들의 관계 밖에서 실행되어 왔기 때문이다. 너무 자주, 좋은 의도로 한 그리스도인이 다른 이를 대담하게 대면하여, 그가 어디에서 잘못했고, 어떻게 다시 온전하게 할 수 있는지 말해준다. 대면자가 옳다고 치더라도, 그가 깊은 인간 관계를 맺고 있지 못하다면, 피대면자는 그 제안들을 잘 받아들이지 않을 것이다.

바울의 권면은 대면자와 피대면자가 그리스도의 몸이며 서로를 향한 헌신된 관계라고 가정한 것이다. 낯선 사람이건 낯익은 사람이건 나의 약점에 대면해 지적한다면, 나는 분명히 노기를 띠게 될 것이다. 그러나 만약 그 사람이 나를 사랑하고 나의 최대한의 이익을 얻게 하려는 것임을 안다면, 나는 들을 것이다. 상이한 점은 태도와 형성된 인간관계인 것이다. 교회에 그 반항적인 사람과 친분을 유지하는 사람이 없다고 그 반항적인 사람을 완전히 무시해 버려도 좋다는 뜻은 아니다. 대부분의 경우, 지도자들은 어떤 이를 대면하기 위해 그 사람과 모종의 관계를 가진 적절한 사람을 찾을 수 있다.

디모데를 향한 바울의 권면은 뜻깊은 사랑의 관계 위에 세워져 있다(빌 2:19-24). 만약 일반 성도들이 대면의 이익을 인식한다면 대부분의 대면은 동료들 사이에서 이루어질 수 있을 것이다. 성경은 "막역한 친구" 관계의 이득에 대해 분명히 말한다(잠 27:17; 전 4:9-11; 갈 6:1; 골 1:28, 29). 반항적이고 무례한 자들을 대면하는 것은 어려운 일이다. 그것의 유익을 이해하는 사람들조차도 대면을 달갑게 여기지 않는다. 그러나 대면은 교회에 필수적인 것이다. 이제, 대면이나 권고가 필요한 다른 그룹의 사람들을 살펴보자.

태만한 자들을 권계하라. 반항적인 사람을 대면하는 것은 대면자와 피대면자 둘 다에게 개인적이며 매우 위협적인 일이다. 태만한 자들을 권계하는 것은 비개인적이고 비위협적인 교회생활의 정상적인 부분이다. 대면은 일대일의 경험이고, 태만한 자의 권계는 단체경험이다. 한 사람을 바로잡는 일은 기대 밖의, 강요적인 일이고, 무관심한 자를 권고하는 것은 예상되는 일인 것이다. 그리스도인들은 강한 공적인 권면 가운데 육성되어 왔다. 교인들은 그가 기대에 미치지 못하는 삶을 살고 있으므로 보다 더 바치고 한층 더 섬기며 더욱더 그리스도인답게 살도록 일반적인 관점에서 하는 설교를 기대한다. 대부분의 사람들은 자신만이 혼자 지적되어 책망당하는 것이 아니므로 공격적으로 받아들이지 않는다.

대면적 설교의 이익을 무시하지 말라. 강한 권고에 응답함으로 많은 그리스도인들의 삶이 향상되었다. 바울은 강요적인 설교를 옹호했다. "너는 말씀을 전파하라 때를 얻든지 못 얻든지 항상 힘쓰라 범사에 오래 참음과 가르침으로 경책하며 경계하며 권하라"(딤후 4:2). 인간의 본성 중 하나는 같은 내용을 반복적으로 들을 필요가 있는 것이다. 봉사에 관한 권면과 봉사하기 원하는 소망이 믿는 자의 마음 속에서 교차할 것이다. 이런 종류의 설교를 계속하는 것은 권장할 만하지 않지만, 조심스럽고 계획있게 사용되면, 매우 훌륭한 결과를 가져올 수 있다. 제자 삼는 목회자에게 성도들의 하나님께 대한 헌신을 유지시키는 일을 돕는 데 이보다 더 좋은 수단은 없다.

하나님과 동행하도록 돕는 일에는 강한 권계가 요구된다. 무례하고, 반항적이며, 불순종하는 자들을 향한 대면은 반드시 있어야 한다. 지도자가 그들을 사랑한다면 대면할 것이다. 무례한 자를 대면하는 것은 회개의 영을 회복시키고 불순종하기로 작정한 자들을 교회로부터 축출한다.

게으르고, 무관심하고, 비협조적인 자들은 계속해서 적극적으로 행하도록 요청되어야 한다. 지도자들이 각 성도가 사역에 참여하기를 주장할 때, 바로 이것도 지도자들이 사랑을 표현하는 일이 된다. 책임감을 실행시키려면, 바울이 옹호하는 대로, 강한 권계가 거기에 포함되어야 한다. 이것이 사람들로 하여금 순종하도록 가르친다는 의미인 것이다.

마음이 약한 자들을 안위하라. 여기에 사용된 단어들은 행동을 구체적으로 묘사하고 이해를 증진시킨다. "안위"로 번역된 파라뮈디아는 "응원하다, 위로하다, 친밀하게 말하다"라는 뜻이다.[3] "마음이 약한 자들"로 번역된 올리고프쉬코스는 "염려하는, 낙심된, 겁을 내는" 등등의 의미이다.[4]

책임감에는 여러 면이 있는데 이 점은 사람들의 인식으로부터 숨겨져 왔다. 무례한 자를 권계하고, 약한 자를 안위하는 것이 책임감의 한 항목에 속한 것으로 여겨지지 않는 것이다. 사람들은 많은 이유들 때문에 하나님과의 동행을 그만둔다. 두려움, 염려, 그리고 실망은 강력범죄자들이다. 더욱 많은 그리스도인들이 주먹을 불끈 쥐고 반발하기보다는 이런 범죄들 앞에서 쓰러진다. 모든 사람들이 바로 이 세 가지에 쉽사리 넘어진다. 그런 경우에는 돌보아주는 다른 그리스도인들의 후원적인 격려가 필요하다.

이것은 지도층이 성도들을 보살피는 데 균형을 제공한다. 지도자들은 불순종하는 자를 대면하고 비협조적인 자에게 참여를 요청하며 감정의 소용돌이 속에서 고통스러워하는 자들을 도와줌으로써 그들에게 향한 지도자의 사랑을 증명한다. 약한 자를 안위하는 일이 지닌 매력에 관해서는 거의 논쟁이 없다. 교회 회중은 낙심한 자를 도와주는 일이 사랑이 충만하고 서로 돌보는 교회에 필수 불가결하다는 점에 일치를 본다. 또 다른 매력적인 특징은 많은 사람들은 대면하는 일보다는 격려하는 일을 더 잘하고 격려하기를 원한다. 제자 삼는 목회자는 대면과 격려가 동전의 양면임을 가르친다. 둘 다 사람들에게 순종하도록 가르치는 사역의 필수적인 내용이다.

힘이 없는 자들을 붙들어 주라. 이것은 별개의 부문이다. 강한 이들도 낙망하고 두렵고 어떤 때에는 염려한다. 하지만 그들이 약하다거나 자기 자신들을 돕지 못하는 부류라고는 말할 수 없다. 이 단어의 의미가 우리에게 도움이 된다. "붙들어 주라"라고 번역된 안테코는 "매달리는, 돕는, 관심을 갖는"이란 뜻이다.[5] "힘이 없는 자들"로 번역된 아스데네스는 "힘이 없고 아픈"이란 의미이다.[6]

책임감의 또 다른 차원은 자기 자신이 속수무책인 이들에게 관심을 쏟는 것이다. 그 약한 것이 감정적인 성질의 것이든, 육체적인 것이든 간에 교회는 스스로 서지 못하는 자들을 일으켜 주는 데 큰 역할을 해야 한다. 이 책임감은 쌍방간에 실행된다. 지도층은 회중에게 더 약한 교인들을 후원하는 책임을 감당하도록 요청한다.

한편, 도움을 받는 이들은 강건해졌을 때, 회중에 대해 사랑과 의무를 느끼게 된다. 곤란할 때 보살핌을 받은 정상적인 사람들은 이젠 자신이 오히려 곤란한 처지에 있는 자들을 돕고 싶다는 마음을 갖게 된다. 그것은 인생을 변화시키는 경험일 수도 있다. 무력하고 나약한 것이 어떤 설교나 권면으로도 해낼 수 없는 방법으로 사역을 감당할 수 있는 동기가 되는 것이다. 하나님은 과연 못나고 약한 것을 들어 쓰시는 분이시다.

대면이나 권계에 전혀 반응하지 않던 반항적이고 태만한 자들이 위기를 겪은 다음부터 변하게 된다는 것은 흥미롭다. 하나님의 사람들이 그들을 돕기 위해 모여들 때, 그들은 다른 이들 안에 역사하시는 하나님의 손길을 본다. 그들은 하나님의 능력을 경험한다. 그리고 생전 처음으로 교회는 그에게 의미가 있는 것이다.

또 다른 이익은 약한 교인이 보살핌을 받을 때 회중이 느끼는 보편적인 사랑이다. 그것은 지도자와 성도들이 보살피는 사람들이라는 확신을 낳는다. 각 사람은 만약 그가 도움이 필요하게 된다면, 그도 같은 사랑어린 보살핌을 받을 것임을 안다. 이것은 그리스도의 몸을 끈끈하게 연결하는 역할을 한다. 사람들은 서로 가까이 있게 된다.

책임감의 세 가지 명령된 행위들은 사랑하는 부모가 자녀를 팔로 감싸는 일과 같다. 그 팔은 권계하고 보호하고 훈육할 수 있는 힘을 공급한다. 그것들은 후원과, 다정한 격려와, 쓰러질 때 다시 세워주는 데 필요한 계속적인 능력을 제공한다. 그것들은 우리가 홀로 서지 못할 때 계속적인 보살핌을 준다. 그 팔은 우리를 안아주고 보호하고 인도한다. 그것이 책임감이다. 그것이 없다면 교회는 심각한 결점이 있는 것이고, 지도자들은 하나님과 동행하도록 성도들을 가르치는 수단이 없다.

소그룹과 제자 삼기

제자 삼기에는 세 가지 주요한 형태들이 있는데, 즉 대그룹, 소그룹, 그리고 일대일이다. 대그룹의 주요한 방법으로는 공식적인 강연 형태가 있다. 연극, 영화, 음악, 연설 등은 강력하게 의사전달을 하는 효과적인 수단들이다.

대그룹의 가장 커다란 약점은 사람들에게 그들이 무엇을 믿고, 왜 믿어야 하는가를 말해주는 데에만 사용하는 것이다. 이 방법은 개인적인 접촉과 섬세함이 부족하다. 대그룹의 의사전달자는 엽총을 쏘아대는 것과 같다. 즉, 그는 원리들을 뿜어내고, 뿜어진 원리들은 아무데나 떨어진다. 이것은 제자 삼기의 첫번째이고 중요한 단계이지만, 단지 시작에 불과하다.

일대일은 상당히 섬세한 조정을 제공하지만, 시간이 너무 많이 걸리고 개인 시간이 비효과적인 사용법이다. 일대일은 제자 삼는 과정에 중요하지만 그것을 일차적인 방법으로 생각할 때 문제가 발생한다. 일차적인 방법으로서의 일대일은 제자 삼기에 있어 낭비로 이끈다. 제자 삼는 사역자는 타당하지 못한 후보자들과 비생산적인 시간을 보내게 된다.

내 상품을 팔기 위해 500명 가운데 10명을 찾으려 한다고 가정해 보자. 내가 500명 전부를 면접하는 데 시간을 소모하고, 그 10명을 찾을 수도 있다. 그러나 요구되는 시간은 엄청날 것이다. 전체 그룹에게 상품과 세일즈맨에 대한 요구조건과 목적, 목표들을 설명했다면 훨씬 좋았을 것이다. 그런 후, 흥미있는 사람들은 면접을 하라고 할 수 있을 것이다.

위의 방법은 내가 한 도시나 캠퍼스를 이틀이나 사흘 정도에 걸쳐 방문할 때 사용하면 바람직할 것이다. 그런 경우에는 그 방법이 나에게 주어진 시간을 최선으로 이용하는 것일 것이다. 그러나 어떤 한가지가 빠지면 가장 적합한 10명을 선택했는가 하는 점이 의심스럽게 될 수 있다. 만일 내가 시간이 좀더 있다면(교회는 시간이 더 있다!), 내가 가장 적격인 10명의 판매사원을 얻을 것을 보장하는 그 한가지를 할 것이다. 바로 그 한가지란 3-4명으로 구성되는 소그룹을 일컫는다.

소그룹은 제자 삼는 사역을 위한 가장 효과적인 수단이다.

소그룹은 예수님이 모본을 보이셨다

예수님은 훈련을 위한 소그룹의 효율성을 보여주셨다. 그분은 많은 가르치심을 대규모적인 인파들에게 행하셨다. 오천 명을 먹이신 사건, 산상수훈, 하나님의 왕국에 대한 비유들, 그리고 제자도에 관한 가르치심 등등 이 모든 것이 대그룹을 대상으로 행하신 것이다. 예수님은 또한 일대일 양육도 많이 하셨다. 요한복음만 보더라도 25번의 개인적인 상담을 묘사한다. 예수님의 사역은 대그룹과 일대일 이 두 가지를 모두 포함했다.

그분의 사역의 여러 다른 기간들과 단계들에서 예수님의 추종자들은 500, 120, 70, 12명으로 나타났다. 그러나 훈련을 시키실 때에는 소그룹을 그분의 근본 수단으로 택하셨다. 그분이 12명을 "그와 함께하시기로" 택하신 사실이 바로 그 증거이다.

아무도 30명 내지 50명 아니 심지어는 25명이라도 "함께할" 수가 없다. 소그룹 구성원들의 숫자는 흥미로울 수 있는 충분한 다양성을 공급하면서도 방관자가 없을 만큼 작은 규모여야 한다. 예수님은 기능적인 이유 때문에 12명을 택하셨다. 그분은 질높은 훈련을 계획하셨고, 12명이 그 계획에 적합했던 것이다. 훈련 사령부인 소그룹으로부터, 예수님께서는 대그룹들에게 사역하셨고 일대일 양육 또한 하셨다. 소그룹은 예수님께서 제자들에 대한 가장 중대한 훈련을 희생시키시지 않으면서도 대중들과 개인적으로 오는 사람들을 상대로 사역을 계속하실 수 있는 적합한 무대를 제공했다.

소그룹은 적절한 사역의 흐름이 있게 한다

효과적인 그룹 사역은 세 가지 수단을 요구한다. 대그룹은 그리스도와 그분의 사역에 사람들이 관심을 갖게끔 할 뿐만 아니라, 감화와 동기가 일어나도록 사용된다. 그것은 사람들에게 무엇을 왜 하는가 하는 것에 대해 말해줄 수 있지만, 그런 후 그 효과는 소음을 내며 정지해 버린다. 참교육과 훈련은 보다 많은 것을 요구하기 때문에 다른 수단을 이용하라.

소그룹은 사람들을 그 다음 논리적인 단계로 인도한다. 만약 대그룹이 무엇을 왜 하는가를 말해줌으로써 사람들의 흥미를 끈다면, 소그룹은 어떻게 하는지를 보여주고 그들과 직접 실습을 해봄으로써 사람들을 훈련시킨다. 그런 후의 제자 삼는 과정의 다음 단계는 일대일 훈련의 섬세한 조정이 아니고, 기본적인 점들 위에 사람들을 세우는 일이다. 예수님께서는 제자들을 그와 함께하시기로 선택하시기 이전에 그

12명이 잘 세워질 때까지 기다리시고는, 그들에게 사역을 분부하시기 이전에 그들을 훈련시키실 목적으로 5개월을 더 보내셨다.

소그룹은 가장 가능성이 있는 제자 후보들이 부각되게끔 한다. 만약 사람들이 기초를 충실하게 습득하고, 하나님과 그룹에게 향한 자신들의 헌신을 지키면, 그들은 보다 많은 개인적인 관심을 받아야 한다. 어느 정도의 일대일 양육은 모든 그룹 구성원들에게 있어야 한다. 어떤 이들은 바르게 고침을 받기 위해, 또 어떤 이들은 약함이나 위기에 대처하기 위해 일대일 양육이 필요하다. 그러나 장래 사역에 대한 책임을 맡기려고 어떤 사람을 피훈련자로 삼는 일은 그 사람이 소그룹 안에서 자기 자신을 증명한 후에야 신중하게 결정되어야 한다. 사람들의 흐름은 전체 그룹원들을 깔때기 안으로 붓는 것과 마찬가지이다. 선택된 소수의 사람들만이 소그룹의 정제 과정을 통과할 수 있다. 정제되는 사람들은 지도층의 가장 적절한 후보들이다. 제9장에서 제자 삼는 목회자의 실제적인 일들을 다룰 것이다.

소그룹은 통제된 환경을 제공한다

어떤 사람에게 순종함을 가르치는 일은 교사측에서 교육환경을 통제하는 어느 정도의 능력을 요구한다. 교사는 학생의 진전 상태를 측정할 수 있어야 한다. 제자 삼기를 위해서는, 아무 것도 소그룹을 당해낼 수 없다. 그것은 사람들이 순종하도록 완벽히 가르치는, 즉 제자를 삼는 데 필요한 모든 요소를 갖추고 있다. 핵심적인 것으로는 기술개발, 대인관계, 책임감, 그룹전도 계획 등이다.

기술개발. 영적 은사를 보조하는 사역기술들은 효과적인 그리스도인을 형성한다. 그리스도인들은 성경에 대한 실제적인 지식과 기도에 관한 신뢰와 이해, 다른 이들과 자신의 삶을 나누는 것에 대한 이익과 그리스도의 메시지를 전달하는 능력에 관한 기본적인 기술이 필요하다.

소그룹의 통제된 환경은 이런 기술들의 개발을 측정하고 가르칠 수 있게끔 한다. 훈련의 핵심은 그룹 지도자의 태도와 능력이다. 그것은 물론 그가 받아온 훈련과 계속적인 개발에 의지한다.

그룹 구성원들은 그룹 논의가 있은 후 주어지는 매주 과제물에 의해 보강되는 기본적 성경공부 요령을 배운다. 성경공부의 마지막 단계는 보다 난해한 관건들을 연구하는 방법과 함께, 책별 분석법과 귀납적 연구방식을 가르친다. 성경공부의 목적은 두 가지이다. 그 방법으로는 구성원들이 스스로 말씀을 섭취할 수 있게끔 되는 것과, 성경의 주요 주제들을 이해하도록 하는 일이다.

그룹 구성원들은 기도하는 일과 2년에 걸쳐 제자훈련 그룹의 기도제목을 하나님께서 어떻게 응답하시는가를 계속 기록함을 통해 배운다. 이것은 기도의 효과를 특별한 방법으로 보여주게 된다.

기술개발의 또 다른 중요한 측면은 다른 사람들과 개방적인 자세로 삶을 나누는 것과, 실질적으로 다른 이들을 사랑하는 법과, 다른 이들을 도울 때 오는 이익을 경험하는 법을 배운다.

기술개발의 네번째 분야는 자신들의 간증을 하고, 불신자들과의 관계를 진전시키며, 기본적인 전도방법을 어떻게 사용하는지 배우는 전도이다. 이것은 대부분의 사람들에게 있어서 가장 어려운 부분이지만 결국에는 가장 커다란 상급을 받게 된다. 만약 그리스도인들이 전도하는 일에 계속 불편해 한다면 성경공부는 학문적이고, 기도는 지루하며, 교제는 피상적이다. 전도 없이는 교회는 실패만을 거듭했고, 그리스도인들은 실패만 하게 된다.

인간관계. 우리는 이미 지도력의 책임감을 살펴봤다. 여기에 소그룹은 동료들간의 압력이라는 또 다른 차원을 첨가한다. 보통, 이 주제는 10대들의 반항에 관련된 부정적인 인상을 떠올린다. 그러나 올바르게 도입되는 동료간의 압력은 하나님을 위해 크게 사용될 수 있다.

제자 삼기는 그룹 구성원들의 최대한도의 노력을 필요로 하는 훈련을 요구한다. 그것은 그들을 극도로 긴장시키고 그 결과, 부담감, 두려움, 그리고 때로는 그 그룹의 구속으로부터 도망쳐버리고 싶은 강렬한 욕구를 초래할 것이다. 자신의 영향력과 권위를 통해 지도자는 사람들이 그들의 헌신을 유지하도록 돕는 일에 최선을 다할 것이다. 그러나 지도자는 그런 일을 혼자서는 할 수 없으며, 질서를 지키고 공동의 가치관을 지지하기 위해서는 그룹 구성원들의 도움이 필요하다. 서로를 도와주고 격려하는 구성원들은 책임감의 가장 강력한 형태를 창출한다.

그룹이 시작되는 때에 헌신에 대한 충분한 설명이 있고, 각 구성원이 하나님과 자기 자신, 그리고 다른 구성원들을 향한 그의 헌신을 지키겠다는 약속에 서명을 한다면 그 그룹은 일치된 공동가치관을 공유할 것이다. 그러므로 그 그룹은 구성원들이 어려운 순간들을 극복할 수 있도록 도우려는 본래적으로 그룹 내에 존재하는 동료간의 압력이 있는 것이다.

이것은 개인의 성장에 큰 도움이 된다. 대부분의 사람들은 권위자보다는 동료로부터 받는 책망과 바르게 함을 더 잘 받아들일 것이다. 그런 결속은 대그룹이나 일대일 관계 안에서는 경험할 수 없는 것이다. 그것은 소그룹만이 지니는 특성이다. 그런 결합은 사람들로 하여금 성경공부를 하게끔 하고, 기도에 시간을 투자하며, 성경구절을 암송하고, 믿지 않는 자들을 전도 모임에 초대하고, 그들이 피곤해서 집에 있고 싶을 때 그룹모임에 나올 수 있도록 격려한다.

사람들은 일상적이고 어떤 때는 매우 어려운 삶의 전쟁터에서 성장한다. 영적 성장은 서서히 일어난다. 그것은 성경구절 암송, 기도시간, 성경읽기, 그룹에의 충실한 참여, 또는 자신들의 믿음을 다른 이들에게 나누는 것과 관련된 작은 매일매일의 전투들로 이루어진다. 도움 없이는, 정상적인 사람들은 계속적인 영적 성장을 유지할 수 없다. 그러므로, 그들은 위기나 특별한 사건들에 의해 야기되는 무질서하고 드문드문한 성장밖에 못한다.

전도 계획. 소그룹 내에서의 전도 훈련은 태도조절과 기술개발로 구성된다. 태도조절은 2년간에 걸쳐 자연스럽게 발전한다. 제자 삼는 그룹의 조정된 분위기 안에 참여하는 것만으로도 그의 관점이 변한다. 그리스도인들은 두 가지 쇠약하게 만드는 태도를 갖도록 세속문화에 의해 충분히 영향을 받기 때문에 그룹의 관점이 변화될 필요가 있다.

첫번째 태도는, 종교는 개인적인 것이고 다른 이들에게 그것을 강요하는 것은 무례하고 침해적이라는 태도이다. 두번째는, 그리스도인들은 세상과 분리되어야 하고 불신자와 아무런 의미있는 관계도 가지지 말아야 한다는 것이다. 안타깝게도, 이런 태도는 클럽이나, 사회적인 조직망이나, 이웃들과의 의미있는 접촉을 막는 결과를 낳는다. 평균적으로 그리스도인들은 친구 중에 불신자가 없다. 그러므로, 그들에게 있어서 믿음을 나눈다는 것은 사실상 그다지 의미가 없다. 대부분의 사람들은 직접적인 세일(방문 판매 따위)을 싫어하듯이 대부분의 그리스도인들도 대면적인 전도를 싫어하고 두려워한다.

많은 그리스도인들은 그들이 다른 사람들과 이야기할 수 있는 권리가 있다고 믿지 않는다. 설령 믿는다고 해도 얘기할 사람이 없는 결함을 지니고 소그룹의 제자훈련 환경에 들어온다. 소그룹의 장점은 이런 태도들을 도전하고 변화시킬 시간과 훈련을 제공한다는 것이다. 변화시키는 방법은 두 가지 요소로 이루어져 있다.

첫번째는 그리스도의 소식을 전파하는 그리스도인들의 책임과 권한을 가르치는 것이다. 이것은 성경공부, 토론, 심지어는 구성원들 사이의 논쟁 등을 포함해서 실행된다.

태도조절의 두번째 방법은 정신적 조절과 기술개발이다. 그리스도인들이 전도를 두려워하는 이유 중 하나는 그 방법을 모르기 때문이다. 소그룹은 새로운 방법 안에서 생각하도록 훈련하고 새로운 기술을 가르쳐 준다. 그 훈련은 다른 이들에게 초점을 맞추는 간단한 일들로부터 시작된다. 첫번째 단계는 전도를 자연적으로 방해하는 편협적인 이기심에 도전하기 때문에 작지만 중요하다. 이 첫째 단계는 다른 사람을 격려하는 것이다. 모든 사람이 그 첫번째 단계를 완료하기까지는 아무도 그 다음 과제를 할 수 없기 때문에 동료간의 압력이 사용된다.

저항은 거의 즉시 일어나게 된다. 동료간의 압력, 지도자의 권한, 그리고 그들이 서명한 약속을 통해 이미 그 일을 하기로 작정한 사실 등, 이 모든 것이 그 사람이 모험을 하도록 자극한다. 그런 이후의 과제는 개인의 간증을 쓰고 외우는 것으로 이어진다. 그 다음, 그들은 불신자에게 그들의 간증을 전한다. 그들은 여러 가지 전도방법에 대한 사용법, 즉 영적 문제에 대해서 어떻게 이야기를 시작하고 인도하는가, 그리고 전도행사에 그들을 어떻게 초청하는가 하는 점들을 배우는 것으로 발전한다. 그들이 배우는 다른 기술들은 어떻게 사람들을 교회내로 동화시키고 어떻게 새신자를 계속 돕는가 하는 등등이다. 이런 기술들은 기본적인 것이지만 대부분의 그리스도인들에게 혁명적이기까지 한 것이다. 그 일들은 사람들이 자신감 있고 효율적으로 전도하도록 한다.

또 다른 차원은 그룹이 전도를 함께하는 것이다. 그룹의 위력은 구성원들이 같이 참여한다는 사실이다. 그들은 마치 한 사람인 것처럼 실패도, 성공도 함께한다. 그러므로 그들이 전도를 계획할 때, 여러 가지로 성공을 정의한다.

첫번째로, 성공이란 불신자가 행사에 오게끔 하는 일에 최선을 다하는 것을 말한다. 개인이나 커플이 믿음 안에서 기도하고 믿음 안에서 어떤 사람을 초대하고 그 사람이 그 행사에 오도록 최선을 다했을 때 그들은 성공한 것이다. 또한 초대받은 사람이 나타나지 않더라도 사실상 그들은 성공한 것이다.

두번째로, 단체적인 성장이 있다. 만약 그룹 중 75%가 불신자를 행사에 참석토록 했지만 이를 위해 모두가 최선을 다했다면 그 그룹은

100%의 성공을 거둔 것이다. 내가 아무도 그 모임에 데려가지 못했더라도 내가 보다 더 큰 그룹의 성공에 일익을 담당했으므로 나도 또한 성공한 것이다. 2년의 기간이 완료될 때, 태도조절과 기술의 개발이 있었다면 그 그룹은 성공적인 전도를 할 것이다. 사람들이 이런 종류의 제자훈련 그룹으로부터 훈련을 마치면 그들은 효과적인 섬김을 위해 준비된 것이다.

전도훈련은 소그룹 제자훈련에 반드시 한 부분이 되어야 한다. 전도행위가 없다는 그 그룹은 자연적으로 죽음을 당하고 균형을 상실한 그리스도인을 생산할 것이다. 성경을 알고 다른 성도들과의 교제를 원하고 정기적으로 기도하지만 전도를 하지 않는 그리스도인들은 그리스도의 뜻을 막아서는 것이다. 그들은 이기적이며, 다른 이들의 꼬투리나 잡는 기독교의 한 집단을 형성한다. 그들은 마치 훈련되지 않은 군대와 같다. 그들이 오직 할 수 있는 막사, 훈련장, 집합소를 말끔히 청소하는 일에만 집착한다. 그들은 군대의 역사를 읽고 전투에 관해서는 말하지만 실제로 행동하라고 하면 무장도 되어있지 않고, 아무 것도 못한다. "맥케일 해군"이라는 예전의 TV 프로그램(제2차대전중 남태평양의 한 섬에 위치한 해군 함정의 선장인 맥케일과 그의 게으르고, 미련한 부하들간에 일어나는 일들을 꾸민 코미디-역자주)에 묘사된 것같이 그들은 웃음거리만 되는 것이다.

소그룹은 모든 것을 갖추고 있다. 소그룹은 제자 삼는 목회자에게 사람들이 순종하도록 가르치는 최선의 방법들을 제공한다. 그것을 효과적으로 사용함으로써, 제자 삼는 목회자는 사람들이 제자가 되는 과정을 무사히 통과하도록 하는 적합한 사역의 흐름을 제공할 수 있다. 그는 사역기술, 인간관계, 책임감, 전도기술 등을 사람들에게 훈련시키기 위한 통제된 환경을 소유하고 있다. 거기에 덧붙여지는 또 한가지의 이점은 소그룹은 제자양육을 위해 이미 마련된 훈련 장소라는 점이다.

제자 삼는 이들을 훈련시키는 일. 2년간의 소그룹 훈련기간이 끝나게 되면, 각 구성원은 자신의 영적 성장을 위한 그 다음 논리적 단계로의 진전을 위한 평가를 받게 된다. 소그룹 훈련과정의 수료는 결승점에 도달한 것이 아니라, 결실을 맺는 사역을 향한 출발점인 것이다. 그룹과정을 마친 사람들 중의 소수가 지도자가 될 것이다. 그들은 제자 삼는 지도자가 되는 필수 요건들을 갖춘 것이다. 제자 삼는 자는 그 단어가 의미하듯, "제자를 양성하는 사람"이라는 뜻이다. 그런 사람을 위한 가장 훌륭한 훈련은 바로 그 자신들이 소그룹을 지도하는 것이다.

다른 사람들을 가르칠 때, 그가 배운 모든 것은 새로운 의미가 부여된다. 그가 제자가 되는 일에 힘이 되어준 진리들과 환경과 역동성 등이 이제 그가 다른 이들을 가르치는 특권이 되는 것이다. 2년 동안 제자훈련 그룹의 구성원이 되고, 그 다음 2년 동안 지도자로서 그룹을 인도한 후에는, 훈련된 제자 삼는 자는 그 원칙, 기술 그리고 제자 삼는 과정에 대한 확신의 시간을 가지게 된다.

직접 실행해 보는 훈련이 최선의 훈련이다. 예수님께서는 훈련의 보다 나은 방법으로서, 제자들을 사역으로 귀환시키시는 본을 보이셨다. 이런 일은 두 가지를 성취시킨다. 즉, 그들을 제자 삼는 자들로 훈련시키고, 동시에 이로 인해 사역이 필요한 이들에게 더 많은 사역을 제공한다. 예수님은 여섯 단계 교수법을 보여주셨는데 여섯 단계란 "사실을 가르치라", "이유를 설명하라", "방법을 보여주라", "함께 행하라", "스스로 하게 하라", "일을 맡기고 파송하라"이다. 2년간의 제자 그룹은 위의 세번째와 네번째 단계에 속한다. 훈련받는 제자 삼는 자는 반드시 다섯번째, 여섯번째 단계도 경험해야 한다. 훈련그룹을 지도하는 일은 그들로 하여금 스스로 하게 하는 것이지만 그것은 부분적인 배치일 뿐이다. 직접 경험하는 것보다 더 좋은 훈련방법은 없다. 소그룹은 그런 훈련을 할 수 있는 가장 좋은 환경을 공급한다. 제자 삼는 목회자는 땅 끝까지 전도하기 위해 사람들을 훈련시키라는 그리스도의 명령을 순종하는 일에 소그룹이 절대적이라고 생각한다.

목양 사역의 분산

제자 삼는 목회자의 목양사역 분산에 대한 확신과 실행은 신약의 가장 완벽한 목회 직무 내용서인 에베소 교회에 보낸 바울의 서신서에 나타나 있다. 그 본문의 중심 주제는 지도층의 역할이 하나님의 백성들로 하여금 그들의 사역을 감당하도록 준비시키는 일이라는 것이다. 그 사역의 일환인 목양사역은 목회자 혼자에게만이 아닌, 그리스도의 전체 몸에게 주어진 일이다. 사실, 대체로 목양 은사와, 전문적인 훈련과, 열망이 가장 부족한 자가 목회자이다.

이전에 우리는 "목회자"라는 단어와 목회자의 직무 사이에 구별을 두었다. 목회자라는 단어의 의미는 "인도하고, 보호하고, 먹이며, 양떼를 위해 전반적인 책임을 지는 것"을 뜻한다. 보살핌이란 뜻은 "사람들과 그들의 필요에 세심한 관심을 쏟는 것"을 말한다. 목회자란 단어와 보살핌을 함께 연결함으로 인해서, 몇 가지 오해가 생겼다. 예를 들면, 목회자의 직무를 담당하는 사람은 목양의 은사, 즉 자비를 베풀고, 도와주며, 격려하고, 나누어주는 등등의 은사가 있다고 결론을 내린다. 하지만 사실은 그 정반대이다. 목회자의 직무를 맡은 대부분의 사람들은 지도력, 가르침, 행정, 권면 등의 은사가 있다. 그들은 전형적인 목양사역 분야에는 강하지 못하다. 그들은 사람들이 그런 일을 기대하기 때문에 그 일을 한다. 자비를 베풀고, 돕고, 영을 분별하고, 나누어주는 등등의 은사를 지닌 사람들은 그런 사역을 하기에 적합하고 그런 사역을 담당하려는 의욕이 있다. 그러한 사역이 그들에게는 자연스러운 것이다.

목양사역의 전형적인 정의는 상담, 병원 방문, 그리고 위기 중재 등의 역할에 관한 것이다. 사역분산의 가장 극단적인 지지자들도 사역자가 위의 항목들로부터 완전히 손을 떼라고는 하지 않는다. 목양사역의 분산화는 목회자의 직무를 맡은 사람이 그 사역들을 더 이상 하지 않는다는 뜻이 아니다. 그것은 목양사역이 목회자들의 주된 책임인가, 즉 그것이 사역자만의 유일한 영역인가 하는 것에 대한 정도의 문제이다. 필자는 아니라고 강력하게 믿는다.

목회자는 병원 방문을 하는가? 때로는 한다. 그렇다면 병원의 모든 이들을 방문하는 것이 그의 일인가? 확실히 아니다. 목회자의 역할은 목양의 은사를 받은 사람들이 그 책임을 담당하도록 내보내는 것이다. 목회자는 경우의 심각한 정도를 봐서 그가 개인적으로 관계할지 아닐지를 측정할 때, 일반적인 상식을 사용한다. 동일한 원리가 상담, 심방, 애도하는 일뿐 아니라 위기, 또는 그와 유사한 경우들에 관련하는 것에도 적용되어야 한다. 목회자의 개인적 참여의 필요성은 경우의 심각도, 사람들이 이미 받은 도움의 여부, 그리고 그 이외 많은 요소들에 의해 측정되어야 한다. 그러나 목회자의 역할이 그런 사건들마다 참석하는 것이고, 그렇게 하지 않으면, 그 목회자는 관심도 보이지 않는다는 생각은 교회와 목회자를 나약하게 하고 은사를 받은 그리스도인들로부터 사역의 기회를 도적질하는 사악한 유언비어인 것이다.

목양사역: 전체 그리스도의 몸이 담당하는 사역

바울은 지도자의 역할이 하나님의 사람들로 하여금 봉사의 일을 하게끔 준비시키는 일이라고 가르친다. "… 혹은 목사와 교사로 주셨으니 이는 성도를 온전케 하며 봉사의 일을 하게 하며…" (엡 4:11, 12). 얼마나 많은 사람들이 봉사 사역에 관련되어야 하는가? "그에게서 온 몸이 각 마디를 통하여 도움을 입음으로 연락하고 상합하여 각 지체의 분량대로 역사하여 그 몸을 자라게 하며 사랑 안에서 스스로 세우느니라" (엡 4:16).

모든 그리스도인들이 전체 노력의 부분을 이루어야 한다. 그 몸의 온전한 잠재력은 각자가 그의 은사를 사용할 때만 실현된다. 목양사역은 그 몸에 주어진 봉사의 일들 중에 한 부분이다. 하나님은 그 사역을 목회자에게만 주신 것이 아니라 전체 몸에게 담당시키셨다. 더 자세히 말하자면, 그 사역은 보살핌의 사역에 대한 은사가 없는 자에게보다는 은사를 받은 자에게 주어진 것이다. 설교를 통한 권면은 설교와 가르침의 은사를 받은 자들을 향한 것이다. 모든 그리스도인들은 그리스도를 전할 책임이 있다. 그러나 어떤 사람들은 그 일에 대한 특별한 은사가 있다. 모든 그리스도인들은 서로를 향해, 그리고 불신자들에게까지도 보살핌을 베풀어야 한다. 그러나 어떤 사람들은 그 일에 대한 특별한 은사가 있다.

종종, 보살핌의 은사가 있는 사람들이 담임 목회자나 전담 사역자들이 아닌 경우가 흔하다. 물론 모든 그리스도인이 서로를 돌보아야 하듯 교역자들도 그렇게 해야 한다. 하지만 그들이 그 보살핌의 사역에 가장 적합할 것이라는 기대감은 비현실적이고, 비성서적이다. 그들의 임무는 진정 적합한 성도들을 훈련시키고 내보내는 것이다.

목양사역은 공동체적 책임이다. 전체 팀이 그들의 은사를 조화시켜 그 사역을 감당한다. 지도자는 어떤 돌봐주어야 할 필요에 대해 듣고, 회계는 돈을 계산하고, 보살피는 사역자가 그 돈을 전달하고, 또 자동차 수리 전문가는 그 가정의 차를 수리해 주는 일을 한다. 지도자, 회계, 보살피는 사역자, 또 자동차 수리 전문가는 각각 한 부분씩을 담당하고 함께 돌보아주지만 모두가 도움이 필요했던 사람과 직접적인 접촉이 있는 것은 아니다. 담임 목회자를 포함한 어느 한 지체만으로는 그 사역을 감당할 수 없기 때문에 목양사역은 온몸에게 주어진다.

왜 목양사역의 분산이 중요한가?

교회 목양사역의 분산은 하나님의 계획이다. 그것은 더욱 많은 사역자들이 일하는 것을 의미하며, 그러므로 사람들이 더 좋은 보살핌을 입을 수 있다. 교회는 무엇을 원하는가? 즉, 훌륭한 목양사역인가, 아니면 목회자가 그 사역을 하는 것인가? 양쪽 모두 될 수는 없다. 담임 목회자가 목양사역의 상황들의 방대한 범위를 직접 관리하고 현장에 나타날 것을 기대할 때마다, 또한 기대되는 곳마다 두 가지의 좋지 못한 일이 발생한다.

첫째, 그 담임 목회자는 그 사역을 그가 원해서 하는 것이 아니라 다른 사람들이 기대하기 때문에 한다. 이것은 환자 심방, 가정 심방, 그리고 다른 해야 하는 의무들에 대한 환멸을 초래한다. 교인들은 그것을 전혀 깨닫지 못할지도 모르나, 많은 목회자들은 보살핌에 대한 이러한 제조된 압박을 강하게 느낀다. 교인들은 어떤 사람이 도움을 필요로 한다고 들었을 때, "목회자가 그것에 대해 무엇인가 해야 한다"는 생각에서, 너무도 자주 교회로 전화부터 한다. 지금껏 사람들이 순종하도록 훈련되어 온 묵계는 "목회자는 성도들을 보살피기 위해 봉급을 받는다"는 생각이다. 이것은 교인의 잘못이 아니라, 그들이 받아 온 훈련에 문제가 있다. 어떤 이들은 성도들은 교역자들처럼 사역을 하기에는 그들의 능력이 부족하다고 가르쳐 왔다.

도움이 필요한 자들에게 즉각적으로 교인들 스스로가 도울 수 있게 되는 변화가 절실하게 필요하다. 교회로 전화하는 것은 이차적이며, 소식을 알리기 위한 목적이 되어야 한다. 모든 다른 도움들이 소용없게 되었을 때, 비로소 교역자의 도움이 요청되어야 한다. 현재와 같은 체계하에서는 일반적으로 은사가 없거나 그런 일을 담당하도록 되어있지 않은 영역에 주요한 책임을 지고는 목양사역을 혼자 감당하도록 요구된다.

교역자가 모든 필요를 일일이 알지 못하기 때문에 이런 사고방식은 많은 도움이 필요한 사람들로 하여금 도움을 받을 수 없게 만든다. 그런 기대감은 한 교역자들을 그들이 주요한 사역을 담당하는 것을 가로막는다.

솔직히, 전체 교회의 90% 정도는 교역자라고는 목회자 한 명만 있다. 그 전체 구조는 현대 교회의 심각한 약점이다.

두번째 나타나는 좋지 못한 일은 많은 은사있는 사역자들이 목양사역팀에서 제외된다. 그들은 결코 만족할 정도로 충분히 잘 보살피지 못한다. 20명의 은사있고 애정어린 성도들이 환자를 방문한다고 해도 현재와 같은 체계 속에서는 목회자가 올 때까지는 그 환자는 심방을 받지 못한 것이 된다. 이런 식의 사고방식은 일반 성도들의 목양사역을 움츠러들게 만든다. 현재와 같은 체계하에서는, 그들은 오직 이류급 사역자들이다.

전문교역자들은 도저히 승산 없는 상황 안에 있는 자신들을 발견한다. 만약 그들이 그 체계를 변화시키려고 하면 그들은 차갑고 보살피지 않는다는 비난을 듣게 된다. 하지만 만일 그런 체계를 계속 방관한다면, 나약함과 비현실적인 기대들을 창조하는 비성서적인 환경에 기여하는 꼴이 되고 만다. 그것은 또한 목회자의 가장 중요한 일로부터 목회자를 가로막는다.

목양사역의 분산은 다음 두 가지 이유에서 필수적이다.

목회자의 적합한 사용. 목회자는 장래를 예언하는 선지자도 아니고, 하나님께 백성들을 대신하는 제사장도 아니며, 사람들을 치료하려고 그들의 과거로 심리학적 여행을 안내하는 상담자도 아닌, 무엇보다도 성도들을 훈련시키는 자이다.

교회가 어떻게 목회자를 사용하는가가 그 교회사역의 질을 판가름할 것이다. 만약 교회가 보편적인 목사의 전형적 목회자의 예를 따를 것을 선택한다면, 사역자들은 훈련되지 않고 사역의 질은 그대로 낮은 수준에 머물 것이다.

이에 반해, 만약 그 교회가 목회자로 하여금 성도들을 사역을 위해 준비시키도록 강력히 요구한다면 사역자들은 훈련을 받고 사역의 질은 높아질 것이다.

목회자의 일은 어떤 사역을 왜 하는가를 선포한 후, 자진하는 모든 교인들이 그 사역을 담당하도록 훈련시키는 것이다. 그 다음에 그는 그 사역을 관리해야 한다. 선포, 훈련, 그리고 관리, 그것들이 바로 목회자가 소명받은 일이다. 목회자 자신이 봉사에 중점을 두도록 요구하는 것은 그의 역할을 하찮게 만들고 그리스도의 온몸의 기능을 방해한다.

복음적 교회들은 비극적으로 목양사역에 대한 재능을 낭비한다. 열정적이고 잘 훈련된 청년들이 전형적인 체계에 의해 남용당하고 있다. 그들은 팔방미인이 되도록 요구당하고, 그들은 실패하고 있는 것이다. 그들의 삶은 목회의 신실함으로 향하는 주요 도로에서 이탈된 곁길의 연속이다. 그들은 AWANA(AWANA란 세 살 난 아동부터 고등학생에 이르기까지 기독교 교육 프로그램을 실시하는 단체 - 역자주)의 저녁식사와, 주일학교 파티들, 기독교인 수양회 모금운동, 여름 성경학교, 그리고 조찬 성경공부 등에 참석하여 직무를 수행하는 자신들을 발견한다. 게다가 거기에다 모든 위원회의 모임에 목회자가 참석하기를 원하는 교인들의 기대를 더하게 되면 바로 전형적인 목회사역의 형태가 된다. 가장 어렵고 나약하게 만드는 기대는 목회자가 교인 한 사람, 한 사람의 요구와 요청에 반응해야 한다는 것이다. 만약 어떤 사람이 도움이 필요하면 그 필요를 채워주는 것이 그의 의무가 된다. 만약 그가 모든 것을 뒤로 하고 교인이 기대하는 그런 모습으로 나타나지 않으면, 그 목회자는 사랑이 없고 관심도 없으며 일신의 유익만을 위해서 목회를 한다고 여겨진다.

나약하게 하는 다른 측면은 은사가 없는 영역을 영적인 나약함으로 여기는 일이다. 이것은 비현실적인 기대감들 때문에 발생한다. 목사가 모든 것을 할 수 있고 또 해야 한다고 확신하는 사람들이야 그다지 많지는 않지만, 전체 교인들의 입장에서 보자면 정확히 그런 기대가 되어 버리는 것이다. 슬픈 일이지만 대부분의 목회자들에게 이것이 바로 실패를 가져다 준다. 그가 교인들의 기대를 충족시킬 수 없기 때문에 그 목회자는 실패한다. 또한 성경적인 기대들에 부합된 삶을 살지 않으므로 실패한다. 즉, 그는 교인들을 기쁘게 하지 못하기 때문에 실패하고, 또 하나님을 기쁘시게 하지 못하므로 실패한다. 그는 초인간적인 목회자가 아니기 때문에 교인들에게 실패한다. 그가 교인들을 봉사 사역을 위해 준비시키지 않으므로 하나님 앞에서 실패한다. 이것은 하나님의 기준으로 볼 때 비극인 것이다.

신학교, 교단의 지도층, 그리고 지교회들은 목회자상을 다시 생각해야 한다. 교회가 준비되도록 인도하는 사역철학과 형태를 개발시키도록 목회자들을 돕는 진정한 노력이 있어야 한다. 일반적인 교인들이 감화받고, 훈련받고, 사역에 배치될 때까지 교회는 나약하고 이기적인 모습으로 계속 남아 있을 수밖에 없다.

그리스도의 몸의 적절한 사용. 목회자를 하찮은 존재로 만들고, 남용하며, 낭비하는 비극은 전체 그리스도의 몸의 경우에도 마찬가지이다. 이런 낭비는 보편적인 목회자가 되어버릴 목회자와 그것을 용납할 회중이 있을 때 생긴다. 두쪽 다 그런 일을 계속되게끔 만든다. 그런 관계는 둘 중 어느 한편이라도 변화의 필요성을 주장함으로 해서 깨어질 수 있다.

목회자들은 사람들이 사역을 위해 훈련되어야 한다고 주장함으로써 그 상황을 변화시킬 수 있다. 그것은 "창을 나르는" 사역 그 이상을 의미한다. "창을 나르는" 사역이란 목회의 슈퍼스타들이 자신들의 공연이 가능하게끔 하기 위해서만 평신도들을 부리는, 어떤 기술을 필요로 하지 않는 일들이다. 필자는 어떤 사역은 중요하지 않고 어떤 사역은 필수 불가결한 것이라고 규정짓지 않으려고 조심한다. 그러나 필자는 사람들이 사역하도록 준비시키는 것은 의자를 치우고 잔디를 깎고 주보를 나누어주는 일보다 더 뜻이 있다고 말하려 한다. 물론 이런 일들은 중요하다. 그러나 그것은 하나님의 사람들을 봉사 사역을 위해 준비시킨다는 뜻은 아니다. 바라건대, 위의 일들은 사역의 에베레스트산이 아니고 한 사람의 충성도를 시험하는 시험장이기만을 원한다.

전형적인 목회자상의 남용적인 성격은 하나님의 사람들을 이류급 사역자들로 다룸으로 그들을 낭비시켜 버렸다. 그들은 설교 같은 중요한 일을 하도록 성직자들에게 자유를 줌으로써 성직자들을 도와줄 수 있다. 목회자가 설교를 준비하는 시간을 갖는 것이 중요한 일인 반면, 의미심장한 사역은 전문 성직자들의 이익을 위한 것이 아니고 사역자와 도움이 필요한 사람들의 이득을 위한 것이다.

사역분산이 지향하는 목표는 에베소서 4:16의 총괄적인 그림인데, 이것은 즉, 하나님의 목적을 향해 다 함께 손을 모아 각자가 그의 의무를 담당하는 것이다. 그 그림은 또한 사람들이 만족하고 생산적이 될 것이며, 교회가 성장해서 그 자체를 세울 것이라고 가르친다. 이것이 목회자가 교회를 위해서 베풀 수 있는 최선의 사랑이다. 왜 사역자로서의 목회자와 방관자로서의 회중이 하나님을 슬프시게 만드는가? 그 이유는 목회자는 탈진하고, 교인들은 녹쓸어 버리기 때문이다.

그리스도의 몸의 적절한 사용은 이루어질 수 있는 것이다. 목회자의 책임은 비전을 선포하고 성도들로 하여금 사역을 감당하도록 감화시키는 일임을 기억하라. 그런 일에 훈련이 따르고, 그 후 경영관리가 필요하다. 사람들이 어떻게 사역하는지 배우기 전에 훈련을 위한 수단이 존재해야 한다. 그렇지 않으면 목회자는 그들에게 순종하도록 가르치는 것이 아니라 순종하라고 말만 하는 격이 된다.

기본적인 사역기술들을 익히도록 사람들을 훈련시키는 것과 새 지도자들을 육성하는 일을 위해서, 필자는 소그룹을 주요 수단으로 옹호해왔다. 목양사역에 대한 훈련을 위해서는 40-70명 정도의 장년들로 구성된 교회의 부그룹을 제안하고 싶다. 이 부그룹은 사람들로 하여금 서로 사랑하는 법을 배우고 공동체로서의 감정을 개발시키는 일에 도움을 줄 것이다.

그런 그룹을 우리는 소형 회중이라고 이름지었다. 첫날부터, 우리는 회중에게 전체 교회의 크기에 상관없이 그들은 항상 보다 작은 소규모의 교회 구성원들이 될 것임을 약속했다. 그 소형 회중은 구성원들에게 다른 이들을 보살피는 일에 고유의 훈련 경험을 제공한다. 사람들은 도움이 필요한 부분을 채우는 일에 창조력을 발휘하도록 격려받는다. 또한 사람들의 필요들이 공개적으로 논의되어서 구성원 자신들이 도울 수 있는 사람들을 알도록 해준다. 소형 회중의 어떤 사역들은 기도 연결망과, 환자를 위한 식사 제공, 성찬식, 침례(세례)식, 병원 방문, 교제, 그리고 알코올 중독과 폭력 가정들을 위한 후원모임들을 포함한다. 예전에는 성직자들에게만 떠맡겨졌던 많은 사역들이 평신도 사역자들에 의해 담당된다. 그들이 침례(세례)를 주고, 성찬식을 거행하며, 환자들을 심방하고, 그들을 위해 기도하며, 심지어는 아이들을 위한 결단의 시간을 인도하기도 한다.

소형 회중은 지도팀에 의해 운영된다는 점에서 특별하다. 거기에는 팀장과, 회계, 교사, 병원 심방 감독자, 환영하는 이들, 교제를 위한 의장, 소그룹 진행 책임자 등등이 있다. 사람들은 소형 회중에 참여하도록 권유받지만, 아무도 그들을 강제로 참여시키지는 않는다. 즉, 사람들은 자신이 원하기 때문에 참여한다. 하나의 그룹이 시작되기 전에 훈련이 실시되며, 또한 이것은 제자들에게 훌륭한 훈련장을 제공해 준다. 그런 시스템의 특징은 바로 교회의 크기와 상관없이, 각 구성원은 자신의 이름을 알고, 그가 결석한 경우를 안타깝게 여기는 그룹의 일원이 된다는 점이다. 만일 필요가 생기면, 그 필요를 알기에 충분한 가까운 사이에 다른 이들이 있는 것이다. 사람들은 초대교회에서 있었던 진실된 나눔 같은 공동체에 참여할 수 있게 된다. 교인들은 더 이상 밤중에 그저 스쳐가는 배들과 같지 않게 된다.

거의 모든 경우, 그 교회의 목양사역은 개선된다. 그 교회는 많은 것을 얻기 위해 적은 것을 포기한다. 즉 교인들은 은사를 받은 많은 이들의 재능 있고 깊은 심중으로부터 나오는 도움을 받을 수 있기 위해 목회자의 개인적인 관심을 포기한다. 목회자는 그러한 상황들로부터 제외된 것이 아니라, 더 이상 그가 주요한 책임을 가지고 있지 않을 뿐이다. 그의 직무는 은사 있는 사역자들이 가장 적합한 곳에서 사역을 하도록 환경을 조성하고 훈련을 제공하는 것이다. 다시금 말하거니와, 제자 삼는 목회자는 비전을 선포하고 성도들이 사역을 감당하도록 감화시킨다. 그런 후 그는 훈련을 제공하고 마지막으로 그 사역을 관리한다.

하나님의 명백한 명령에 순종하는 것은 목회자의 사역을 무미하게 만드는 잡다한 일들로부터 목회자를 자유케 한다. 그는 하나님이 그에게 부여하신 일, 즉 하나님의 일을 위해 성도들을 훈련시키는 일을 한다. 그는 그가 자신의 삶을 하나님의 뜻에 맡긴다고 생각한다. 일반적인 모습에서 제자 삼는 목회자로 탈바꿈한 많은 목회자들은 깊은 마음의 기쁨을 체험한다. 처음으로, 그들이 성경에서 읽은 것과, 신학교에서 배운 것과, 그리고 그들이 교회에서 경험하는 것이 일치한다. 훌륭한 결실을, 더욱 풍성한 영원히 없어지지 않을 결실을 위해, 모든 것이 이치에 들어맞고, 투쟁하고 적응할 만한 가치가 있으며, 심지어는 다른 이들과의 논쟁마저도 그 가치가 있는 것이다.

목양사역의 분산이 목회자에게 좋은 것이라면, 성도들에게는 더욱 좋은 것이다. 그것은 사람들에게 영적인 자존감을 획득하는 방법을 제시한다. 너무도 오랫동안, 성도들이 사역을 감당하도록 훈련받는 일이 평신도들로 하여금 잡다한 일이나 하게 만드는 것처럼 여겨져 왔다. 강단에서의 설교가 마치 훈련인 양 가장되고 목회자/연사들이 목회자/교사들처럼 가장해 왔음을 의미한다. 또한 그것은 평신도를 "창 나르는 자" 즉 이류급의 사역자로 취급함을 의미했다.

제자 삼는 목회자가 자신의 일을 해나갈 때, 성도들은 차별적인 사역의 짐으로부터 구출되고, 하나님께서 뜻하신 일을 하도록 구속에서 벗어난다. 그것은 현재 복음주의자들 가운데 필수적으로 요구되는 사역의 개혁이다. 목양사역의 분산은 에베소서 4장에서 나오는 보살피는 손길에 대한 그 이상의 것도 아니다. 그것은 동정심에 강조점을 둔 배가생산이며, 그것은 그리스도의 몸이 실행하는 지상명령의 원리이다.

제자 삼는 목회자는 목양사역의 분산이 당연히 올바른 것이므로 자신을 그 일에 헌신한다. 바울의 목회 본보기를 따라, 목회자는 그가 기대하는 목표를 발견하며, 합력하는 몸은 성숙해지고 효과적이 된다. 제자 삼는 목회자는 선택의 여지가 없다. 오직 제자 삼는 목회자의 특성에 의해 이러한 만족할 방향으로 교회를 인도해야 한다.

필자는 축약된 형식으로 제자 삼는 목회자를 묘사하는 데 자주 어려움을 느낀다. 하지만 꼭 필요하다면, 필자는 세 단어로써 전체의 윤곽을 잡는데, 그것들은 확신, 기술, 그리고 의도적이라는 단어들이다.

제자 삼는 목회자는 제자 삼는 사역에 열정적이다. "확신"은 온전한 가르침을 받은 결실이다(눅 6:40). 어떤 이가 어떤 의견에 대해 의미심장하게 느낄 때, 다른 이들을 실행하게끔 움직이는 것은 자연스러운 일이다. 제자 삼는 목회자는 강력한 확신에 바탕을 둠으로 다른 이들을 감화시킨다.

두번째 단어는 "기술"이다. 확신에 고취되어 제자 삼는 목회자는 자신이 맡은 임무를 성취하기 위한 적합한 사역기술을 개발하고자 추구한다. 그는 다른 사람들의 훈련과 기술개발을 강력하게 옹호한다. 제자 삼는 목회자는 기술개발이 그리스도께 헌신하는 것 다음으로 중요하다는 사실을 깨닫는다. 사실, 그리스도께 헌신하는 것과 기술개발은 그리스도의 뜻을 행하기 위해서 어깨를 나란히 하는 것들이다. 제자 삼는 목회자는 메시지를 선포하고 성도들을 훈련하며 결과를 관리하는 기술을 소유한다.

세번째 단어는 "의도적인"이다. 제자 삼는 목회자는 목표를 가지고 그 목표를 향해 정진한다. 그는 가장 좋은 뜻에서 신중하고 빈틈없으며 정확하다. 성서로부터 나온 구체적인 목표들이 추진력이 된다. 제자 삼는 목회자는 지도를 가지고 출발지를 떠나 목적지에 도착할 때에 분명히 그 사실을 안다. 안타깝게도 많은 목회자들이 그저 원을 그리면서, 오직 그의 목표들은 그런 궤도 위에 머물면서 사람들을 기쁘게 해주는 사역적인 삶을 유지해 왔다.

확신에 의해 동기를 갖고 사역기술로 무장하며 실천하는 점에서 의도적인 것, 바로 이 같은 세 가지 특성들이 제자 삼는 목회자의 특성이다. 많은 성공적인 사람들이 이와 같은 성격을 띠고 있음을 상기하라.

제 8 장

코치로서의 목회자

이전에 필자는 오늘날 코치의 역할이 다른 어느 것보다도 목회자의 일과 매우 흡사하다는 논제를 폈었다. 원리에 있어서, 목회사역은 코칭과 동일하다. 즉, 목회자는 사람들에게 무엇을 왜 하는 것인지를 말해주고 그 배운 바를 실행하도록 그들을 도와주어야 한다. 엘톤 투루블러드(Elton Trueblood)는 "코치의 능력은 다른 사람들의 능력을 발견하고, 개발시키며, 훈련시키는 점에 있다. 그런데 이것은 우리의 사역에 적용할 때 정확히 우리가 의미하는 바인 것이다."[1]

이 역할은 고대의 모델을 바탕으로 세워졌는데, 바로 예수 그리스도시다. 그리스도께서 제시하신 교육의 본보기는 현대의 코치의 일이 목회자의 일과 유사하다는 것을 뒷받침한다. 목회자/교사는 길 건너편 교회의 성공적인 동료보다는 선생으로서의 그리스도를 모방할 것을 권고받는 것이다. 예수님께서는 제자들에게 많은 것을 가르치셨다. 그분이 제자들에게 가르치신 것들은 필수 불가결한 것들이다. 그들을 가르치신 방법 또한 필수적이다. 예수님의 교수법을 표현하는 데에는 여러 가지가 있는데, 필자가 선택한 방법에는 여섯 단계가 있다.

"사실을 가르치라"
"이유를 설명하라"
"방법을 보여주라"
"함께 행하라"
"스스로 하게 하라"
"일을 맡기고 파송하라"[2]

필자는 그리스도의 가르침 중 한 요소를 가지고 그 여섯 단계를 따라가 보기로 한다. 그 여섯 단계는 성경이 묘사하듯이, 바울이 옹호하듯이, 그리고 예수님께서 보여주셨듯이 진정한 가르침이다. 선택한 요소는 지상명령의 방법론이다.

예수님은 주님의 나라에 대해 확신을 가지고 계셨으며 십자가를 통해서 당신의 그 확신을 나타내 보여주셨다. 간혹 우리는 예수님이 특별한 방법론의 중요성에도 깊이 마음을 두셨다는 사실을 잊어버린다. 바로 이 점이 제자 삼는 목회자와 일반 목회자가 정확하게 나뉘어지는 곳이다. 예수님께서 그의 추종자들에게 어떻게 이 방법론을 그들의 마음 속에 불어넣으셨는지 복습하기로 하자.

"사실을 가르치라." 지상명령은 각 복음서에서 한 번씩 그리고 사도행전 1장에서 한 번 제시되었다. 강조가 덜 된 이유는 십자가 사건 이전에 지상명령이 이미 주어졌기 때문이다. 사역을 위해 훈련하는 처음 넉 달 동안, 예수님께서는 그분의 처음 다섯 제자들로 하여금 사역의 성격이 무엇인지 알게 하셨다. "와 보라"는 단계는 요한복음 1:35-4:46에 기록되어 있다. 그러나 공관복음서에는 그것이 나타나 있지 않다.[3]

예비적 사명들. 넉 달간의 소개 단계가 끝날 무렵, 예수님은 처음으로 그분 앞에 놓인 과업에 대해 언급하셨다. "너희가 넉 달이 지나야 추수할 때가 이르겠다 하지 아니하느냐 내가 너희에게 이르노니 눈을 들어 밭을 보라 희어져 추수하게 되었도다"(요 4:35).

그분은 넉 달간 흥미진진하게 초자연적인 것을 경험한 그 옥토에 씨앗을 뿌리셨다. 이 넉 달 직후, 제자들이 어부잡이의 생활로 되돌아간 것은 잘 알려져 있다.[4] 그 씨앗은 뿌리를 내리기 시작했고, 그들은 다른 이들에게 메시야와 그분의 왕국에 관해 전파하는 것의 중요성을 깨닫기 시작했다. 생선은 냄새를 풍기기 시작했고, 고기잡는 시간은 지루해졌으며, 그물을 깁는 일은 매우 고통스러운 일이 되어버렸다. 이것이 예수님께서 그들에게 그 "무엇"을 말해주는 시작이었다.

과업에 관한 십자가 이전의 두번째 언급은 제자들의 훈련 제2단계의 시작이었다. "갈릴리 해변으로 지나가시다가 시몬과 그 형제 안드레가 바다에 그물 던지는 것을 보시니 저희는 어부라 예수께서 가라사대 나를 따라오너라 내가 너희로 사람을 낚는 어부가 되게 하리라 하시니"(막 1:16, 17).

그 씨앗은 싹이 나고, 뿌리를 내리고, 성장할 시간이 있었다. 이제 그들은 사역 훈련의 2단계로 들어설 준비가 되었다. 그들은 그물을 버리고 예수님을 따랐다. 예수님이 그들로 하여금 중요한 결정을 내리도록 준비시켰기 때문이다. "나를 따르라"로 알려진 그 다음 단계인 10개월 동안 예수님은 그분의 약속을 이루셨다. 그분은 그들을 사람 낚는 자들로 만드신 것이다. 그들은 진정 중대한 것에 대한 비전을 가슴에 품게 되었다. 고기잡이는 생활을 위한 것이었지만, 사람을 낚는 일은 그들이 사는 이유였다.

목표에 대한 다음의 선포는 네 명의 제자들에게 사람 낚는 어부가 될 것을 재차 말씀하신 일이다. 그들은 다시금 어부잡이의 생활로 돌아갔다. 그 이유에 대해서는 경제적이라는 것에서부터 환멸감에 이르기까지 의견이 분분하다. 많은 추측이 있지만 그들이 되돌아갔다는 것은 사실이며, 특히 베드로의 회심이 강조되어 있다. 예수님은 그들 앞에 나타나셔서 밤이 맞도록 실패한 후 어부들에게 깊은 곳으로 재차 나갈 것을 요구하셨다. 그 결과는 획기적인 포획량이었다. 베드로는 자신이 얼마나 어리석었던가를 깨닫고 예수님의 발 밑에 엎드렸다. 예수님께서는, "…무서워 말라 이제 후로는 네가 사람을 취하리라 하시니 저희가 배들을 육지에 대고 모든 것을 버려 두고 예수를 좇으니라" (눅 5:10, 11).

예수님은 제자들의 헌신을 확인하실 때마다, 비전을 더하셨다. 예수님은 제자들이 무엇을 해야 하는지 잊어버리지 않게 해주셨는데, 즉 그분은 항상 비전과 연결을 시키셨던 것이다. 결국, 비전없이 하는 모든 일은 사역을 고역으로 만든다.

임박한 과제에 대한 보다 충분하고 강렬한 선포는 열 두 제자들이 선택된 후에 주어졌다. "무리를 보시고 민망히 여기시니 이는 저희가 목자 없는 양과 같이 고생하며 유리함이라 이에 제자들에게 이르시되, 추수할 것은 많되 일꾼은 적으니 그러므로 추수하는 주인에게 청하여 추수할 일꾼들을 보내어 주소서 하라 하시니라" (마 9:36-38).

다시금 과제가 열두 명에게 주어졌다. 엄청난 필요들이 있었지만, 그 필요들을 채우기 위한 충분한 일꾼들이 없었다. 이러한 말씀에 이어 즉시 예수님께서는 적용을 위해 둘씩 짝을 지어 그들을 내보내셨다. 예수님은 이루어야 할 일과 그 일을 해야 하는 이유들을 제자들로 하여금 명백히 알게 해주신 것이다. "사실을 가르치라"는 가르침의 단계를 훨씬 지나친 후에도, 예수님은 그들이 그 점을 잊지 않도록 상기시키셨다. 누구든지 쉽사리 알 수 있듯, 예수님은 그들을 지상명령을 향한 자신의 선포들 내에서 세우시고 계셨던 것이다.

예수님은 삶의 건강한 체험을 통해 제자들에게 확신감을 갖게 하셨다. 그들은 주위로부터의 전도요청에 따른 직접적인 사역의 경험을 많이 쌓았다. 지상명령은 예수님이 승천하시기 바로 직전, 제자들의 무릎 위에 갑자기 내려진 것이 아니었다. 그것은 이미 가르치신 여러 우선순위들의 정점이었다. 34개월 동안 예수님은 제자들에게 그들이 해야 하는 일을 점진적으로 그리고 서서히 가르치셨다.

이는 마치 우리가 우리의 자녀들에게 치아를 닦는 법과 머리를 빗는 법, 그리고 귀를 깨끗이 씻는 법 등을 훈련시키는 것과 같다. 우리는 씨앗을 뿌리고, 그들을 상기시키며, 좋은 치장습관들을 길러주기 위해 승산없어 보이는 전쟁을 치른다. 그러다 어느땐가 청소년 초기에 다다르면, 그들은 화장실에 들어가서는 오랜 시간 나오지 않는다. 우리는 그들이 자신들의 외모에 상당한 관심을 쏟기 때문에 그들에게 치장하는 일에 너무 많은 시간을 보내지 말라고 야단을 치기 시작한다.

마치 어떤 사람에게 인생에 관한 퍼즐조각들을 한 번에 하나씩 건네주는 것과 같이, 예수님께서는 무엇이 이루어져야 되는지에 관한 제자들의 이해를 서서히 세워 나가셨다. 사람을 낚는 일에 대한, 추수를 위한, 그리고 모든 족속에게 복음을 전하기 위한 계속되는 도전들이 지금 우리가 지상명령이라고 일컫는 단어의 기반이 된 것이다. 일단 제자들이 부활하신 그리스도를 증거하자, 그들의 삶을 형성시킨 전체 양상의 조각 조각들이 모두 제자리를 잡았다.

지상명령들. 부활하신 후, 예수께서는 자신의 제자들에게 여러 번 나타나셨다. 그런 출현하심의 부분적인 이유는 바로 지상명령을 명하시기 위한 것이었다.

요 20:21 - "… 아버지께서 나를 보내신 것같이 나도 너희를 보내노라."
막 16:15-18 - "또 가라사대 너희는 온 천하에 다니며 만민에게 복음을 전파하라…."
눅 24:44-49 - "또 그의 이름으로 죄 사함을 얻게 하는 회개가 예루살렘으로부터 시작하여 모든 족속에게 전파될 것이 기록되었으니…."

행 1:8 - "오직 성령이 너희에게 임하시면 너희가 권능을 받고 예루살렘과 온 유대와 사마리아와 땅 끝까지 이르러 내 증인이 되리라 하시니라."

지상명령을 묘사하는 단락들의 구성은 다음과 같다. "가서 세상 끝까지 복음을 전하라. 하나님의 능력이 너희와 함께하심을 확신하라. 가정에서부터 시작하여 지구상의 가장 구석진 곳에 이르기까지 이 일을 행하라."

상기된 네 가지의 경우들은 미완성된 시작에 불과하다. 그것은 마치, "집들을 짓되, 특별한, 상을 받을 만한 집들을 지어라. 내가 비용을 제공할 것이니, 온세계에 그런 집들을 지으며, 훌륭하게 지어라"라고 선포하시는 것과 같다. 이것은 집 짓는 자를 행동하도록 만들 수는 있지만, 그 훌륭한 집의 생김새, 즉 그 청사진은 어떻게 하라는 말인가? 방법론에 관해서는 거의 언급이 되어 있지 않다.

그 점이 바로 마태복음에 있는 지상명령이 가장 빈번하게 인용되는 이유이다. 왜냐하면, 그것은 구체적인 방법론을 제공해 주고, 따를 수 있는 청사진, 즉 세상 땅 끝까지 복된 소식을 전하는 일에 대한 지시된 계획을 보여주기 때문이다. "그러므로 너희는 가서 모든 족속으로 제자를 삼아 아버지와 아들과 성령의 이름으로 침례(세례)를 주고 내가 너희에게 분부한 모든 것을 가르쳐 지키게 하라 볼지어다 내가 세상 끝 날까지 너희와 항상 함께 있으리라 하시니라"(마 28:19, 20).

가고, 침례(세례)를 주고, 가르치는 것들은 강한 명령조인 "제자를 삼아"라는 동사의 행위에 부수적인 것들이다. "가서"는 당신이 어디를 가든지 당신을 통해서 그리스도께서 나타나시게 하라는 것이다. 새신자들에게 "침례(세례)를 주고"라는 것은 그들이 그리스도께 향한 헌신을 공개적으로 표명하는 것을 의미한다. 순종하도록 "가르치는" 일은 제자 삼는 사역의 핵심이다. 예수님의 명령은 세상을 전도하고 제자를 삼으라는 것인데, 왜냐하면 제자들이야말로 예수 그리스도를 순종하는 추종자들이 될 것이기 때문이다.

우리가 지상명령을 하나의 구성단위로 본다면, 예수님께서 간단한 선교를 명하신 것이 아님을 알 수 있다. 그분은 그 이상의 것을 원하셨다. 그분의 계획은 침례(세례)받은 회심자들 그 이상의 일을 요구하셨다. 그 일은 재생산하는 사람들을 만들라는 것이었다. 그리스도께 순종하고 온 세상을 전도하며 배가생산이라고 불리는 연쇄반응의 불을 붙일 사람들을 생산하도록 명령을 받았다.

제자 삼는 사역은 자신들을 재생산하려는 소망과 기술이 있는 그리스도인들을 개발하는 것이다. 재생산이 배워야 되는 기술이듯, 배가생산도 배워야 한다. 한 그리스도인이 다른 사람을 그리스도께로 인도할 수 있는 바로 이런 일이 그가 재생산했음을 뜻한다. 만약 그 회심자가 같은 일을 하게끔 훈련되지 않는다면, 재생산은 일어났지만, 배가생산은 아니다. 그리스도는 재생산뿐만 아니라 다른 이들에게 어떻게 재생산을 하는지 가르쳐 주는 사람들을 요구하신다. 그 회심자들이 실행하는 제자들이 되어 다른 이들을 전도하고 가르칠 때, 배가생산은 시작된다.

교회의 전도노력들이 인구증가와 보조를 맞추지 못하는 이유는, 배가생산의 부재 때문이다. 요즈음에 와서 그것은 우선순위로 취급되지 않는다. 그것은 명령된 방법이라기보다는 하나의 목적처럼 가르쳐진다. 즉 지금 당장 하지 않아도 아무튼 언젠가 달성하기만 하면 되는 것으로 취급된다는 말이다. 그래서 오늘날의 교회는 제자 삼는 일과 배가생산에 전념하지 아니한다. 그래서 교회가 스스로를 위한 기념탑을 세우는 일을 계속하는 동안, 온 세상의 50%는 우리가 지상명령에 순종하지 않는 탓으로, 미전도 지역으로 남아있는 것이다.

현 세대의 많은 성공사례들은 당신이 만일 약간만을 요구하고, 좋은 쇼를 공연하면 사람들을 모을 수 있음을 증명한다. 그러나 궁극적으로는 큰 무리들이 의미하는 것은 아무 것도 없다. 지상명령에 순종하는 일이 제자 삼는 일을 향한 단호한 헌신이다. 예수님이 제자들에게 "무엇"을 말해주셨을 때, 그분께서는 배가생산의 중요성을 가르치신 것이다.

"이유를 설명하라." 이런 격언이 있다. "사람이 이유를 알면, 여하한 거의 모든 일을 이길 수 있다." 예수님은 그들에게 무엇이 이루어져야 하는지를 말씀해 주셨지만, 헌신을 지속시키기 위해, 그들에게 왜 하는지에 대한 열정을 부여하셔야 했다. 예수님은 우리가 그 동기를 쉽게 알 수 있게끔 해주셨다. "인자의 온 것은 잃어버린 자를 찾아 구원하려 함이니라"(눅 19:10). "인자의 온 것은 섬김을 받으려 함이 아니라 도리어 섬기려 하고 자기 목숨을 많은 사람의 대속물로 주려 함이니라"(막 10:45). "하나님이 그 아들을 세상에 보내신 것은 세상을 심판하려 하심이 아니요 저로 말미암아 세상이 구원을 받게 하려 하심이라"(요 3:17).

왜 제자를 삼으며 왜 배가생산에 헌신하는가? 그것은 인간이 용서받음과 새생명과 죄에 대한 징벌과 창조주로부터 영원히 분리되는 일에서 구원받을 필요가 있기 때문이다. 예수님은 그분의 백성들을 구원하시고 그분의 자녀들을 천국에 정주시키고자 오셨다. 제자 삼는 일 그 자체를 위해 하는 사역은 이단적이다. 제자사역과 배가생산은 목적을 위한 수단들일 뿐이며, 그것들 자체가 목적이 되어서는 안된다.

말씀은 만방에 선포되어야 한다. 말씀이 전파되려면 사람들이 나아가야 한다. 그것은 인적 자원들, 즉 재생산과 배가생산에 전념하는 제자들을 요구할 것이다. 순종하는 제자들만이 그 직무를 수행하기 위한 헌신과 정력을 소유한 자들이다. 배가생산이 제대로 진행되지 않으면, 훈련된 인적 자원의 부족함을 초래할 것이고, 현상유지만이 가능하게 될 것이다.

사실(온 세상을 전도하기 위한 제자들의 배가생산)을 가르치라. 이유(인류의 구원과 그리스도의 왕국 건설)를 설명하라.

목회자/연사는 여기서 그치고 만다. 즉, 그는 사람들에게 사실과 이유만을 이야기한 후 끝을 낸다. 설교들과 주일학교 성경공부와 학구적인 성경공부 프로그램에만 과중한 비중을 두는 것이다. 복음주의 교회는 말씀 중심이다. 중산층 교회에 있어서 배운다는 의미는 설교와 성경공부만을 뜻한다.

만일 목회자가 주로 설교에 초점을 두고 그 설교를 적용시킬 수단들을 제공하지 않는다면, 그는 두 가지 잘못을 저지르는 것다. 첫번째, 그는 그들로 하여금 순종하도록 가르치지 않으므로, 그들을 가르치지 않는 것이나 다름없다. 그는 그들에게 순종하라고 말하지만, 단지 내용의 전달과는 다른 진정한 배움에 대한 수단들을 제공해 주지 않는다. 두번째로, 그는 죄책감과 실패의 분위기를 만드는 것이다. 사람들이 계속해서 무엇을 해야 하는지 듣지만, 그렇게 하도록 돕는 수단들이 없을 경우에 이런 일이 발생한다. 이것은 목회자로서의 직분을 악용하는 처사이며 하나님의 백성들을 착취하는 행위이다.

그들에게 사실과 이유를 말해주는 것은 목회자가 기반으로 삼아야 할 일이다. 그는 하나님의 말씀에 헌신하며 전념해야 한다. 그는 가능한 한 최선의 설교를 준비하기 위해 많은 시간을 투자해야만 한다. 하지만 그는 그와 아울러 반드시 적용에 관한 수단들을 제공해야 한다. 그렇지 않으면 그는 자신의 직임을 다하지 않는 것이기 때문이다. 목회자는 어떻게 그의 가르침이 적용되기를 원하는지 계속해서 숙고해야 한다. 예수님이 그런 방식에 대한 우리의 모델이시다.

코치들은 그들의 팀에게 무엇이 왜 행해져야만 하는지를 말해주는 데 엄청난 시간을 투자한다. 그들은 필름들을 재검토하고, 게임판을 연구하며, 게임플랜을 준비하고는 실습장으로 가서 “무엇”과 “왜”를 적용하기 시작한다. 코치는 선수들과 함께 실습장으로 간다. 관객들은 일반적으로 사이드라인에 서 있는 평상복 차림의 코치들을 보게 된다. 하지만 선수들은 호각을 목에 걸고, 운동복을 입고 있는 코치의 모습을 더 많이 기억한다. 선수들을 가르치는 일은 실제로 약 90% 정도가 체육관에서 벌어지는 훈련과 실습들로 이루어진다. 목회자들은 한 주에 한 번 30분 내지 40분의 설교를 한다. 의문스러운 점은, 설교를 준비하기 위한 15시간은 그렇다 치더라도 목회자들이 그 나머지 시간을 어떻게 보내는가 하는 것이다. 총명하고 책임감이 있는 목회자는 또한 그의 가르침이 적용되도록 확실히 하는 일에, 성도들을 훈련시키는 일에, 그리고 훈련과 사역을 실행하기 위한 수단들을 제공하는 일로 자신의 시간을 보낸다.

"방법을 보여주라." 그리고 **"함께 행하라."** 코치로서 제자 삼는 목회자는 이제 강단에서 내려와 사람들에게 자신이 가르친 것을 어떻게 적용하는지 보여준다. 예수님은 어떻게 배가생산을 하는 데 헌신하셨는가? 그분이 제자들을 선택하시고 그들과 함께했던 사실, 바로 그 자체가 그들을 훈련시키는 일에 대한 그분의 관심을 보여주신 것이다. "와 보라"는 단계는 서론적이었고 간략했다. "나를 따르라"의 단계는 10개월 동안 지속되었다. 그리고 나서 예수님은 "내가 너희를 사람 낚는 자들로 만들겠다"고 하신 책임을 지셨다. "나와 함께 있으라"는 세번째 부르심에서 그분은 열두 명을 따로 세우시고 그들에게 특별한 책임과 권위를 부여하셨다. 예수님이 그 열두 명에게 임무를 맡기시고 그들을 파송하셨을 때 그들은 그 명령이 계속적이라는 사실을 깨달았다. 그분은 그들에게 바로 그 일을 전하시고자 계획하셨다.

그리스도께서 떠나실 시간이 다가옴에 따라 예수님은 열두 명과의 개인적인 시간을 늘리셨다. 그분의 첫번째 우선순위는 십자가였고, 그 두번째는 열두 명을 훈련시키는 것이었다. 아이들을 교육시킬 때와 같이 시간과 노력을 투자하는 일이 사랑과 중요성을 전달하듯이 같은 역동성이 예수님과 제자들 사이에 일어났다. 예수님은 보여주시고 설명하시고 시험하시고 여러 번에 걸쳐 분명히 이해시키는 일에 자신의 시간을 투자하셨다.

만약 목회자가 전도의 중요성을 가르치면, 그는 그 책임을 맡아야 한다. 그룹을 형성하고 원칙들을 가르치며 그 원칙들을 실습하기 위해 사람들을 데리고 현장으로 나가라. 충분한 실습 후에 학생들 자신이 그것을 해야 한다. 그들에게 전도가 어떻게 되는지 보여주고 그들과 그것을 함께하라. 그들은 간증을 함으로 그 일을 시작할 수 있으며, 그리고는 온전한 복음 제시를 하게 될 것이다. 목회자는 다른 이들에게 증거하는 법을 가르침으로 배가생산을 향한 자신의 헌신을 표현한다. 그리고 나면 그 학생들이 다른 이들을 가르치게 된다. 이것은 명백한 일이지만, 명백한 만큼이나 드물게 행해지고 있다. 우리가 그런 기본적인 것들을 등한시하기 때문에 그리스도를 위한 사역이 쇠약해진다.

가장 효과적인 교육방법은 본을 보이는 것이다. 운동, 예술, 매매, 또는 자동차 운전 등 어떤 것이라도 본보기가 있어야만 한다. 서서히 학생은 그가 본 것을 직접 해보도록 허락된다. 그분의 실행하심으로써, 예수님은 사람들이 바로 그의 방법이라는 것을 보여주셨다. 예수님은 배가생산을 할 수 있는 이들을 세우는 일에 헌신하셨다. 그분의 헌신은 자신의 사역을 훈련된 사람들에게 기꺼이 넘기시는 것에서 나타났다.

그들은 예수님이 가르치시는 것을 봤기 때문에 어떻게 가르치는지 알았다. 예수님이 본보기를 보여주셨기 때문에 그들은 어떻게 마귀를 내어쫓고 병자를 위해 기도하고 약한 자들을 돌보는지 알았다. 예수님이 그들을 통해 일하시는 것에 대해 본을 보이셨으므로 그들도 다른 사람들을 통해 일하는 것의 중요성을 이해했다. 그것이 그들에게 행해졌기 때문에 그들도 다른 이들에게 그 일을 할 수 있었던 것이다. 제자들의 황금률은 "당신에게 행해진 대로 당신도 다른 사람들에게 행할 것이다"라는 것이다.

사역의 분산. 이전에 필자는 목양사역의 분산에 대해서 언급했다. 제자 삼는 목회자가 사역의 분산이 올바르다고 믿고 실행하는 오직 한가지 이유는 예수님이 모든 사역의 분산에 전념하셨기 때문이다. 예수님이 본을 보이신 여섯 단계 교수법은 사역분산에 대한 유언인 것이다. 예수님이 열두 제자들을 데리고 일하면서 실망스러운 경험을 하신 다른 이유가 무엇이겠는가? 그들은 이기적이고, 겁이 많았고, 자존심이 강하고, 경쟁적이며, 잊어버리기 일쑤고, 서로 질투하며, 배우는 것이 더디고, 또 잘못을 깨닫는 데에는 더욱 느렸다. 이런 어중이 떠중이들을 데리고 일하는 것은 마이클 조단(미국의 유명한 농구선수 - 역자주)이 우디 알렌(왜소한 체격을 가진 미국의 영화배우겸 감독 - 역자주)의 체격을 가지고 농구를 하려는 것과 다를 바가 없을 것이다. 그들은 예수님의 사역 진전을 더디게 만들었고, 예수님으로 하여금 하나님께 불순종하도록 유혹했으며, 그들은 사람들이 생각했던 것보다 사실 더 큰 문젯거리였다. 예수님만 제외하고 말이다.

예수님은 다른 사람들을 통해서 세상을 보실 수 있었다. 사실, 지상명령은 제자 삼는 목회자가 자신의 사역의 핵심으로서 다른 사람들을 통해서 세상을 보는 일을 요구한다. 제자 삼는 목회자가 어떻게 일을 하고 있는지는 그 교회 성도들이 어떻게 일을 하고 있는가를 보면 알 수 있다.

예수님의 교수법에 대해서는 항상 그랬던 것처럼 오늘날에도 논쟁적이다. 대부분의 복음주의적 교회들은 자신들의 목회자가 예수님처럼 가르치는 것을 허용하지 않을 것이다. 그들은 제자 삼는 목회자를 거부할 것이다. 만약 그가 적은 숫자의 사람들에게 집중해서 몇 명을 선택하여 그의 사역을 배가시키기 위해 훈련을 하기 원하면 그는 방해를 받을 것이다. 제자 삼는 목회자가 가장 좋은 훈련기준들을 선정하는 것에 관해 말하고, 교회 임원들이 훈련된 제자 삼는 자들이 되어야 한다고 주장하기 시작하면 그 목회자는 전쟁 속에 있게 될 것이다.

만일 교회가 예수님이 가르치신 방법대로 교육함으로써 예수님의 모범을 중요하게 여기고 제자 사역을 통한 배가생산에 전력을 기울인다면, 그리하여 주님의 지상명령을 그처럼 중요하게 여긴다면, 그리고 그 결과로 열매가 맺기 시작하는 것을 보려면, 인내하며 기다리는 신실한 제자들이 있어야 할 것이다. 시간이 더 많이 흘러가면 사역의 분산이 훨씬 더 우월하다는 사실이 증명될 것이다. 그것은 더 많은 일들을 성취시키고, 그 많은 일들을 보다 더 훌륭하게 만든다. 사역의 분산은 보다 많은 사람들에게 만족감과 목적을 지닌 삶을 제공한다. 또한 그것은 교회의 지도층에게 만족감과 새로운 기쁨을 주고 지도자로서 겪은 모든 갈등들을 가치있게 만든다.

가장 훌륭한 훈련 수단. 열두 명을 선택하심으로 예수님은 가장 훌륭한 훈련 수단을 밝히셨다. 그 열두 제자들은 하나의 소그룹이었는데, 이것은 다양성을 주기에는 충분하지만, 한 사람이라도 구경꾼으로만 남아 여유를 부리지는 못하는 빡빡한 숫자였다. 그것은 대중사역이나 또는 일대일 사역을 위한 발판을 제공했다. 그들은 대부분의 일들을 함께 경험할 수 있었고, 예수님과 의논했고, 논쟁했으며, 응답했고, 대화했다.

제자 삼는 목회자는 소그룹을 자신의 사역에 가장 소중한 수단으로 간주한다. 가르쳐야 하는 대부분의 원리들과 기술들이 소그룹적인 환경에서 이루어질 수 있다. 기도, 성경공부, 간증하는 법, 전도 기술 습득, 전도사업 방법 등등은 소그룹을 통해 잘 이루어진다. 또한 교인들이 서로 알아야 할 필요가 있고, 위기에 처했을 때에 서로에게 도움을 주거나, 사역계획을 놓고 일을 하려면, 다시 한 번 소그룹이 최고의 수단이 되는 것이다.

만일 필자가 아무 것도 없는 상태에서 사역을 시작한다면 "와 보라" 단계를 원하는 모든 사람들을 소그룹 성경공부에 초대함으로써 시작할 것이다. 그런 후에 필자는 그 소그룹에서 가장 가능성이 있는 사람들이 맨 위로 부상하기를 기다려서 "나를 따르라" 단계의 훈련을 위한 또 다른 소그룹을 형성할 것이다. 그 기초적인 훈련을 끝마친 사람들 중에서 필자는 "나와 함께 있으라"의 단계를 위해 몇몇을 더 선택할 것이다. 필자는 이 사람들이 필자의 사역을 대신하도록 훈련시키고 그들을 통해 일을 할 것이다. 그러므로 필자는 배가생산을 이루는 것이고, 사역의 분산도 이루며, 보다 많은 사역들이 보다 넓은 범위의 그룹에 의해 더욱 효과적으로 이루어지게 되는 것이다.

"방법을 보여주라"와 "함께 행하라"는 배가생산과 사역의 분산 등에 모두 다리를 놓는 중요한 단계들이다. 만일 우리가 예수님의 여섯 단계 교수법을 제자들을 향하신 그리스도의 3단계적인 훈련계획에 연관시키면 다음과 같이 볼 수 있다.

"와 보라" = 1. "사실을 가르치라." 2. "이유를 설명하라."
"나를 따르라" = 3. "방법을 보여주라." 4. "함께 행하라."
"나와 함께 있으라" = 5. "스스로 하게 하라." 6. "일을 맡기고 파송하라."

"방법을 보여주라"와 "함께 행하라"는 단계는 무엇을 왜 하는지를 아는 것으로부터 그것을 직접 하고 다른 이들을 통해서 해내는 단계까지 도달하는 다리 역할을 한다. 훈련이 없을 때, 배가생산이 이루어지지 않는 이유는 자명하다. 예수님은 10개월간의 "나를 따르라" 단계와 20개월간의 "나와 함께 있으라" 단계를 통해 그들에게 어떻게 하는지를 보여주셨다. 서서히, 그리고 시종일관 예수님은 그 기간들을 통해 보다 많은 책임들을 그들에게 맡겨주셨다. 이것이 제자 삼는 목회자의 본보기이다. 코치가 무엇을 왜 하는가를 말해주고 나서 직접 보여주며 비평들을 통해 훈련시키듯이, 지상명령에 전념하는 목회자 또한 마찬가지일 것이다.

"스스로 하게 하라." 너무나도 종종 배가생산이 여기에서 무너지는데, 그것은 사람들이 너무 많은 것을, 너무도 빨리 받기 때문이다. 배가생산된 사람의 온전함을 보증하려면 최종 시험과, 세밀한 조정, 그리고 상세한 지시사항들이 있어야 한다. 엄청난 보살핌이 요구된다. 예수님은 우리에게 어떻게 하는가를 보여주셨다.

"예수께서 그 열두 제자를 부르사 더러운 귀신을 쫓아내며 모든 병과 모든 약한 것을 고치는 권능을 주시니라"(마 10:1). 이것이 예수님 없이 열두 명이 한 첫번째 사명이다. 이제 그들만이 남아 있었다. 즉, 예수님이 그들의 어깨 너머로 참견하시지 않으셨다. 이제는 그들의 판단, 그들의 말, 그들의 용기, 그리고 그들의 능력으로 사람들의 필요에 하나님의 위력을 쏟아야만 했다. 사역이 어떤 이에게 맡겨지기 전에 그로 하여금 혼자 해보도록 하는 것은 필수 불가결한 것이다. 그러나 그가 혼자 해보는 조건들은 매우 중요하다.

제자들은 선포해야 할 말씀부터 짐꾸러미의 크기에 이르기까지 세밀한 모든 것에 대한 구체적인 지시를 받고 사역을 위해 떠났다. 예수님은 그들로부터 그들이 훈련받은 이상의 사역을 요구하시지 않으셨다. 둘째로, 그들은 결과보고와 평가와 판단결정의 확인을 위해 예수님께 돌아왔다.

열두 명은 완전히 풀려져 있는 것은 아니었다. 그들은 예수님께 매여 있었지만, 긴 줄로 연결된 것이었다. 이 단계의 훈련은 성공적인 배치를 위해 필요한 "세밀한 조정"을 제공한다. 이 단계에서 제자들은 제자 삼는 자들이 된다. 그들은 자신들이 전도 그 이상의 일을 할 수 있음을 증명한다. 즉, 그들은 재생산을 할 수 있도록 다른 사람들을 성숙하게끔 세워줄 수 있다. 제자의 심장에서 사역을 감당할 수 있다는 개인적인 지식을 대신할 수 있는 것은 아무 것도 없다. 그것을 발견하는 오직 한 가지 방법은 나가서 시도해 보는 것이다. 예수님은 이 경우에 있어서 그들을 내보내셨다. 그 후에 예수님은 그 열두 명으로 하여금 칠십 명이 특별 사명을 맡도록 인도하게 하셨다(눅 10장).

제자와 제자 삼는 자 사이의 주목할 만한 차이점은 배가생산의 사역이다. 제자 삼는 자는 재생산을 할 뿐 아니라, 자신들이 제자를 삼기 시작한 때부터 2-3세대까지 제자를 만든, 제자 삼는 사람들을 지도한다. 예수님이 사역 지도자로 부르신 사람들은 일대일로 제자를 양육할 수 있었을 뿐만 아니라, 집단적인 환경 내에서도 제자들을 삼을 수 있었다. 그 일을 그들에게 하도록 시키는 단계가 재생산되는 사람의 온전함을 보호하는 데 중대한 역할을 한다. 어떻게 생산된 제자가 보호되는가 하는 것이 다음의 이슈이다.

"파송(배치)" 코치로서의 제자 삼는 목회자는 파송(배치)되기 위해 선택된 사람들이 필요한 기술을 습득한 것을 확인한다. 이 그룹은 회중의 10%를 차지한다. 그렇게 적은 소수만이 이 수준에 도달하는 이유는 우선 교인의 50%가 "와 보라"는 편한 단계에 머물러 있기 때문이다. 그들은 예배와 교회의 만찬과 아마도 그 외의 특별한 행사들에 참석한다. 나머지 50% 중의 90%는 "나를 따르라"의 단계로 옮겨간다. 그들은 사역에 필요한 기술을 가르치는 그룹에 속하고 교회와 함께 어떤 형태의 사역을 한다. 그들은 제자들이고 재생산을 하며 다른 사람들을 전도하는 훌륭한 사역도 한다. 이 신실한 제자들과 그 나머지 10%의 차이점은 지도력과 영적 은사이다.

중대한 지도자적인 책임을 위해 선택된 사람들은 적절한 은사와 지도능력을 소유해야 한다. 이 그룹을 분리하는 것이 적합성보다 영성에 더 비중을 둔 것은 아니다. 예수님이 왜 그 열두 명을 선택하셨는지는 추측할 수밖에 없다. 제자 삼는 목회자는 사역의 지도층에서 일할 사람을 선택하기 위한 어떤 특정한 기준을 가지고 있는 것이 좋다.

우리의 선택과정에 있어서, "나를 따르라"는 단계를 성공적으로 끝마친 사람들이 그 후에 그들의 능력이 평가되고 사역의 여러 방면으로 나가도록 인도된다. "나와 함께 있으라"의 단계에 선택된 사람들은 제자 삼는 사역과 배가생산이 효과적으로 개발되는 환경을 창조하고 지도하는 은사와 기술을 소유했다. 지도자로서의 적합성을 평가하는 몇몇 객관적인 기준들을 살펴보자.

사역기술의 기반

인격. 훈련의 일면은 2-3년간의 기간에 걸쳐 한 사람이 그의 마음에 담고 있는 생각을 나타내는 것이다. 그 사람은 디모데전서 3장과 디도서 1장에 기록된 인격들을 바탕으로 해서 평가받는다. 처음부터 인격이 완전한가 하는 사실이 문제가 아니라, 얼마나 진보했는가가 문제이다. 선택과정의 심사를 맡은 사람들은 주요한 성격적인 문제가 없고 숨겨진 문제들이 없는 것을 확인해야 한다. 만일 어떤 사람이 이 점에서 기준에 미치지 못한다면, 지도력을 위한 준비를 계속할 필요가 없다.

충성심. 고린도전서 4:2; 누가복음 16:10; 그리고 디모데후서 2:2 등의 구절은 충성심이 지도자가 되기 위한 필수 불가결한 조건이라고 가르친다. 누가복음 16:10은 충성심을 세우기 위한 하나의 공식을 제시한다. "지극히 작은 것에 충성된 자는 큰 것에도 충성되고 지극히 작은 것에 불의한 자는 큰 것에도 불의하니라."

제자 삼는 목회자는 여러 해에 걸쳐 충성된 자에게든, 그렇지 아니한 자에게든 임무를 부여한다. 충성심은 지도력에 필수적인 것으로서 인격과 동등한 위치를 차지한다. 재삼, 제자 삼는 목회자의 특징은 그가 제자들의 진보사항을 관찰하고 그들에게 의도적으로 그 과정을 통과하게끔 한다는 것이다. 그는 누가 첫번째 과정에 있고, 누가 두번째이며, 또 누가 세번째 과정인지 안다. 그는 사람들을 자신의 철학적인 체계를 통해서 본다.

영적 은사들/적합성. 공동체를 위한 영적인 지도자의 적합한 은사들은 가르침, 지도력, 행정, 권면, 그리고 이와 같은 은사들이다. 대부분의 사람들은 지도자가 되게끔 정해지지는 않는다. 회중의 10%만이 지도자 후보가 된다는 것은 잘 이해가 간다. 한 단체의 10%만이 지도자가 될 필요가 있다. 서민은 없고 장(長)들만으로 꽉 찬 교회는 무정부 상태를 야기시킬 것이다.

"나를 따르라"의 단계는 제자 삼는 목회자들이 탁월한 잠재적 지도자를 낚는 연못이 된다. "나를 따르라"는 단계와 연관되는 두 가지 학습 단계는 "방법을 보여주라"와 "함께 행하라"이다. 제자 삼는 목회자는 지도력이 입증된 자들과, 다른 이들에게 긍정적인 영향을 주며 그 때까지 그 과정을 잘 통과한 사람들을 찾는다.

인격과 충성심과 적합성 등이 제자 삼는 목회자의 기반들이다. 이런 기반이 되는 특성들을 갖춘 사람들을 선택하고는, 예수님이 주요한 지도자들을 위해 하신 것처럼 그들을 세밀하게 다듬을 수 있다. 이것이 참으로 필수 불가결한 것은, 바로 이 점이 중대한 배가생산을 가능하게 하도록 결정하기 때문이다. 이 다섯번째 단계가 등한시될 때, 지상명령은 무너지기 시작한다.

그렇다면, 그 다음 문제는 한 사람이 유능한 제자 삼는 자가 되기 위해서 갖추어야 하는 기술이 무엇인가 하는 것이다. 제자 삼는 일과 배가생산을 위한 공동체적인 환경을 창출할 수 있는 지도자에 대해 말하고 있다는 사실을 기억하라.

사역기술들

효과적인 사역기술들을 개발하는 열쇠는 그들로 하여금 그 기술들을 실제로 사용해 보도록 하는 것이다. 그것은 훈련용 조종실 안에 있는 조종사보다 더 많은 것을 요구한다. 그것은 실제적인 필요를 지닌 사람들과의 생생한 행동을 요구한다. 제자 삼는 목회자는 귀중한 기술을 지닌 자신의 연수생들을 신뢰해야 한다. 이것이 바로 그 학생들이 진정으로 배울 수 있는 오직 유일한 방법이다. 그것은 예수님이 하셨기에 목회자도 해야 하는 것이다.

우리가 발견한 훈련 수단 중 가장 효과적인 것은 지도자로 선택된 사람들을 우리의 체계 속에 다시 들어오게끔 하는 것이다. 이것은 그들에게 필요한 실제적인 경험을 준다. 이론적인 모델들이 훈련에 관한 우리의 생각을 지배하기 때문에 우리는 더 많은 이론적인 학습을 주려는 유혹을 경험한다. 그러나 우리는 이런 생각에 저항해야 한다. 그들의 철학적인 체계를 개발시키기 위해서 더 많은 내용이 요구되기도 하지만 그보다 더욱 중요하게 필요한 것은 그들이 이미 아는 것을 작동하게끔 만드는 일이다.

성경을 효과적으로 전달할 수 있다. 의사소통이 없이는 배가생산은 없을 것이다. 제자 삼는 이들은 다른 사람들을 가르칠 수 있어야 한다. "가르친다"라는 단어로서 필자가 뜻하는 것은 지식과 확신들과 그리고 가치관들에 관한 열정을 전달하는 능력을 의미한다. 즉, 이런 가치관들의 특성이 저하되지 않고 전달될 수 있도록 그것들을 충분히 전달할 수 있는 것을 말한다(딤후 2:2). 가르친다는 것은 사람들을 여섯 단계의 방법을 통해 배우게끔 하는 일이다.

효과적인 전달자가 타고난 연사일 필요는 없다. 너무도 자주 우리는 가르침의 은사를 매우 유창한 연설가와 연관짓는다. 효과적인 공중 연설이 도움은 되지만 요구되는 것은 아니다. 필요한 것은 다른 사람들이 전해져야만 하는 내용과 그 이유들을 이해하도록 하는 것이다. 반드시 있어야 하는 것은 확신이다. 만일 어떤 사람이 열정적인 확신을 가지고 있다면 그는 다른 이들을 감화시킬 수 있을 것이다. 그러므로, 인격적인 기반과 함께 여섯 단계 교수법에 의해 확신들이 세워지면, 그 제자는 제자 삼는 자가 될 수 있는데, 그것은 그가 그 일을 전달할 수 있기 때문이다. 그러한 가르침을 위한 형태로는 대중 연설, 그룹 토론, 독서, 독학, 그리고 비공식적인 교제 등이다.

"우리가 행하는 모든 것이 가르치는 것이다", "가치관들은 배우기보다는 보고 모방할 때 소유한다" 등등의 격언들이 여기에 적용된다. 가장 좋은 가르침은 상기된 모든 형태들을 배합시키는 것이다. 그러나 인격과 확신이 전달을 가장 힘있게 만드는 특성들 중 첫번째가 되어야 한다. 시험장과 훈련장은 가능성이 있는 제자 삼는 자를 사람들에게 발사하는 것이다. 만약 그가 자신이 보살피도록 되어 있는 사람들에게 가치관, 확신, 기술 등을 전달할 수 있다면 그는 평생을 통한 제자 삼는 일의 궤도에 오른 것이다. 코치로서의 목회자는 "나와 함께 있으라" 단계에 오른 자들에게 기회를 위한 수단을 제공한다.

관리하는 능력. 관리인들은 사무원이나 서류처리나 잘 하는 사람들이 아니다. 여기서 말하는 "관리"의 뜻은 "다른 사람을 통해 일을 잘 처리하는 능력"이다. 주요한 목표는 어떻게 다른 사람들과 효과적으로 일을 하는가, 그리고 어떻게 그리스도를 위해 다른 이들로 하여금 최선을 다하게끔 만드는가 하는 인간 관계이다. 톰 피터스(Tom Peters)는 오늘날 지도력의 가장 어려운 문제는 사역을 분담하는 일이라고 역설한다. 어떤 사람에게 직무를 맡기고 그가 그 일을 이해하고 있음을 확인하며, 그가 그 일을 할 수 있고 잘 하게끔 확신시키는 일은 어려운 것이다. 필자는 피터스의 의견에 동의를 표한다. 기독교 지도자들 사이에서 가장 어려운 문제는 배가의 환경을 조성하는 일이다. 우리가 그것을 분담하는 사역이나, 평신도 사역, 또는 배가생산, 아니면 제자도 중 어느 것으로 부르든 간에 그것은 그리스도의 몸에 완전하고 의미심장한 사역을 가져옴을 뜻한다.

관리인들을 훈련시키는 첫번째 단계는 사역분산에 관한 확신을 개발시키는 것이다. 두번째 측면은 사역분담의 단계들을 이해하도록 돕는 일이다. 세번째의 국면은 그들의 사역임무 가운데 다른 사람들을 통해서 일을 하려는 그들의 노력을 관찰하는 것이다. 이 수준에서의 배가생산은 믿음을 나누고 새로운 신자를 어떻게 돕는가 하는 기초적인 사역 기술보다 더 많은 것을 요구한다. 그 목표는 제자 삼는 자들, 지도자들, 사역을 위한 지도자들을 배가생산하는 것이다. 바로 그것이 다른 사람들을 통해 일을 완성할 수 있는 능력을 상당히 강조하는 이유이다. 그것은 개인들만이 아니라 그룹들에게도 영향을 미치는 능력을 의미한다.

동기와 감화를 주는 능력. 제자 삼는 자는 효과적으로 의사를 전달하고, 다른 이들을 통해 일을 완성하며, 다른 사람들에게 동기를 부여해야 한다. 지도자들은 항상 추종자들의 무기력함에 대항하게 된다. 사실, 무관심은 일반 성도들 가운데 으레 있는 것이다. 경험있는 지도자들은 그 게으름의 존재를 한탄만 하며 시간을 허비하지 않고, 해답을 찾는 데에 그들의 정력을 쏟는다. 무관심에 대한 처방은 감화이다. 감화된다는 것은 근본적으로 감정적인 것이다. 하나님은 감정을 이용하시며, 우리는 사람들에게 전달하기 위해 중요한 이슈들을 적합하게 구상할 수 있다. 유용한 반면, 감화는 또한 쉽사리 사그라진다. 감정의 파트너는 동기이다. 동기가 있는 사람은 그 동기에 대한 이유를 가지고 있기 때문에 동기와 감동이 구별될 수 있다.

노련한 제자 삼는 자는 감화시키려고 노력해야 하지만, 동기를 부여하는 일이 보다 필수적인 것이다. 동기를 부여하는 능력은 처음 두 사역기술들 - 의사전달과 관리 - 을 배합시킨 것이다. 그리스도인은 그리스도를 섬긴다는 것이 무엇을 의미하고, 왜 그것이 중요한지를 배운 다음, 제자 삼는 자의 감독하에 완수해야 하는 직무를 받는다. 제자 삼는 자는 다음과 같은 동기를 부여하는 요인들 - 왜 그 사역이 중요한가 하는 점을 계속해서 상기시킴, 현재 그의 직무수행에 대한 확고한 신념을 부여함, 보다 잘 하고 더욱더 성취하도록 격려함, 더 큰 책임에 대해 약속함, 현재 받고 있는 훈련에서 다른 이들이 성공한 사례를 말해줌, 그리고 그가 한 일에 대해 솔직하게 평가함 - 을 추가한다. 만약 제자 삼는 자가 다른 사람들의 성공에 상당한 흥분을 느끼고 기쁨을 얻는다면, 그는 훌륭한 동기 부여자가 될 것이며, 다른 사람들이 그리스도를 섬기도록 그들을 감화시킬 것이다.

우리는 이것이 관리를 의미심장하게 만드는 윤활유라고 말할 수 있다. 동기와 감화는 사역이라는 바퀴가 굴러가면서 일으키는 마찰을 제거하는 기름인 것이다.

사람들을 상담할 수 있다. "내 형제들아 너희가 스스로 선함이 가득하고 모든 지식이 차서 능히 서로 권하는 자임을 나도 확신하노라"(롬 15:14). "우리가 그를 전파하여 각 사람을 권하고 모든 지혜로 각 사람을 가르침은 각 사람을 그리스도 안에서 완전한 자로 세우려 함이니"(골 1:28).

"권하다"는 단어는 희랍어인 누데아에서 유래되었고, 신약성서에서 13회 사용되었으며, "말로써 다른 이를 교정시키다"라는 뜻이 있다. 그 단어가 "상담"으로 번역되는 정당한 이유가 있는데, 그것은 바로 지도자들은 자신의 보살핌 아래 있는 이들을 상담할 책임이 있다는 것이다.

이 발전 단계에서, 지도자들은 삶의 근본적인 갈등을 가진 사람들을 도와줄 수 있어야 한다. 제자 삼는 자가 되기 위해 선택된 사람들은 우리가 선교사, 장로, 목회자, 교회 개척자, 그리고 다른 중요한 지도자적인 역할을 담당할 사람들을 낚을 수 있는 장소에 거주하는 것이다. 그러기에 그들에 대한 훈련의 일환은 기본적인 상담기술에 관한 강의를 듣는 것이다. 우울증, 불안감, 결혼 생활의 갈등, 의사소통의 문제, 교회 관리상의 충돌 등은 그 중의 몇몇 주제들이다. 다시 한 번 우리는 소그룹 지도력이 피교육자로 하여금 자신의 기술을 실습할 수 있는 기회를 제공했음을 알아보았다.

다른 사람들을 책망할 수 있다. "어리석고 무식한 변론을 버리라 이에서 다툼이 나는 줄 앎이라 마땅히 주의 종은 다투지 아니하고 모든 사람을 대하여 온유하며 가르치기를 잘하며 참으며 거역하는 자를 온유함으로 징계할지니 혹 하나님이 저희에게 회개함을 주사 진리를 알게 하실까 하며 저희로 깨어 마귀의 올무에서 벗어나 하나님께 사로잡힌 바 되어 그 뜻을 좇게 하실까 함이라"(딤후 2:23-26).

이것은 거짓 가르침이나 행실에 속아 넘어간 자들을 교정하기를 지도자들에게 요구하는 여러 구절 중 하나이다. 많은 제자 삼는 자들이 이 부분의 기술 개발을 거부한다. 대립을 피하고 싶어하는 것은 대부분의 사람들이 가진 일반적인 심정이다. 첫번째 장애물은 다른 이들을 대면하고 교정해 주는 것이 사랑으로 인한 행동임을 피교육자들에게 설득시키는 일이다. 그것은 다른 이들이 하나님께 향한 그들의 헌신을 지키도록 돕는 방편이다. 인간관계에서 대립에 이를 정도로까지 마음을 쓰는(사실 대립을 피하는 지도자는 무관심하거나 사랑이 없는 자이리라) 신실한 지도자는 자신이 돌보는 자들이 커다란 비애에 빠지는 것과, 지도자 스스로도 보다 큰 고통을 당하는 것을 방지할 것이다. 사실, 지도자가 그런 일을 하지 않으면 그는 신실치 못하며, 자신의 사역에 한계를 설정할 것이다. 죄를 그리스도의 몸 안에 그대로 방치하게 되면, 치유되지 않은 질병이 사람의 신체에 미치는 동일한 해로운 작용을 가져오게 된다.

다섯 가지 사역기술을 개발시키는 주요 훈련수단은 소그룹이다. 그것은 잠재력을 소유한 제자 삼는 이로 하여금 다섯 가지의 기술들을 모두 사용할 것을 요구한다. 이에 관한 예로서, 다른 이들을 교정하는 다섯번째 기술을 들 수 있다. 그 그룹은 하나님께 향한 그들의 헌신을 유지하는 일을 지도자가 도울 것에 동의한다. 한 그룹원이 헌신을 유지하는 데 실패할 때마다, 지도자는 "어떻게 도와드릴까요?"와 같은 태도를 가지고 그에게 다가간다. 그 사람은 헌신을 유지할 생각이 없거나, 아니면 그럴 능력이 없다. 만약 그들의 의지가 희박하다면 그것은 영적인 문제이고, 만약 능력이 없다면 그것은 관리상의 문제이다. 문제점들을 직면하고 또 그 초기에 진지하게 다루는 법을 배우는 것은 그룹원들과 지도자들을 잠재적인 골칫거리로부터 구해 낸다.

다른 이들을 교정하는 일은 등한시되는 제자 삼는 과정 중 한 부분이다. 너무도 종종 사람들은 자신들의 책임을 수행한다고 주장하지만,

실제로는 선택적인 책임감을 담당하고 있을 뿐이다. 그런 사람은 자신이 원할 때에는 권위와 발생하는 변화들에 순종하지만, 원치 않는 경우에는 그 권위를 무시해 버린다. 그런 경우, 책임감은 우스운 것이고, 무가치한 것이 된다. 자신들이 원하지 않는 경우일지라도 지도자들을 통한 하나님의 그 권위에 순복하기 전에는, 하나님이 원하시는 방향으로 발전하지 못한다. 자신들의 자존심을 삼켜버리고 위기의 순간에서도 복종할 때까지, 그들의 독립심은 자신들의 발전을 저지시키는 것이다. "나와 함께 있으라"는 훈련 단계에 속하는 "스스로 하게 하라"는 다섯번째의 교수법에 선택된 사람들은 자신들이 교정받는 것을 기꺼이 원하고 남을 교정할 수 있는 능력이 있음을 보여주어야 한다.

파송(배치). 감히 철학적인 순수함이 없는 사람들을 파송(배치)할 생각은 말라. 피츠버그에 있는 맥도널드 식당에 들어가도 캘리포니아 샌디에이고에 있는 맥도널드 식당과 동일한 음식을 판매한다. 커피뿐 아니라 아이스크림도 그 맛이 같으며, 햄버거 맛도 항상 똑같이 좋다고 장담할 수 있다. 전국에 걸쳐 좋은 품질을 유지하는 이유는 바로 품질관리에 있다.

맥도널드 식당은 독점 판매권자를 선택하는 기준이 있다. 독점판매권을 구입하는 사람들은 상점을 유지하기 위해서 규칙들과 합의점들을 지켜야만 한다. 그들이 하나의 상품을 판매할 때, 그것의 모습과 맛은 전 세계적으로 동일하다. 그들은 그들이 배가생산하기 원하는 것이 무엇이며, 어떻게 그 품질을 유지하는지를 안다. 이와 같은 점들이 교회 내에서도 동일하게 적용된다. 어떤 제자 삼는 자가 파송(배치)될 때, 원하는 생산품을 재생산하기 위해서는 그가 동일한 철학과 기술들을 소유하는 것이 필수 불가결하다.

파송(배치)할 시기가 가까워 옴에 따라, 예수님은 최후의 교훈들을 주시기 위해 제자들을 다락방으로 부르셨다. 그분은 제자들에게 새로운 것을 가르치셨는데, 특별히 성령의 사역을 열두 명에게 소개하셨다. 그분은 그들의 관계상의 변화를 설명하셨다. 예수님께서 그들과 함께하시겠지만, 이전과는 다른 방법으로 그렇게 하신다는 것이었다. 그들은 더 많은 일과 보다 큰 책임을 담당하게 될 것이다. 예수님은 자신이 떠나가시는 것이 필요하다고 강조하셨다. 그렇게 하시는 것이 필요했던 한가지 이유는 제자들의 개발 때문이었다. 그들은 예수님이 곁에 계시는 그 순간까지만 발전할 수 있었다. 만약 우리가 다락방 설교와 부활 후의 나타나심을 배합하면, 우리는 파송(배치)의 원리를 발견할 수 있다.

기본 원리를 복습하라. 다락방은 예수님께서 사랑과 결실과, 하나님 아버지와 서로간의 관계를 유지하는 것에 대한 기본적인 요소들을 복습시키신 바를 우리에게 가르친다. 부활 후 예수님의 출현하심들은 제자들에게 지속적인 도움을 주겠다는 중대한 약속과 또한 맡은 일에 헌신하라는 분명한 명령을 우리에게 가르쳐 준다.

일련의 시험들을 통한 기본 원리의 복습이 그 요소들에 대한 적용방법으로 되어 왔다. 시험들은 교리, 사역철학, 직무형태의 선호, 그리고 구두시험 등이다. 구두시험은 그 사람이 그의 지식과 자신의 철학에 대한 헌신을 잘 관련시키는 능력을 보여주는 기회인 자유분방한 토론이다. 이것은 지도자들과 파송(배치)될 준비가 되어 있는 제자 삼는 자 양쪽 모두에게 자신이 준비되었다는 자신감을 준다.

지상명령을 여섯번째 단계인 "일을 맡기고 파송하라"까지 인도하신 예수님의 가장 명백한 방법은 그의 마지막 말씀이었다. 지상명령에 대한 다섯 번의 출현은 예수님께서 제자들에게 주신 최후의 말씀이요, 가장 중요한 말씀이다. "오직 성령이 너희에게 임하시면 너희가 권능을 받고 예루살렘과 온 유대와 사마리아와 땅 끝까지 이르러 내 증인이 되리라 하시니라"(행 1:8).

예수님은 그들에게 "희어져 추수하게 되었도다"라는 말씀으로 시작하셨고, 그들이 전 세계를 향한 능력있는 증인이 될 것이라고 말씀하심으로 그 끝을 맺으셨다. 그 사이에, 그분은 그들을 훈련시키셨다. 예수님은 제자들에게 방법을 보여주셨고, 함께 행하셨으며, 스스로 하게 하셨고, 마지막으로 일을 맡기고 파송하셨다. 오늘날에도 그분은 자신의 제자들이 같은 일을 하도록 계속해서 능력을 주신다. 그분의 탁월하신 가르침 덕분에 "제자를 삼으라"고 말씀하셨을 때 제자들은 그분이 무엇을 뜻하시고 어떻게 그것을 하는지 알았다. 우리도 성도들에게 같은 말을 할 수 있는가?

새 관계를 세우라. 예수님은 제자들에게 그들의 관계에 변화가 있을 것이라고 말씀하셨다. 훈련된 제자 삼는 자가 파송(배치)될 준비가 되었을 때에도, 그것은 마찬가지이다. 예수님은 제자들에게 그들이 사생아가 되지 않을 것이라고 말씀하셨다. 즉, 예수님은 성령을 통해 계속 접촉하실 것이다. 그들은 동일한 능력을 소유하지만, 더욱 큰 책임을 맡을 것이다. 오직 한 가지 부족한 것은 예수님이 육신적으로 부재하신다는 사실이다.

훈련된 제자 삼는 자가 파송(배치)되었을 때, 그는 보다 많은 책임과 자유가 있지만 자신의 지도자와의 관계도 계속 유지할 것이다. 상이한 점은 그 훈련된 제자 삼는 이가 한 달에 한 번씩은 그 지도자와 접촉하는 것이다. 그들은 일 년에 이틀간은 온종일 함께 보낼 것이다. 이것은 그 사람이 지리적으로 먼 사역지에 파송(배치)되었을 때 흔히 일어나는 경우이다.

보다 보편적인 계획은, 훈련된 제자 삼는 이가 교회에 남는 것이다. 그에게는 가장 밑바닥서부터 사역을 창조하고 발전시키는, 주요한 책임이 주어진다. 교회의 지도층과 접촉이 있는 반면에, 그 훈련된 제자 삼는 자는 그 책임을 거의 혼자 떠맡게 된다. 그렇게 하는 것은, 그에게 능력이 있고, 그렇게 함으로써 다른 이들을 모집하고 훈련시킬 것이기 때문이다. 그는 교회의 지도층에게 일상적인 도움을 얻으려고 의지하면 안된다.

훈련된 많은 제자 삼는 자들을 생산하는 것은 교회에 있어 중요한 일이다. 어떤 이들은 신학교로, 선교지로, 교회 개척을 위해, 또는 전문적인 기독교 사역의 다른 형태를 향해 나갈 것이다. 이들은 정예요원들이라 할 수 있다. 그러나 대부분은 후방의 전체 보병들처럼 그 교회에 남을 것이다. 상당한 수준으로 훈련을 받은 사람들은 그런 훈련 후에 "주춤거리려는" 유혹을 이겨야 한다. 제자 삼는 목회자가 당면하는 도전은 사람들을 도전적이고 만족스러운 사역으로 인도하고, 그 다음 단계를 선택하도록 도와주며, 성령님의 창조력이 사역의 아이디어를 제공하시는 것을 허용해야 한다.

우리는 교회의 훈련된 제자 삼는 자들이 사회의 각 계층을 겨냥해서 그들을 돕고 그리스도께로 인도하는 헌신된 그리스도인들로 이루어진 소그룹 봉사팀을 지도하도록 격려한다. 거처가 없는 자들, 에이즈 환자들, 학대당한 아이들, 또는 학부모 모임이나, 기분전환을 위한 단체들 같은 사회의 그룹들 모두가 다 그리스도를 위해 침투할 수 있는 그룹들이다. 성공하기 위해서는, 이 사역들이 훈련을 받았고 그것을 성취할 기술이 있는, 즉 훈련된 제자 삼는 자들에 의해 인도되어야 한다.

사람들을 훈련시키고 그들이 나아갈 수 있는 곳까지 나아가도록 허용함으로써 보다 풍부한 지도력과 더욱더 효과적인 사역이 있을 것이다. 어떤 이들은 "사실과 이유를 가르치라"는 단계에서 더 나아가지 못할 것이다. 대다수는 "방법을 보여주라", "함께 행하라"는 단계에 머물러 있는 자신들을 발견할 것이다. 그것은 그들이 지도자는 아니지만 제자라는 뜻이다. 그들은 재생산은 하지만, 항상 다른 사람의 지도를 필요로 한다. 그리고는 10% 가량이 훈련된 제자 삼는 자가 될 것이다. 당신은 그들 스스로 제자 삼는 자의 일을 하게 한 후에 일을 맡기고 파송시키라. 그들은 일꾼들 중 노른자위이며, 다른 사람들을 통해 그들의 성과를 배가시킬 것이다. 이런 사람들을 많이 생산하면 생산할수록 바람직스러운 일이다.

제 9 장

지교회에서의 제자 삼기 성취법

이 주제는 책에서 필자가 흔히 읽지 않는 부분이다. 그것은 책의 저자가 자신의 성공비결을 세세하게 설명하는 부분이다. 필자는, 보통 전달될 수 없는 세세한 부분들은 언급을 피한다. 그러나 당신이 필자의 말만 듣고 책을 덮어 버리기 전에 필자가 아직도 원리들에 대해서 말하고 있다는 사실을 보여주고 싶다.

이 부분은 이 책 전체를 통해 지지하고 있는 원리들을 바탕으로 한다. 필자는 예수님께서 수립하셨던 네 단계 훈련 계획에 관하여 요약할 것이다. 필자는 그 원리들을 사용하는 실제적인 수단들을 따를 것이다. 일반적으로, 필자는 각 수단이 하는 것이 무엇이고, 왜 그것이 사용되었는지를 설명할 것이다. 필자는 이것이 당신의 사역에서 제자를 삼는 일에 유용한 아이디어를 제공하면서, 그 원리들을 잘 소화시키기를 희망한다. 그러나 먼저, 몇 가지 기억해야 할 중요한 것들이 있다.

첫번째로 기억해야 할 일: 계획이 있는지 확인하라

교회 중심의 제자 삼는 계획은 교회 심장부에 제자 삼는 사역을 자리잡게 하기에 필요한 작업계획이다. 그 계획은 어떻게 그 원리들이 적용되는지 보여준다. 당신이 어디를 향해 가고 있고, 어떻게 거기에 다다르는지 알기 전에는 제자 삼는 사역을 시작하지 말라.

두번째로 기억해야 할 일: 당신의 계획을 설명하라

우선순위들을 선포하라. 목회자는 강단을 통해 성서적인 우선순위들을 선포한다. 그는 그 구절들을 상술하고, 원리들을 추출하며, 그 용도의 예를 든다. 그는 교회에 어떤 구체적인 방향을 분명히 제시한다.

교회 문서에 그 계획을 출판하라. 공보, 회보, 연간 보고서, 연감, 소책자 등등의 모든 문서들이 그 선포된 우선순위를 반영해야 한다. 그 글들은 일 년마다 갱신되고 향상되어야 한다. 공동체적인 성취를 평가하는 기준들도 교회 헌법에 기록되어야 한다.

지도층에서 그 계획에 대한 본을 보이라. 이것은 담임 목회자의 철학 다음으로 중요한 단계이다. 제자 삼는 사역의 우수성과 우선순위가 교회 지도자들의 삶과 사역에 반영되어야 한다. 이것이 없다면, 그 교회의 성도들은 선포된 우선순위에 불순종하도록 배우는 셈이 된다. 지도자들이 그런 삶을 살지 않는다면, 교회 회중이 무엇 때문에 제자 삼는 사역을 최우선적인 것으로 믿겠는가? 이 세 가지의 전제조건들은 교회 중심부에 제자 삼는 사역을 세우기 위한 기초작업을 확고히 한다.

세번째로 기억해야 할 일: 사역 실행 계획 모델을 제시하라

당신의 실행 계획을 교회 지도층에게 제시하라. 만약 당신이 하기 원하는 것을 안출해서 썼다면, 그것을 다른 이들에게 설득시킬 수 있을 것이다. 당신은 이것이 지향할 방향이라고 그들을 설득할 필요가 있을 것이다. 동일한 비중으로 중요한 일은 그 계획을 실행에 옮길 당신의 전략이다. 그 실행을 위한 구체적인 수단들을 설명할 때, 일반인도 의기 상투할 수 있고 고무된다. 이것은 "나는 제자가 된다는 것이 어떤 것인지 '와 보려는' 모든 사람들을 가르치기 위해 소그룹을 시작하겠다"라고 간단하게 밝히는 정도가 될 수도 있다.

세 가지 기억해야 할 것들 즉, 계획을 세우고, 그 계획을 설명하고, 당신의 계획을 팔라. 사람들은 자신이 어느 곳을 향해 가는지 알고 있는 지도자에게 반응을 보인다. 올바른 목표를 지닌 실행 가능한 계획을 제시할 때 사람들은 당신을 따를 것이다. 다음에 제안한 모델은 제자 삼는 사역을 교회의 심장부에 놓을 수 있다. 그것은 지상명령의 성취를 가능하게 만드는 제자 삼는 자들과, 배가생산 사역자들을 생산한 결과인 건강한 그리스도인들의 개발을 위한 필수 불가결한 원리들을 실행하는 하나의 방법으로서 제시된 것이다.

모델

전에 쓴 책 "제자사역자 - 예수 그리스도"(*Jesus Christ, Disciple Maker*)에서, 필자는 필자가 제안하는 모델의 씨앗들을 제시한 바 있다. 그 모델은 예수님의 제자과 관련된 그리스도의 세 가지 훈련단계들로 형성되어 있다. 그것은 일반적인 관찰들인데, 이 관찰들에 대해 많은 이들이 전에 그것들을 주목했고 그 점에 대해 저술했었다. 부루스(A. B. Bruce)는 자신의 명작 중 하나인 "열두 명에 대한 훈련"(*The Training of the Twelve*)에서 그리스도의 세 가지 부르심에 대해 언급한다.[1] 즉 요한복음 1:39에만 기록된 "와 보라", 마가복음 1:16-20에서 발견되는 "나를 따르라", 그리고 마가복음 3:13, 14에 있는 "나와 함께 있으라" 등이다. 필자는 보다 짧고 조금은 덜 중요한 "내 안에 거하라"(요 15:7, 8)는 네번째 단계를 추가했다. 도표 1은 각 훈련단계를 보여준다. 도표의 최상단에서 당신은 예수님의 여섯 단계 교수법과 그것이 어떻게 네 단계 훈련 계획에 잘 들어맞는지 보게 될 것이다.

"와 보라" 1. 사실을 가르치라. 2. 이유를 설명하라.
"나를 따르라" 3. 방법을 보여주라. 4. 함께 행하라.
"나와 함께 있으라" 5. 스스로 하게 하라.
"내 안에 거하라" 6. 일을 맡기고 파송하라.

우리가 이것을 신체에 비유한다면, 네 단계 훈련 계획과 여섯 단계 교수법은 심장 혈관계에 해당한다. 이 원리들이 사용될 때, 바로 제자라는 생산품이 나온다. 각 부문에서 보게 되는 수단이나 방법은 신체의 골격을 구성한다. 그 골격은 신체의 구조를 만든다. 그러나 몸의 건강은 심장, 동맥, 정맥, 허파에 가장 많이 의존한다. 사람들은 힘이 부족해서 죽지는 않는다. 바로 심장이 멎으면 죽는 것이다. 신체는 양호한 심장 혈관계가 없이는 그 기능을 발휘할 수 없다. 그것이 작동할 때, 나머지 부분들도 작동하는 것이다.

네 단계 훈련 계획은 두 필수요인들 - 시간과 헌신의 정도 - 에 중심을 둔다. 이런 훈련 단계와 합체된 여섯 단계 교수법은 훈련내용과 책임 수준 등에 그 초점을 맞춘다. 여섯 단계 교수법이 전체 과정을 통해 훈련자들로 하여금 그 훈련 내용을 좇아가도록 도와주는 반면에 네 단계 훈련 계획은 교회의 제자 삼는 훈련의 전체적인 모습을 제공한다.

제1단계: "와 보라"(요 1:39-4:46)

예수님께서는 따라올 것을 요구하시지 않았다. 그분은 단순히 그 초

도표 1
교회 중심의 제자 삼는 사역 구조

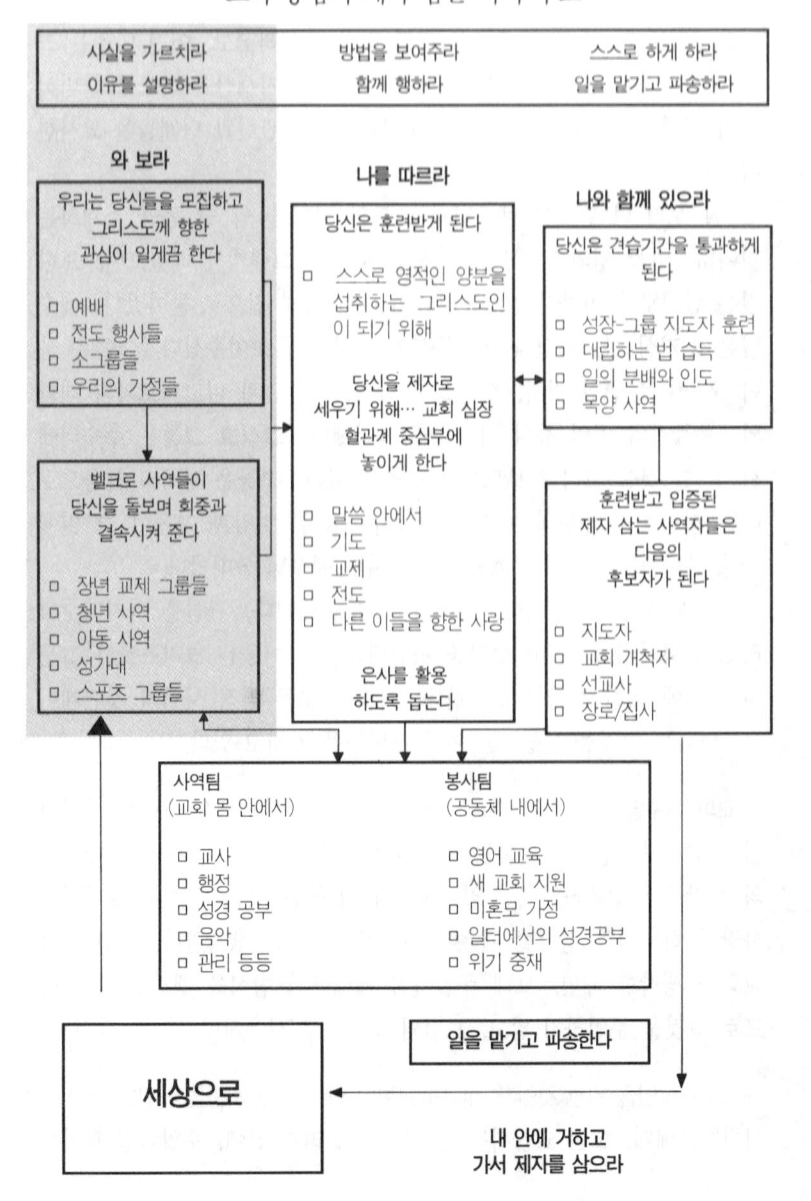

청을 부연하셨다. 각 발달 단계와 헌신의 정도가 깊어질 때마다, 예수님은 사람들이 그 다음 수준을 따를 것을 종용하셨고, 어떤 이들은 그렇게 했다. 그 부르심은 예수님의 제자들이 배가생산을 하도록 준비시키기 위해 예수님께서 사용하신 훈련과, 그와 관련된 단계들을 묘사한다.

"와 보라"의 단계는 예수님과 그분의 사역을 넉 달 동안 소개하는 것이다. 다섯 명의 제자들이 그분을 따랐고 그에게서 배웠으며, 보다 깊은 단계로 들어가기 원하는지 숙고하기 위해 집으로 돌아갔다. 예수님은 호기심있는 회심자들에게 사역의 본질을 보여주셨다. 그들은 물이 포도주로 변한 것과, 성전을 정결케 하신 일과 니고데모와의 대화와, 우물가의 여인 등의 사건들을 목격했다. 그리고 그들은 추수터에서 일 할 것을 고려해 보도록 도전을 받았다. 그들은 왕국의 복음으로 다른 사람들을 전도하는 것이 지극히 중요한 일임과 그들이 그 일에 한 부분이 될 수 있다는 깨달음을 가지고 예수님을 떠났다.

"와 보라"는 "모집하다, 고려하다, 노출시키다, 관심을 가지다, 그리고 감화시키다" 등의 성격을 지닌다. 이 단어들은 그리스도와 그분의 사역에 대한 소개를 강조한다. 이것은 모든 영적 사역의 첫단계이고, 교회는 그것을 실행하는 여러 수단들을 가지고 있다.

교회의 주일아침 모임. 기존 교회의 가장 손쉬운 모집 수단은 주일아침 모임이다. 우리의 문화는 주일아침을 중심으로 이루어지며, 대다수의 사람들과 접촉하기에 주일아침보다 더 좋은 시간이 없다. 일반적인 사람이 하나님을 생각할 때 여전히 그는 교회를 생각한다. 또한 그가 교회를 생각할 때면, 으레 주일아침 예배에의 참석을 생각한다. 그러므로 그것을 부인하지 말고, 모집의 수단으로 사용하라.

그리스도인을 위한 것인가 아니면 교회에 안 다니는 사람들을 위한 것인가? 성찬식, 예배, 또는 교습시간 등 어떻게 불리건 간에, 주일아침 모임은 의도적으로 구성되어야 한다. 즉, 그것이 신자들을 위한 것일지 아니면 불신자와 교회에 안 다니는 사람들을 위한 것일지, 심오한 내용의 공부 중심인 강해설교가 될지 아니면 교회에 안 다니는 사람들을 위한 주제별로 된 그들의 필요에 따른 그다지 부담없는 것이 될지, 그리고 음악은 현대식이 아니면 전통적인 것 또는 찬송가 아니면 복음성가를 부를 것인지, 손을 들고 할 것인지 아니면 엄숙하고 조용하게 부를지 등등을 고려해야 한다.

"와 보라" 단계에 있는 교회들은 교회에 다니지 않는 사람들을 전도하는 데 중점을 둔다. 그들은 역동적인 음악과, 연극과 설교를 사용해서 사람들을 상당히 잘 모은다. 그들은 교육과 훈련을 위해서 다른 모임들을 사용하기로 결정했다. 이 교회들은 그들 나름대로의 선택을 한 것이고, 그것은 그릇된 선택이 아니라, 다른 종류의 선택이다. 중요한 것은 그 교회 어디에선가 교육과 훈련이 실시된다는 점이다.

창조적 방법들로 대중을 모으는 교회에서 보통 등한시되는 특징은 그들 지도자의 대기업가적인 모습이다. 그런 모델을 실행하기 위해서는 역동적인 지도자들이 요구된다. 그런 지도자가 있을 때 이 모델을 선택할 여지가 있다. 그러나 이것을 대부분의 교회에서 일반적인 선택을 할 수 있는 한 가지로 여기기에는 어느 정도의 한계가 있다. 95%의 미국 교회들은 주일 아침에 200명 또는 그 이하의 출석률을 보인다. 그러나 실제로는 대부분의 교회들이 대기업적인 모델로부터 이득을 볼 만한 창출적인 기술이나, 이런 방향에 재능이 있는 목회자나, 재정적인 능력이 없다.

대기업적인 모델은 도움이 되기보다는 매우 위협적인 존재이다. 몇몇 귀중한 원리들과 아이디어들은 일반 교회에 도움이 되지만, 보통 그것들은 대부분의 교회가 도달할 수 없는 기준을 설정한다. 이런 성공적인 교회들을 따라야 할 모델처럼 말하는 세태적 경향은 그 문제를 더욱 심화시킨다. 그 역동적인 대기업가적인 목회자와 그런 교회가

95%의 목회자들에게는 죄책감을 유발시키는 호된 매질인 셈이다. 이것은 대기업가적인 목회자의 문제나 잘못은 아니다. 필자가 권유하는 자세는 간단히 이런 재능을 소유한 소수에 대해 하나님께 감사하고, 그들 중에서 우리가 적용할 수 있는 것은 받아들이고 거기에서 그치라는 것이다.

우리는 어느 누구나 재능과 자원들을 가지고, 사용할 수 있는 모델을 필요로 한다. 문제는 당신이 얼마나 많이 가지고 있느냐가 아니라 당신이 가지고 있는 것으로 무엇을 하는가 하는 점이다. 당신이 가지고 있는 것으로 잘 하면 하나님이 더 많은 것을 줄 것이지만 몇몇 사람이 가진 만큼 많지는 않을 것이다. 아직 질문이 남아 있다. 제자 삼는 목회자로서 당신은 주일아침 예배를 통해 무엇을 성취하려고 하는가?

관심, 감화, 그리고 모집. 우리는 주일아침 예배가 그리스도인을 위한 것이라고 결정했다. 모이는 주된 이유는 격려, 교육, 위로, 동기부여(고전 14:3; 히 10:24, 25) 등이다. 성경은 불신자에게 교회에 출석할 것을 명령하거나 기대하지 않는다. 그러나 그리스도인은 주일예배에 정기적으로 모이라는 명령을 받았다(히 10:24, 25).

그리스도인에게 중점을 두는 또 다른 이유는 그들이 서로 북돋워주기 위해 모이고 전도하기 위해 흩어지기 때문이다. 교회의 효율성은 교회 구성원들이 사회로 침투해 들어가는 능력으로 알 수 있다. 교회에 내려진 명령의 핵심은 불신자들을 교회로 인도하는 것이 아니라, 그리스도를 세상으로 모시고 나가도록 그리스도인들을 준비시키는 것이다. 새신자들을 신도들 속으로 융화시키는 것도 기대되는 바지만, 이것은 신자들의 증거로 인한 부산물인 것이다.

주일아침 예배는 그리스도인들이 하나님을 찬양하고, 성경을 배워가며, 사역을 향해 나아가는 분위기를 제공한다. 주일아침 예배는 우리가 그리스도인들로 하여금, 사역에 관심을 갖도록 만드는 시간이다. 목회자는 강단에서 가르치고, 감화시키며, 무엇보다도 그리스도인들이 하나님의 일을 하는 데 관심을 갖도록 한다. 목회자는 그들로 하여금 자신들의 위치에서 나와 실행을 위한 일터로 향하게 하는 것이다.

이것은 제자 삼는 목회자에게 가장 좋은 기회를 제공한다. 그는 우선순위들을 선포하고 사람들로 하여금 참여하도록 요구한다. 이것은 예수님의 대중사역과 밀접한 관련이 있다. 목회자는 사람들에게 무엇이 왜 중요한지 말한다. 그는 그들이 누구이고 무엇을 해야 하는가를 말해준다. 목회자는 그들이 하나님의 사역에 한 부분이 되는 일이 왜 그들에게 최대의 유익이 되는지 그 이유를 밝혀준다. 목회자는 강단을 교회의 분위기 조성을 위해 사용한다. 음악, 기도, 예식, 가르침 등 이 모든 것들은 사람들의 실행 동기를 부여하기 위해 수반된다. 그러나 주일아침 모임의 핵심은 사람들에게 하나님을 위해서 살고, 하나님을 위해서 일하도록, 즉 제자가 되어가도록 관심을 부여하는 것이다.

소회중. 주일아침 예배는 당신의 관심을 유발시키는 곳이고, 소회중은 당신을 보살피는 곳이다. "와 보라" 단계의 사역은 두 가지 차원을 다 소유해야 한다. 사람들의 관심을 유발시키고 그들을 보살펴 주어야 한다. 사람들이 사랑을 느끼지 않는 한 그들은 하나님의 말씀을 자신들의 삶에 받아들이지 않을 것이다.

소회중은 교회에 회중적인 생활을 제공한다. 회중적인 생활이란 인간관계의 발달과 유지를 의미한다. 우리는 각 교인에게 전체 교회의 크기에 상관없이 그는 자신을 알고 있고, 사랑해 주는 보다 작은 회중의 일원이 항상 될 것이라는 약속을 해왔다. 만일 그가 결석한다면 사람들은 그를 보고 싶어하며, 병원에 입원중이면 문병을 가며, 아프다면 누군가가 그에게 음식을 제공할 것이다.

그 그룹들은 보통 주일날 성경공부반보다 훨씬 더 역동적이며 활기가 넘친다. 우리 교회에서는 주일아침에 이 모임을 갖지만 다른 시간에 모여도 된다. 그들은 사역분산에 의해 사람들을 더욱 잘 돌아보는 중요한 역할을 한다. 성찬식, 침례(세례)식, 어린이들의 결단(영접) 등등이 소회중을 통해 행해진다. 이는 "전체 구성원이 사역자"란 신학과 일치한다.

그것들은 보다 큰 사역의 기회들을 제공한다. 최근에 우리 소회중들은 의복을 모아서 형무소에 보내주었고, 소수 민족의 그룹들을 위해 옷, 장난감, 음식, 돈 등을 제공했으며, 또한 몇몇 이민교회 개척자들의 여러 가지 필요들을 도와주었다. 사람들이 사역의 생동감을 경험하기 시작할 때 그것을 다른 이들에게 권유하며 역동적인 분위기가 된다. 최근에 소회중들의 한 그룹이 자신들 중의 일원의 병원비를 어떻게 지불할 것인가에 대해 함께 고려했고, 연이어 길거리에서 빈둥대는 청소년들이 일을 하도록 잔디깎는 사업을 시작하자는 말도 나왔다. 그들은 사역자인 것이다. 그들은 사역을 창출하고 그 사역을 실행한다. 그들은 모든 것을 교회의 임원회에 의해 심사받아야 할 필요가 없다.

소회중은 잘 훈련된 지도자 팀이 지도하는데, 그들은 거의 대부분이 평신도들이다. 한 팀은 지도자, 교사, 섭외부장, 소그룹장들, 자선사업부장 등등으로 구성된다. 사람들은 교회 안에서 서로를 사랑하도록 배운다. 다양한 소규모의 후원그룹들도 그들 중에서 성장하여 나올 수 있다. 사람들이 서로를 알게 될 때, 필요가 알려지고, 채워진다. 사람들을 잘 돌보기 위해서는 교회에 그런 수단이 있는 것이 필수적이다.

이것이 필자가 말하는 목양사역을 포함하는 사역 분산의 의미이다. 사람들은 자기 자신을 신뢰하기 시작하고, 자존감을 갖게 되며, 사역 아이디어나 그 실행에 있어서 성직자들에게 의존하지 않아도 된다는 점을 이해한다. 그것은 공공연하게 지배되는 사역의 사슬을 끊어버린다.

"와 보라" 단계는 일반 성도들의 관심을 유발하고, 돌보도록 고안되었다. 대부분의 그리스도인들이 참석하게 되는 주요 수단들은 주일아침 예배와 그것과는 다르지만 특유의 역동성이 있는 주일아침 모임이다. 이 단계가 처한 현실은 그리스도인의 50%가 이 단계를 절대로 떠나지 않는 것이다. 만약 주일아침 예배에 100%의 교인이 참석한다면 장년 성도의 45% 가량이 소회중에 참여할 것이다. "와 보라"의 단계는 제자 삼는 목회자가 앞으로 더욱 개발되기를 원하는 사람들을 낚는 그런 연못을 의미한다. 회중의 50% 정도가 "나를 따르라"는 단계로 이동할 것이다.

그런 현실을 감안할 때, 교회는 "와 보라"의 단계를 뛰어넘지 못하는 50%에게 책임이 있음을 고백해야 한다. 그들은 발전해가는 자들만큼 생산적이 아닐지는 모르나 하나님의 자녀들이고 교회는 그들에 대해 책임이 있다.

벨크로 사역들. 대부분의 사람들은 벨크로(Velcro)를 알 것이다. 그것은 지갑이나 가방 등의 지퍼와, 아동들의 신발끈 대용으로 쓰이는 서로 달라붙는 나일론 접착포이다. 벨크로 사역들은 사람들을 교회에 남아 있도록 도와준다. 주일아침 예배와 소회중은 상당한 "접착력"을 지닌다. "와 보라" 단계에서 사용되는 여러 수단들은 사람들을 교회 안에 있도록 붙잡는다. 성가대, 운동팀들, 남선교회, 수양회, 유년부 활동, 사회사업위원회, 작은 비공식적인 성경공부 모임 등등이 여기에 속한다. 그런 그룹들은 사람들을 함께 모으는 것에 그 목적을 둔다. 벨크로 사역들은 사람들이 보다 큰 사역으로 옮겨갈 때까지 그들을 교회에 붙잡아두기 때문에 중요한 역할을 담당하는 것이다. 한 사람이 여러 해 동안 하나 또는 두 가지 정도의 벨크로 사역에 "머무르고" 있다가 어느 날 "나를 따르라 내가 너희로 사람을 낚는 어부가 되게 하리라"는 말씀에 "예" 하고 대답할 수도 있다. 벨크로 사역은 많은 선한 일을 할 뿐만 아니라 한 사람이 앞으로 나아갈 준비가 될 때까지 그들을 그 사역 내에 두는 것이다.

제자 삼는 목회자는 "와 보라"의 단계에서 열심히 일한다. 그는 "와 보라" 단계에서 사용되는 수단들이 높은 수준이기를 원한다. 그는 신문에 흥미로운 광고를 내고 사람들이 교회를 방문하게끔 여러 방법을 동원한다. 이제 사람들이 교회에 앉았으면 제자 삼는 목회자는 자신이 원하는 곳에 그들을 위치시킨 셈이다. 주요한 "와 보라" 단계의 수단들을 통해 그는 사람들에게 봉사의 사역과 그리스도께 대한 헌신에 관심을 갖게 하려고 시도한다. 동시에 그는 사람들이 보다 발전될 때까지 그들을 교회의 환경 가운데 두기 위해 모든 가능한 수단들을 사용한다.

장애물 경기 선수처럼 목회자는 한쪽 눈으로는 그 과정을 주시하고, 나머지 눈으로는 결승점을 주시한다. 그 과정은 사람들을 훈련단계를 통해 이끌어가는 것이고, 그 목적은 모든 자원하는 사람들을 건강하고 재생산하는 성도로 만드는 것이다. "와 보라" 단계는 사람들에게 그들이 자신들의 영적인 순례의 길에서 앞으로 향해 나아가야 하는 내용과 이유를 말해준다. 그것은 주요 관건들의 골격을 세우고, 목표를 설명하며, 가는 방향을 지적한다. 사람들이 지속적으로 그 메시지를 접하게 되는 분위기 속에 있도록 하는 그 모든 것이 제자 삼는 사역에 중요하다.

제2단계: "나를 따르라"(마 4:18-22; 막 1:16-20)

"와 보라" 단계에서 우리는 회중에게 우리가 당신들에게 관심을 가지고 있고, 당신들을 돌본다고 말해준다. "나를 따르라"는 단계에서는 당신이 성숙한 제자가 되게끔 훈련시킨다. 예수님의 여섯 단계 교수법에서 제 3, 4 단계는 "나를 따르라" 단계에 속하는 것들이다. 예수님은 제자들에게 그것을 어떻게 하는지 방법을 보여주셨고 또 그들과 그것을 함께 행하셨다. 그분은 이 10개월의 훈련기간 동안 그리스도인의 생명유지장치 내에서 기반을 잡게 했다. "나를 따르라" 단계는 사역 기반들에 대한 연장된 훈련기간을 제공한다. 예수님은 그분과 그 사명에 평생을 헌신하는 데 필수적인 네 가지의 필수요소들 - 하나님의 말씀,

기도, 관계들 또는 나누는 삶, 그리고 증거 또는 선교 - 을 세우셨다. 예수님의 훈련은 그들에게 이것을 어떻게 하는지 보여주셨다. 거기에는 제한된 숫자만이 참가했다. 예수님은 상당히 많은 모범을 보이셨다. 그분의 목적은 중요한 것을 그들에게 가르치시고는 그들의 삶에 그 가르침을 실행시키시는 것이었다.

변이과정. 모든 그리스도인은 굳건한 기반 위에 서기 위한 시간이 필요하다. "나를 따르라" 단계가 제자들에게는 그런 시간이었다. 제자 삼는 목회자는 "와 보라"에서 "나를 따르라"는 단계로 사람들을 이동시켜야 한다.

회중의 50%가 "와 보라" 단계를 절대로 떠나지 않는 반면, 긍정적인 면으로서 그 절반은 움직일 것이라는 사실이다. "와 보라" 단계에서 절대로 떠나지 않는 사람들의 병적인 심리는 분석적인 사고자에게 맡기겠다. 필자는 제자들이 "나를 따르라 내가 너희로 사람을 낚는 어부가 되게 하리라"는 초청에 응한 데에는 세 가지 이유가 있다고 생각한다.

그들은 예수님과 이미 함께 지냈었다. 4개월간의 "와 보라" 단계는 예수님과 사역의 본질에 필수적인 소개의 역할을 했다. 씨앗들은 뿌려졌고, 그리스도께서는 그들을 초자연적인 일들에 접하게 하셨고 그리고는 그 임무를 맡는 것에 대한 도전을 주셨다. 그들은 자신들의 장래에 관한 확고한 선택을 내리기 위해 두 달간 심사숙고했다. 그들은 예수님께서 오셔서 그들에게 도전을 주시리라는 것을 알았고, 그분이 그렇게 하셨을 때 거기에 대한 준비가 되어 있었다.

제자 삼는 목회자는 "와 보라" 단계의 중요성을 안다. 그 단계가 없으면, 사람들은 너무 빨리 너무 많은 일을 하도록 도전받게 된다. 그렇게 많은 일들을 그들은 감당할 수 없다. 그들은 자신들이 이해하지 못하고 그렇기 때문에 지킬 수 없는 헌신을 하는 것이다. "주변에서 맴도

도표 2
교회 중심의 제자 삼는 사역 구조

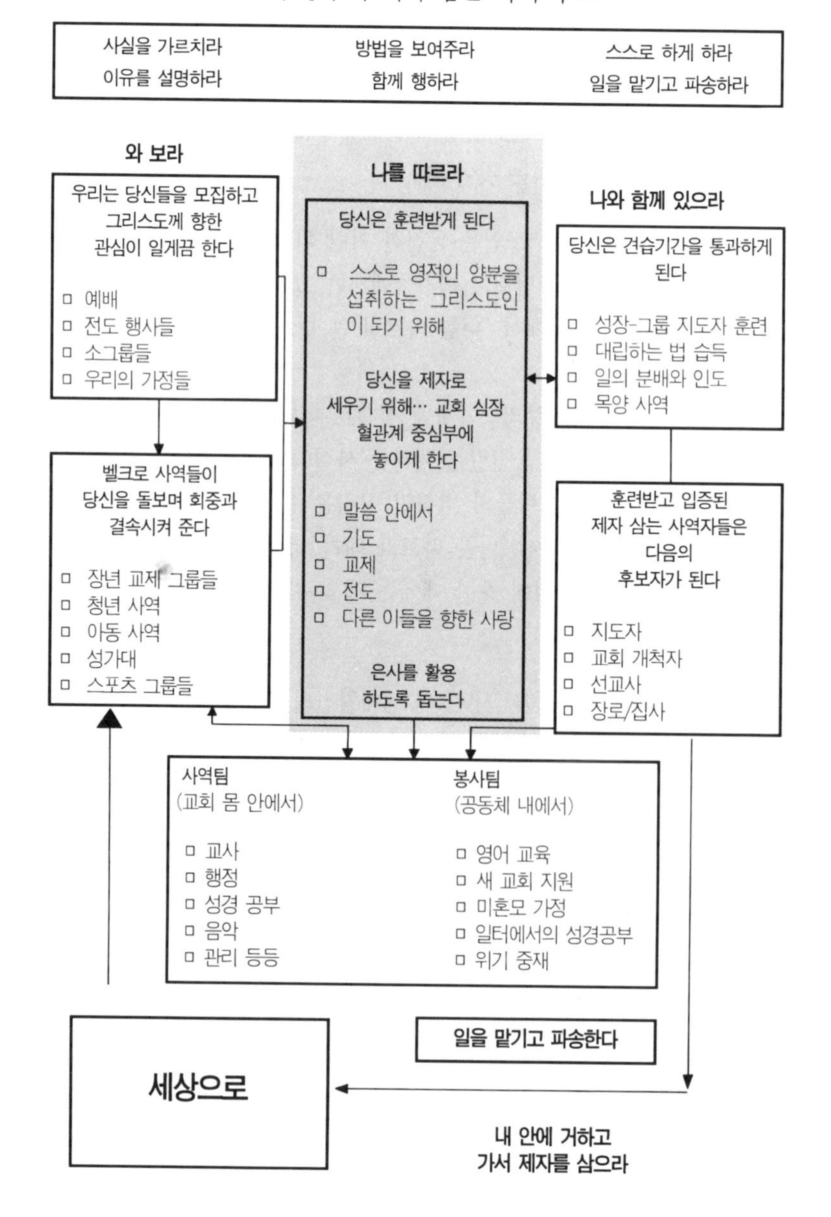

는 상태"에서 그리스도인의 헌신의 세계로 들어오게 하는 변이과정은 "와 보라" 단계에 의해 완충된다. 성도가 사랑과 보살핌을 받는 분위기 속에서 동일한 우선순위들을 반복적으로 들을 때, 그가 보다 많은 것을 원할 기회는 커진다. 사람들은 그들의 마음이 준비되기 때문에 "와 보라" 단계에서 "나를 따르라" 단계로 이동한다. 그들은 자신들이 무엇을 해야 하고 왜 해야 하는지를 안다. 그들은 성숙한 제자들이 되어가는, 순종에 대한 사랑의 단계를 밟는다.

예수님은 책임이 아닌, 초청의 손길을 뻗치셨다. 사람들은 자신들이 스스로 어떻게 해야 하는지, 그리고 노하우 등을 알아서 해야 한다면 어떤 일에 대해 위험을 감수하기를 꺼린다. 그리스도께서 하신 초청의 매력은 바로 그분이 그 책임을 어깨에 짊어지셨다는 점이다. "내가 너를 만들리라"는 말씀이 그 모든 것을 설명해 준다. 네가 어디로 가고 싶어하는지를 알고 있고, 너를 그곳에 어떻게 도달시키는지 알고 있으니, 나를 신뢰하고, 따르라. 예수님께서는 그가 뜻하시는 바를 말씀, 기도, 교제, 그리고 증거 등에 대한 우선순위들을 실제로 가르치심으로 그들에게 보여주시는 과정을 진행하셨다.

사람들의 변이가 있게 하는 핵심은 목표와 일치하는 수단을 제공하는 것이다. 만약 목표가 성숙한 제자를 삼는 것이라면, 그 수단은 제자상을 형성하는 특징들을 세워야 한다. 그것은 원하는 사람들을 그런 수단에 관한 결정을 할 수 있는 소개모임에 초대하는 것으로 간단히 시작한다.

그 일을 성사시키는 데에는 여러 방법들이 있겠지만, 현명한 교회는 시작할 때는 한 가지 방법에, 그리고 성숙한 형태에서는 몇 안 되는 방법들에 집중한다. 몇 가지 방법들을 잘 해나가는 일이 생각할 수 있는 온갖 것을 동원하는 것보다 더욱 중요하다.

한 사람의 변이는 그가 왜 그리고 무엇을 영적으로 추진해 나가야 하는지를 분명히 이해함으로 눈에 띄게 된다. 그리고는 그가 가야 한다고 확신을 갖게 된 곳에 다다를 수 있게 하는 수단을 제공하는 초청이 그 뒤를 잇는다. 또한 그 사람은 지도자가 자신을 그곳까지 인도할 수 있다고 믿어야 한다.

예수님은 그들을 어떤 한 직업으로 부르신 것이 아니라, 한 비전으로 부르셨다. 예수님께서는 또한 그들이 예수님을 따르면 그들을 사람 낚는 자로 만드실 것을 약속하셨다.

헌신하게 하는 추진력은 바로 비전 - 훈련한 결과 내가 무엇이 될 수 있고 또 내가 무엇을 할 수 있는지에 대한 - 이다. "나를 따르라"는 단계에서 사람들은 하나님께 영광을 돌리는 제자들로서 자신들을 분류시키는 기본적인 특징들과 기술들을 확립한다.

그렇게 하기 위해서는 수단이 필요하다. "나를 따르라"는 단계에 필수 불가결한 두 가지의 훈련 단계들은 "방법을 보여주라"와 "함께 행하라"이다. 이것은 통제된 환경을 필요로 한다. 예수님은 제자들에게 그와 함께 여행할 것을 요구하셨고, 그들은 하루 24시간을 함께 지냈다. 그 여행하는 무리는 통제된 환경에 있었다. 그들의 10개월간의 철저한 동거는 오늘날의 목회자와 제자의 형태로 따지자면 수년간에 해당한다. 그러므로, 오늘날 예수님의 모범을 따르고자 하는 훈련 경험은 10개월보다 더 길어야 한다. 가정과 직업을 가지고 있으며 여러 적절한 선택들을 해야 하는 사람들과 일하는 데에는 그들과 접촉이 가능한 기회가 필요하다.

우리는 2년이라는 시간을 선택했다. 우리는 모든 그리스도인이 재생산하는 제자가 되어야 한다고 믿기 때문에, 그들의 참여를 가능하게 만드는 수단들을 창조해야 한다. 너무도 자주 그리스도인들은 제자도가 예수님과 열두 명의 제자들처럼 자신의 전 시간을 사역에 쏟는 전문적인 성직자들에게만 가능한 일인 것으로 생각한다. 이런 생각은 사실이 아니며 또한 해로운 것이다. 그것은 일반 사람으로 하여금 그리스도와 사역을 향한 중대한 헌신은 가능하지 않다고 여기게끔 만드는 경향이 있다. 교회의 지도층은 평신도들에게도 그런 일이 가능하도록 방법을 찾아야 한다.

제자도 그룹. 소그룹은 제자 삼는 사역을 위한 최상의 환경을 제공한다. 그 그룹은 보통 신자를 헌신하는 훌륭한 제자로 키워내기 위한 수단을 제공하기 위해 고안되었고 여러 원리들로 형성되어 있다.

오직 헌신을 다짐한 사람들만 받아들인다. "나를 따르라 내가 너희로 사람을 낚는 어부가 되게 하리라"는 그리스도의 초청에 응한 사람들은 예비교육을 위한 회의에 참석한다. 그들의 헌신에 대한 상세한 설명이 있게 된다. 그들은 모임들에 참석하고, 훈련에 참여하며, 책임감을 가질것에 동의한다. 성장 그룹 서약이 다음에 주어져 있다. 사람들은 예비교육을 위한 회의 후에 그들의 결정을 위해 일주일 동안 생각하게 된다.[2]

헌신은 진전을 위해 필수적이다. "…그들을 가르쳐 지키게 하라…" (마 28:20)는 말씀은 서약한 동의서가 없이는 불가능하다. 이것은 지도자로 하여금 그룹원들이 흔들릴 때 그들이 한 서약을 언급하는 것이 가능하게끔 만든다.

"우리가 무엇을 하기로 동의했는가?" 하는 것이 그 문제들에 대한 논의의 출발점이다. 그룹 서약은 그 그룹을 하나로 결속시키는 요소이다. 그 서약은 그들이 공유하는 점이며, "이 점에 우리가 함께한다"는 생각은 그 그룹에 역동성을 부여한다.

그룹은 방관자가 없을 정도로 작으면서도 다양성을 제공하기에 충분할 정도로 커야 한다. 그 그룹은 다양한 은사와 삶의 경험이 그 속에 있을 때 가장 잘 작동한다.

지도자는 충분히 그 구성원들을 제자화시키는 일에 필요한 은사와 경험의 다양성을 소유하지 못한다. 그룹원들간의 상호작용은 훈련에 있어서 필수 불가결한 일환이다.

성장 그룹 서약

그리스도 안에서 성숙하는 일에 대한 서약

서설: 다음의 서약서는 성장 그룹에 속한다는 것이 무엇과 관계가 있는지에 대한 설명을 분명히 확인하기 위한 것이다. 예비모임에 참석하고 도전과 기회와 그리고 헌신에 대해 기도하는 마음으로 심사숙고한 다음, 당신은 이 서약서에 서명을 하고 교회 사무실에 제출한다.

I. 성장 그룹에 무엇이 관련되어 있는가?

□ 기도, 책임감 있는 교제, 말씀, 그리고 전도에 있어서 스스로 영적인 양분을 섭취하는 그리스도인이 되고자 하는 바람.

□ 성장 그룹 모임에 정기적으로 참석하고 결석 시에는 그 지도자에게 미리 연락을 취하려는 마음.

□ 시간을 엄수하기로 약속.

□ 그리스도와 동행하는 주간별 경건의 시간의 일환으로서 사전에 모든 과제들을 준비하는 목표 지향적인 자세.

□ 성장 그룹 지도자의 영적인 안내를 위한 지도력과 방향을 따르겠다는 마음가짐.

□ 다음의 사항들을 지키겠다는 결심:

1. 2년 동안 30구절을 암송함.
2. 다섯 권으로 이루어진 제자도 공부를 위한 고안(Design for Discipleship Study)이라는 책들과, 신약성서 중 한 권의 책을 분석하는 일과, 사역을 위한 영적 은사들을 사정함.
3. 개인의 간증문 작성과 나눔.
4. 교회에 안 다니는 사람과 친분을 맺기 위해 적극적으로 노력.
5. 당신이 속한 그룹과 교회의 모든 전도 행사에 참여.
6. 기도생활을 당신의 경건생활의 규칙적인 부분으로 삼음.

서약

이런 기대사항들을 읽은 후 본인(우리들)은 당신이 요구하는 것을 시도할 만한 자격은 없다고 느끼지만 도전을 받았습니다. 본인(우리들)은 이 서약에 대해 기도했고 하나님께서 우리를 성장 그룹 멤버들이 되도록 인도하시는 것을 느낍니다. 본인(우리들)은 그리스도 안에서의 믿음과, 다른 이들에 대한 사랑과, 그리스도 왕국의 확장에 있어서 성장하기 원합니다. 그러므로, 본인(우리들)은 하나님이 본인(우리들)을 인도하시는 대로 이 기대사항들을 따를 것을 동의합니다. 우리는 우리가 이 서약 내용에 있어 뒤처질 때마다 당신이 친구로서 그리고 우리의 영적인 복지를 위한 사랑어린 인도자로서 우리에게 도전하실 것을 허락합니다.

이름들 __________, __________, ____________________
날짜 ____________________________

이 그룹은 14명 이상이 되어서는 안된다. 너무 많은 구성원들은 저녁에 주어진 시간 동안 모두가 말하고, 그들이 배운 것과 필요를 나누는 일을 어렵게 만든다. 만일 어떤 사람에게 반복적인 참여기회가 주어지지 않는다면, 그가 배우는 속도는 더디고, 급기야 그룹에서 탈락할 가능성이 매우 높아진다.

그룹은 훈련과정이 잘 진행되기에 충분할 정도로 자주 그리고 오랫동안 만나야 한다. 그 그룹은 일주일에 한 번씩 두 시간 정도 만남으로써, 배움에 필요한 계속적인 기회를 제공한다. 훈련은 성경암송, 성경공부, 전도계획 등등에 대한 주간 강화를 요구한다. 훈련의 또 다른 필수 불가결한 부분은 기대되는 태도의 변화이다. 성경공부는 마음을 변화시키는 일에 도움이 되며, 전도계획들은 변화의 마무리를 짓는다. 훈련에 있어서 서두를 수 없는 한 측면은 시간이다. 2년이라는 기간의 태도는 반복적인 경험에 의해 서서히 변화된다. 마치 그것은 외국어를 배우는 것과 같다. "벼락치기 과정"으로 7주 학습을 끝마칠 수는 있으나, 그것은 동일한 교재를 1년 동안 배우는 것에 비하면 뒤지는 것이다. 만약 학생이 언어를 실습하고 소화시킬 시간이 허용된다면, 배우는 것이 재미있을 것이며, 그는 그 배운 바를 훨씬 오랫동안 간직할 것이다. 배우는 과정에는 자연히 진전할 때와 침체될 때가 있다. 2년이라는 시간은 그룹원들이 자신의 문제점을 해결하는 완화기간을 제공한다.

그룹은 목표를 달성하기 위한 수단들로 사용되는 기본적인 기술들을 가르쳐야 한다. 네 가지 부분이 제자의 생명유지장치를 이루며, 반드시 확립되어야만 한다. 그 네 가지란 성경에 대한 실제적인 지식, 효과적인 기도생활, 책임감을 중시하는 것을 포함하는 의미심장한 관계들, 전도와 대한 긍정적인 자세와 전도를 위한 사역기술들이다.

성경공부. 그룹의 구성원들은 성서적인 원칙들에 대한 실제적인 지식을 소유하기 위해 성서 내용에 대한 충분한 지식을 갖출 필요가 있다. 교재는 난이도의 수준과 성서의 주요 주제들의 범위를 동시에 증가시켜야 한다. 어려움의 정도는, 여백을 채우는 문제로부터 시작하여 귀납적 성경분석으로 바뀌는 것이 좋다. 2년 과정이 다 되어가면, 그 구성원들은 하나님의 말씀을 스스로 섭취하는 법을 알게 될 것이다.

기도. 많은 그리스도인들은 어떻게 기도하는지 모르고 있다. 그들은 그저 일반적인 용어들을 사용해서 기도하고, 구체적인 것들을 구하지 않으며, 중보기도는 낯이 설다. 그룹 구성원들은 구체적으로 기도하고, 구하는 것에 담대하며, 대화식으로 기도하고, 좋으신 하나님께서 이루어 주시는 것들을 알기 위해 기도제목들을 잘 간직하도록 배운다. 또 다른 일면은 그룹이 참여하는 반나절 동안의 기도들이다. 많은 구성원들은 제법 긴 시간을 기도 속에서 보낸다는 생각에 위협감을 느낀다. 그들은 하나님과 어떻게 밀접한 관계를 개발하고, 세 시간 동안의 기도와, 묵상과, 찬양과, 반성 즉, 하나님과 높은 수준의 시간을 보내는 법을 배운다.

말씀과 기도를 통해 하나님과 올바른 관계를 맺는 것은 효과적인 그리스도인의 생활에 기반을 형성한다. 그러나 나머지 두 차원이 없이는, 성경공부는 학구적으로, 기도는 지루한 것으로 되어버릴 것이다. 사실, 단순히 공부와 기도만을 위해 만나는 성경공부는 자연히 쇠퇴한다. 그룹이 역동적이 되려면 그룹은 그 이상의 것들이 필요한데, 그것은 바로 관계와 전도의 강점이다.

관계. 제자그룹 관계들은 평이한 소그룹들보다 훨씬 역동적이다. 상이한 점은 삶과 직무 둘 다에 대한 책임감이다. 많은 소그룹들은 경건한 삶을 살고, 윤리적으로 올바를 것을 행하도록 서로 격려하는 생활형태에 있어서 책임감을 보인다. 필자는 전혀 이러한 특성을 무시하는 것이 아니다. 사실, 필자는 그런 점을 우선순위의 최상단에 놓을 것이다. 하지만, 많은 다른 중요한 이슈들의 경우처럼, 만일 그것이 고립된 상태에서만 행해진다면, 그 위력은 상실되는 것이다.

제자그룹은 또한 직무상의 요소들 - 전도의 도전과, 성구암송, 다른 사람들을 접촉하는 일, 성경공부 과제를 하거나 또는 정시에 정규적으로 그룹에 오는 것 등 - 에 대해 책임감을 갖도록 한다. 그룹의 동료간 압력은 본래 존재하는 것이고, 이것은 책임감에 대한 최고의 위력있는 형태이다. 그룹 내 다른 사람들로부터의 기대가 관계들을 시험한다. 긍정적으로 우리는, "책임감은 하나님께 대한 우리의 헌신을 유지하도록 돕는다"고 말할 수 있다. 이것은 그룹의 구성원들이 서명하는 서약과 그룹 지도자와 구성원들이 그 서약을 지키고자 결심하는 것으로 재차 돌아간다. 이것이 바로 그 그룹을 상이하게 만든다. 왜냐하면 사람들이 도전받고, 대면하고, 격려받고, 교정받으며, 허식적인 모습들이 벗겨질 때, 그들은 진실하게 되며 카타르시스적인 중대국면을 창조하기 때문이다.

그 그룹은 일련의 카타르시스적인 중대국면들을 통과할 것이고, 거기에는 부상자들이 발생할 것이다. 이것은 성장하는 과정상 필요한 것이고, 그 서약을 유지함으로써, 그 그룹의 온전성과 구성원들의 영적 자존감이 손상되지 않는다. 이런 종류의 환경을 창조하는 비결은 간단하다. 첫째, 기대들을 설명하라. 둘째, 그룹원으로는 그 기대를 만족시키고, 서약에 서명하기를 동의하는 사람들만 받아들이라. 셋째, 그 서약을 지키고, 마음이 흔들리는 자들을 교정해 주고, 격려하며, 긍정적인 사람들은 다시 세우고, 그렇지 않은 자들은 탈락시키라. 이것은 위기, 대립, 치유와 성장의 역동적인 환경을 창조할 것이다. 이것이 제자를 삼는 방법이다. 만일 사람들이 책임감을 선택에 따라 실행하고 또 그렇게 해도 무방하도록 허락하면서 그러한 그들을 제자라고 일컫는다면, 우리는 실패한 것이다.

전도 훈련. 그룹 구성원들은 완성해야 하는 과제들을 받는다. 과제의 배후에 깔려있는 이론은 숙제와도 같다. 만약 어떤 학생에게 공부하는 것과 관련된 과제가 주어졌을 때 그의 배움은 가속화된다. 전도목표에는 두 가지 면이 있다. 구성원들 내에 전도의 중요성에 관한 긍정적인 태도와 확신을 창조하고 전도를 가능케 하는 일련의 전도 기술들을 개발시키는 것이다.

제일 처음 갖는 그룹 모임에는 전도 과제가 포함된다. 각 구성원들은 어떤 이를 격려하도록 요구된다. 이것은 일을 진행시키며, 다른 이들을 헤아리게끔 만든다. 이제 그들은 눈가리개를 벗어야 한다. 모든 그룹 구성원들이 그 첫번째 과제를 완료했을 때, 그 그룹은 두번째로 이동한다. 이것은 동료간의 압력과 성공에 매우 필수적인 고유의 책임감을 창출시킨다. 그 2년간에 걸친 목표는 그룹 구성원들이 다른 이들을 효과적으로 전도할 수 있는 태도를 개발시킨다.

기술개발의 목표는 그룹 구성원들이 그들 스스로 재생산할 수 있게 되는 것이다. 구체적인 기술들은 다음과 같다. 다른 사람들과 어떻게 영적인 대화를 나누는지 알고, 사람들을 전도행사에 초대하는 법을 알며, 자신의 간증을 나누고는, 복음을 나누는 방향으로 나아가도록 이끄는 분명한 질문들을 하는 것으로 전환시킬 줄 안다. 그룹 구성원들은 어떻게 그들의 믿음을 말로 표현하고, 어떻게 새신자를 양육하며, 어떻게 새신자들을 교회 내로 융화시키는가에 대한 훈련을 받는다. 그룹의 주요 목표는 개종이 아니라 구성원들이 재생산에 유능하게 되도록 도와주는 것이다. 이것은 필수적이다. 왜냐하면 예수님께서 입증된 제자는 재생산한다(요 15:8)고 말씀하셨기 때문이다.

2년 동안 그 그룹은 기술을 연습하고 효과적이 될 많은 기회를 맞이한다. 반복은 배우는 과정상 필수적인 것이다. 제자 양육 속성과정을 통해 지름길을 택할 때, 슬픈 결과가 일어나는데, 이는 일이 진행되지 않으며, 처음부터 다시 시작하게 된다는 사실이다.

천천히 시작하고, 지름길을 택하지 않으며, 확실히 견고한 기반을 놓을 충분한 가치가 있다. 심장혈관계의 중심이 적절히 유지되면, 그것은 그리스도의 몸의 장래 건강을 보장할 것이다. 2년간의 제자도 그룹은 교회 몸의 심장혈관계의 핵심이다.

그룹들은 새 지도자들을 생산해 내기에 충분한 기간과 요구를 갖추어야 한다. 그룹의 장래와 지도력 개발을 지속하는 데 절대적인 것은 그룹과정으로부터 새 지도자들을 발굴하는 일이다. 지도자 양성은 어떤 구성원이 태도와 소질과 기술면에서 자질을 보일 때 시작된다. 그룹 내에서 수개월이 지나면 "일을 이끌어가는 사람"이 부상한다. 어떤 이들은 가르치고, 인도하고, 영향을 미치기를 상당히 원한다. 그러면 그룹의 지도자는 가능성이 있는 지도자들을 온전한 지도자를 위한 일련의 검사과정을 통과시킨다. 가능성 있는 지도자들은 어떤 간단한 기능을 수행하도록 요구된다. 예를 들어 예배 안내와 같은 사소한 일을 시켜볼 수도 있다. 사람의 마음을 파악하는 방법 중 그가 좋아하지 않는 일을 시켜보는 것만큼 효과적인 것도 드물다. 그들이 좋아하는 몇몇 직무와 싫어하는 직무들을 시켜봄으로써 그들이 가르침을 받을 준비가 되어 있는지, 그들이 섬기는 지도자들인지, 아니면 단순히 권위나 지위만을 원하는 자들인지 알게 된다.

만약 한 사람이 가르칠 만하고 영적인 은사와 지도하고 싶은 마음을 소유하고 있다면, 그룹의 지도자는 그 사람이 지도자가 되도록 다듬기 시작한다. 만약 배가생산이 교회에서 현실화되려면 그룹 지도자들은 배가생산자가 될 가능성 있는 새로운 지도자들을 항상 개발해야 한다.

필자가 속한 교회의 지도자들은 목회자, 장로, 교회 개척자들, 선교사들, 즉 환경을 창출하고 활동들을 인도할 수 있는 은사를 지닌 잠재력을 소유한 지도자들을 찾는다. 그들은 "나와 함께 있으라"는 훈련의 단계로 이동해 간다. 거기에서 또한 다른 형태의 평가가 진행된다. 그것은 장래의 제자 삼는 자들을 발굴해 내는 일만큼 중요하고 훨씬 큰 그룹을 포함한다.

그룹 평가. 2년간의 과정중 마지막 석 달 동안 각 그룹 구성원들은 평가를 받는다. 당신은 도표로부터 대다수의 그룹 구성원들이 "나와 함께 있으라"는 단계로 오르지 못한다는 사실을 주목할 것이다. 재차 언급하지만 "와 보라" 단계에 있는 자들 중 50% 가량이 "나를 따르라"는 단계로 이동할 것이다. 50%의 "나를 따르라"에 속한 사람들 중의 10% 가량이 "나와 함께 있으라" 단계에 선택될 것이다. 그 다른 점을 주목하라. 모든 믿는 자가 성숙해지고 재생산하는 제자가 되도록 부름을 받았지만, 선택된 적은 숫자만이 제자 삼는 자가 되기 위한 "나와 함께 있으라" 단계에 들어가게 된다. 그러므로 거기에는 50%의 "나를 따르라"는 단계에 속한 사람들의 90%가 남아 있게 된다. 이 사람들은 교회 핵심의 상당수를 차지하고 선교의 효과를 위해 똑같이 중요하다. 지도자로 선택된 자들과 그렇지 않은 자들 사이의 차이점은 영성과는 거의 무관하다. 사실 지도층에 선발되지 않은 많은 사람들이 선택된 자들보다도 더욱 신실하고 믿음이 좋다. 그것은 영적인 문제가 아니라 적합성의 문제이다.

그 평가는 그룹 구성원들을 그들의 장래사역들로 출발시키는 수단이다. 너무 자주 구성원들은 제자 삼는 그룹의 2년 과정을 마치면 그것을 졸업이라고 생각한다. 그들은 학습과정을 끝냈고, 이제 통제된 환경에서 벗어나 주님이 인도하시는 어떠한 형태의 일이건 할 수 있다. 필자는 사실 그렇게 되기를 바라지만 경험으로 볼 때 아무리 2년 과정을 마친 제자들이라도 그들의 등을 토닥이며 무슨 일이든 하라고 권면하는 것보다는 그들을 지도하고 안내하는 것이 더욱 필요하다.

우리는 2년 그룹으로부터의 졸업을 결승선이 아닌 출발점으로 여긴다. 그러므로 그 평가는 다음과 같은 것들을 묻는다. "당신은 누구인가? 당신의 은사와 관심은 무엇이고, 당신이 잘 감당할 수 있는 일은 어떤 것인가?" 우리는 작업 방식에 대한 기호를 알기 위해 여러 가지 시험방법들을 이용한다. 그 그룹은 또한 영적인 은사들을 공부하고 그들이 어떤 은사들에 들어맞는지 결정한다.

그런 후에 그룹 지도자는 각 구성원이나 짝을 이룬 구성원을 상담하고, 다음에는 사역의 어느 부분에 참여해야 할지 생각하도록 요구한다. 교회는 사역의 기회와 필요에 대한 목록을 제공한다. 구성원들은 창조적으로 생각하고 그리스도를 다른 이들에게 전하기 위한 새로운 방법들을 생각하도록 요청된다. 도표에서 알 수 있듯, 많은 사람들이 교회의 사역팀들에 가입한다. 새로운 정열과 자신감을 가지고, 그들은 교사, 행정, 특별한 필요를 위한 성경공부 인도, 또는 다른 많은 선택들을 한다. 한 사람의 은사가 배후에서 보조하는 사람 이상 되지 못한다 해도 이제 그는 새로운 의미를 지니고 그 직무를 행하는 재생산하는 제자인 것이다.

각 신도가 재생산하는 제자가 되도록 부름받았다는 것은 필자의 확고한 신념이다. 이 확신은 지상명령 그 자체에서 발생한 것이다(마 28:19). 그러므로 사람들을 모으는 일, 동기를 부여하는 일, 돌보는 일, 그리고 "와 보라"는 단계로부터 "나를 따르라"는 훈련의 단계로 이동시키는 작업이 요구된다. 10년간의 기간 동안, 필자는 적어도 회중의 50%가 "나를 따르라"는 단계로 들어가게 하려는 데에 목적을 두었다. 그리고는 그리스도의 몸에 새로운 삶과 생동감을 불어넣기 위해 그들을 교회의 총노동력에 투입시킬 것이다. 이것이 그 2년간의 제자 훈련 과정이 심장혈관계의 핵심이 되는 이유이다. 그것은 교회에 사역할 수 있는 건강하고 재생산하는 제자들의 계속적인 유입을 제공한다.

인생은 도표에 의해 사는 것이 아니다. 도표는 건강한 교회에서 반드시 일어나야 하는 영적 개발 과정에 대한 의사소통을 돕고자 고안된 불완전한 모델이고 교육수단일 뿐이다. 그것은 주님의 가르침을 지역 교회에 적용시키는 한 가지 방법이다. 그 모델을 그 이상의 것으로 삼으려 하지 말라. 당신이 얻을 수 있는 것을 간추리고는 그것으로 그치라. 그것 이상을 추구하는 것은 더욱 커다란 위험을 초래할 수 있다.

제자 삼는 사역에서, 그 도표는 처음 두 단계에서 사람들에게 무엇을, 왜 하는지 말해준다. 그들에게 그 일을 어떻게 하는지 보여주고 2년간 소그룹을 통해 그들과 함께 행하는 일이 따른다. 그러나 남아 있는 한 가지 의문은, "나와 함께 있으라" 단계에 선택되지 못한 거의 대다수의 사람들에게 "스스로 하게 하라"는 단계와 "일을 맡기고 파송하라"는 훈련 원칙들이 유익하지 않을까? 하는 점이다. 그렇다. 그들은 유익함을 얻는다. 여기에서 다른 점은 바로 그들이 선택한 부분에서 우리는 "스스로 하게 하라"는 것이다. 우리는 소회중들, 독신부모들이나, 십대의 자녀들을 둔 부모들 같은 그룹을 위한 특별한 성경공부와 낙태를 반대하는 상담과, 많은 다른 선택들을 통해 "스스로 하게 하라." 이 그룹에 대한 장래의 개발은 그 직무를 하는 일과 그 과정에서 그들 스스로 재생산하게끔 되는 것이다.

"나와 함께 있으라"에 선택되지 않은 사람들이 사실상 교회의 가장 위력있는 부분이다. 배치(파송)했을 때 그들은 지도자로 선택된 자들보다 그들의 친구들과 동료들을 전도하는 일에 보다 풍부한 창조력과 능력을 과시한다. 재생산하는 제자들의 주요부는 사역활동의 중심이다. 그들은 가장 많은 재미를 느낀다. 그들은 제자 삼는 교회의 진정한 성공의 열쇠이다. 그들의 역할은 그리스도를 위해 사람들을 전도하는 일이다. 회중을 가리켜 필자가 자주 언급하는 것같이, "당신들이 바로 우리의 전도 프로그램이다." 가장 효과적인 전도 프로그램은 훈련된 제자들을 내보내는 것이다. 그러나 만약 그들을 훈련시키지 않는다면 그들은 존재하지 않을 것이다. 만약 당신에게 그런 사람들이 없다면, 당신은 바싼 프로그램과 전도 행사들을 통해서 전도를 지탱해 주거나 아니면 전도 프로그램 자체가 없게 될 것이다. 만약 당신에게 돈이 있다면 그렇게 할 수도 있겠지만 없는 경우에는 하지 않을 것이다. 그것은 당신의 선택이다.

이것은 너무나도 편협하지 않은가? 이 모델에 관한 일반적인 질문은 "이렇게 하는 것은 좀 협소한 것이 아닐까? 2년간의 제자 훈련 과정만이 오직 유일한 방법인가?" 등이다. 사람들을 재생산하는 제자로 만드는 데에는 많은 방법이 있을 수 있다. 필자는 교회가 그렇게 하는 방법 중에서 최고라고 생각되는 것을 제시했고 그런 일을 하는 데 소그룹이 우수한 수단이라고 확신한다. 중요한 이슈는 이 부분에서 제시된 원칙들이 유지되는 것이다. 우리는 또한 다른 방법들 - 강도 높은 주말 훈련, 여름 강좌들, 조찬모임들과 성경공부 - 도 사용한다.

교회에 기존하는 사역들도 같은 것을 가르치는 데 사용될 수 있다. 예를 들어, 소회중을 인도하거나 고등부를 가르치거나 전도하는 법을 가르치는 사람이면 충분하다. 이 책은 필자가 속한 교회의 성격상 독특한 방법들을 너무 많이 옹호하지 않으려고 의도되었다. 재삼재사 언급하지만, "만약에 당신이 올바른 확신이 있다면 당신은 그 일을 어떻게 완성할 것인지 알아낼 것이다."

"일대일"에 대해서. 어떤 사람들은 일대일 제자양육이 가장 좋은 방법이라고 여긴다. 일대일이 그 과정상 중요시될 수는 있지만 교회 안에서 제자 삼는 사역의 주요 요소는 되지 못한다. 자연적인 제자도의 흐

도표 3
일대일 관계

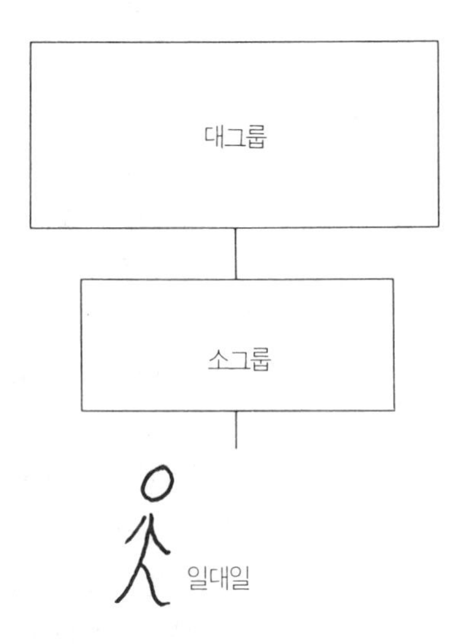

름은 예수님께서 우리에게 그 본을 보여주신 것이다. 첫째로 거기에는 대중사역에 의해 나타나는 "와 보라"는 단계가 있다. 말씀을 대그룹에게 가르치고 원하는 사람들에게 "나를 따르라"고 부름으로써 제자 삼는 자는 시간의 낭비와 불필요한 상심을 피할 수 있다. 만약 내가 스스로 재생산하기 원하고 선택할 수 있는 100명의 사람들이 있다면 나는 그들을 개인적으로 상담하고 한 사람 한 사람을 개발시키려고 하지는 않을 것이다. 나는 그들에게 무엇을 왜 하는가 하는 점을 말할 것이고, 그 다음에는 "나를 따르라"는 훈련 단계로 부를 것이다. 그리고는 소그룹을 통해 장래 지도자들이 되어야 할 자들을 더 확인할 것이다. 마지막으로 이제 몇몇 선택된 자들과 일대일로 일할 것이다. 일대일은 대그룹 권면, 소그룹 훈련과 병행해서 사용할 때 최고의 기능을 발휘한다.

그다음 훈련 단계인 "나와 함께 있으라"를 교회들은 대부분 신학교,

성경학교, 선교 단체들에게 넘겨 버렸다. 슬픈 결과는 많은 전문가적인 그리스도인들은 잘 훈련되었지만 평신도 중에서 은사를 지닌 지도자들은 그렇지 못한 것이다.

제3단계:"나와 함께 있으라"(막 3:13, 14; 눅 6:13)

이 단계는 소수를 위한 것이다. 작은 숫자만이 관심을 가지며 또한 자격을 갖추고 있다. 이것은 대부분 교인들의 시야에서 벗어나 조용히 행해진다. 그러나 많은 배후 작업처럼, 그것은 그 단체의 생존을 위해 필수적이다. 모든 교회들은 그리스도 안에서 사람들을 모으고 감화시키며 관심을 끄는 "와 보라" 활동을 한다. 약 50%의 교회들이 "나를 따르라"는 단계에서 보여준 몇몇 훈련을 제공할 것이다. 10%도 안되는 아주 적은 교회들만이 예수님께서 본을 보여주신 "나와 함께 있으라"는 훈련 단계에 직면한다. 각 훈련 단계의 개인 참가율이 전체 교회의 참가율을 반영한다는 것은 이해가 되는 일이다. 어려운 정도가 증가됨에 따라 참여도는 낮아진다.

보다 양호한 제자 삼는 교회들마저도 너무나도 조급히 끝을 맺는다. 그들은 "나를 따르라"는 제자훈련 과정을 마쳤다 해서 그것을 도착점으로 생각한다. 사람들이 졸업한 후, 그들은 교회 안에서 여러 의무를 담당하게 되고 더 큰 사역에 대한 도전을 받지 않는다. 너무 자주 제자훈련 그룹들에서 배운 원칙들과 기술들이 교회가 그 다음에 그들에게 요구하는 것과 아무런 상관이 없다. 그러므로 엄청나게, 그 훈련은 낭비되고 사람들은 "교회의 일"에 씨를 뿌리러 간다. "나를 따르라"는 단계에서, 필자는 평가 과정과 어떻게 졸업생들을 그들의 성격과 기술이 부합되는 사역으로 의도적으로 출발시키는지 묘사했다.

"나와 함께 있으라" 단계는 제자 삼는 자가 되기 위해 훈련받는, 적절한 은사, 성격, 기술이 있는 선택된 소수의 사람들을 위한 것이다. 이런 지도력의 은사를 가진 훈련된 제자 삼는 자는 배가생산의 열쇠이

도표 4
교회 중심의 제자 삼는 사역 구조

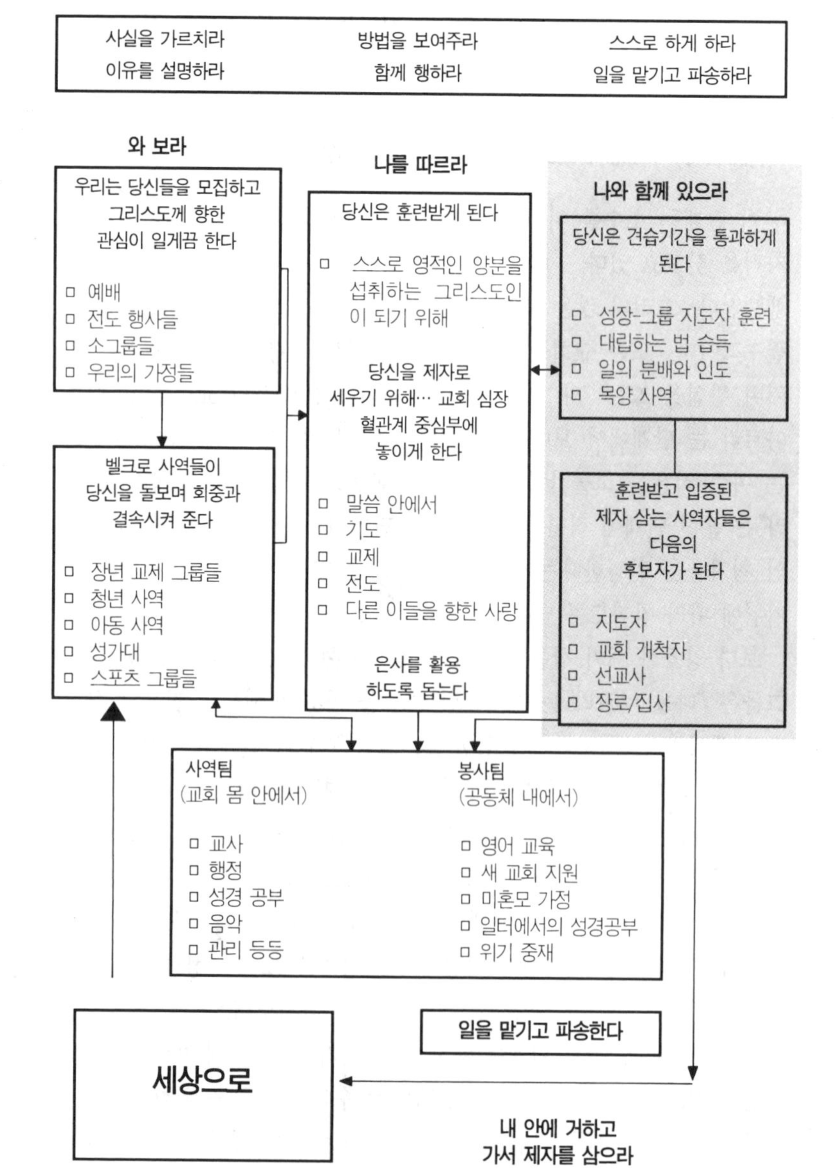

다. 양호하게 제자를 생산하는 교회들이 무관심하게 내버려두는 부분 가운데 하나는 사역을 이끌 수 있는 소수의 사람들을 신중하게 선택하고 훈련하는 것에 대해 의도적으로, 공식적으로 발언하지 않으려는 것이다. 이와 같이 사역을 이끌 수 있는 소수의 사람들은 장차 교회가 목회자들, 선교사들, 각종 제자 삼는 자들을 얻을 수 있는 비옥한 밭이 되는 것이다.

너무나도 자주, 지역 교회에서 출현하는 그런 지도자들은 하나님께서 관여하신 우발적인 사건에 의해 나타난다. 즉, 그들은 어느 정도의 기초훈련을 받았지만 갈급한 자들, 자발적으로 일을 시작하는 자들, 커다란 동기를 가진 자들만 정상으로 올라가게 된다. 능력에는 별반 차이가 없지만 동일한 추진력이 없는 많은 다른 사람들은 뒤처진다. "나와 함께 있으라"는 훈련은 보다 많은 가능성 있는 후보자들이 지도자가 되는 일에 필요한 정보와 경험을 접해볼 수 있게 한다.

예수님은 그분 사역의 다음 단계를 위해 기도하려고 나가셨다. 그분은 충족되지 않은 방대한 필요와 그 필요를 채우기에 충분치 않은 일꾼들의 도전과 직면하셨다. 예수님께서는 또한 그가 떠나신 후에 자신의 사역을 지속시키기 위해 다른 사람들을 준비시킬 필요가 있었다. 그 다음날 아침 예수님은 그와 함께할 12명의 제자들을 선택하셨다.

그분은 밤새도록 기도하셨고, 이제 그 12명을 부르셨으며, 산상수훈을 말씀하셨다. 그들은 즉시 짧은 여행을 떠났고 이 여행은 복습과 평가를 위한 수양회로 끝을 맺었다. 마가복음 3:13과 14절의 예수님께서 12명을 세우신 때부터 마태복음 10:1-42에서 두 명씩 짝을 지어 파송하실 때까지는 5개월이 걸렸다.

그 5개월이란 기간 동안 예수님은 그들이 그 일을 혼자 시도하지 못하도록 하셨다. 그분은 그들이 파송되기 이전에 몇몇 기초들을 숙달하도록 복습할 짧은 시간, 즉 어느 정도 소화할 시간을 그들에게 주신 것이다. "나를 세심히 주목하라. 왜냐하면 곧 너희들의 차례가 오기 때문이다"라고 예수님께서 말씀하신 것이나 다름이 없다. 어떤 사람이 어떻게 집에 페인트칠을 하는가 보여줄 때 당신이 바로 그 뒤를 이어서 페인트칠을 하게 된다는 사실을 안다면 당신은 보다 세심하게 주목할 것이다. 제자들은 자신들이 곧 독립적으로 일하게 될 것이라는 사실을 알고는, 예수님의 행동에 훨씬 세심한 관심을 쏟았다.

남은 훈련 기간 동안, 예수님은 제자들이 실행하고 배우도록 내보내셨다. 비평이 따르는 사역실행의 과정은 이 단계에서 그리스도께서 사용하신 반복적인 방법이었다. 후에 예수님은 그 12명에게 70명을 지도하는 추가적인 책임을 부여하셨다(눅 10). "나와 함께 있으라"는 단계의 보다 완벽한 성서적인 설명은 이 책의 선구자적인 역할을 한 "제자사역자 - 예수 그리스도"(*Jesus Christ, Disciple Maker*)에서 발견할 수 있다.

"나와 함께 있으라" 단계의 가장 큰 도전은 그들과 함께 사역하는 일에서 그들 스스로가 그 사역을 하도록 하는 데 필요한 전환을 이루는 것이다. 이것은 그리스도께서 본을 보이신 여섯 단계 교수법 중에서 네번째와 다섯번째의 단계이다. 이런 전환은 배가생산을 창조하는 데 절대적이다.

예수님은 20개월을 통해 점차적으로 그들의 책임을 증가시킴으로 12명의 전환을 도우셨다. 그렇기 때문에 교회도 똑같은 일을 하고 이 중대한 과정을 위한 방법을 제공하도록 요청되는 것이다. 이 부분의 나머지 내용은 그런 전환을 이루는 법에 대한 실제적인 점들을 다룰 것이다.

누가 선택될 것인가? "나와 함께 있으라" 단계의 독특한 면은 가능성 있는 제자 삼는 자들이 선택된다는 것이다. 그들은 선택된 후에야 선택한다. 예수님이 11명에게 말씀하셨듯이 "너희가 나를 택한 것이 아니요 내가 너희를 택하여 세웠나니 이는 너희로 가서 과실을 맺게 하고 또 너희 과실이 항상 있게…" 함인 것이다(요 15:16).

단지 영성만이 아닌, 적합성. "와 보라"와 "나를 따르라"의 처음 두 단계에서 유일한 기준은 개인이 그리스도께 헌신하고 그리스도의 제자가 되기를 위한 초청에 응하는 것이었다. 이 단계에서는 많은 사람이 그렇게 되기를 원할 수 있으나 소수만이 선택된다. 제자 삼는 훈련에 들어가고 싶어한다고 해서 어느 누구나 허용하는 것은 커다란 실수일 것이다. 그 사람이 많은 자질을 소유하고, 많은 경우에 있어서 선택된 다른 사람보다 동등하게 아니면 오히려 더 영적일는지도 모르지만, 그는 이 수준에 적합하지 않을 수도 있다. 왜냐하면 이것은 단순히 영적인 것이 아니라, 적합성의 문제이기 때문이다. 많은 신실한 사람들은 하나님의 일을 주도하는 것과 아무런 관계가 없다. 많은 이들이 이런 구별을 내리지 않았고, 또한 그것은 잘못 배치된 사람과 잘못 주도된 사역 등과 같은 비극을 초래해 왔다. 그 12명을 선택함으로써, 예수님은 그를 따르던 몇백 명을 선택하시지 않았다. 이 모델의 독특한 면은 지도자와 배가생산, 사역에 대한 준비를 위해 몇몇 자격있는 사람들을 신중하게 선택한다는 점이다. 필자가 속해 있는 교회에서는 이런 선택을 위해 세 가지의 근본적인 기준들을 사용한다.

인품, 신실함, 그리고 은사들. 2년간에 걸친 제자 그룹 구성원들에 대한 관찰은 성품을 평가하기에 충분한 정보를 제공한다. 디모데전서 3장과 디도서 1장의 성서적인 기준들이 안내서로 사용된다. 우리는 완전함을 기대하는 것이 아니라 성품과 연관된 면에서 진전됨을 보기 원하는 것이다.

그룹 지도자와 구성원들에 의해 얻게 된 일반적인 지식은 분명한 지침의 역할을 한다. 그 사람의 가정과 사업과 사회적인 교분 관계 등은 제자 그룹의 2년이란 기간의 말기에 이르러 알게 된다. 그룹 지도자는 그룹에서 드러나지 않는 개인적인 문제들을 깊이 파고드는 섬세히 다듬는 사역에 개인적인 시간을 보낸다. 이것은 예외를 두지 않고 교회의 고무된 성장하는 자들에게도 같은 훈련 경험을 나누기 요구하는, 이 체계가 지닌 진가이다. 2년간의 과정을 거치기 전에는 아무도 "나와 함께 있으라"의 단계에 선택되지 않는 이 같은 체계는 많은 빠져나갈 구멍을 막아버리고 선발과정상의 많은 모호감을 제거한다. 당신은 제자훈련 그룹 구성원의 단체 밖에서 장래의 지도자들을 낚을 필요가 없는 것이다.

두번째 중요한 일면은 지도자로서 유망한 사람의 신실함이다. 신실함이란 그가 그의 헌신을 끝까지 실천한다는 뜻이다. 이것은 심사되는 모든 이들에게 절대적으로 요구된다. 바울은 디모데와 또한 우리에게 신실한 자들에게만 지도자의 책임을 맡기라고 말했다. 예수님은 작은 일에 충성하는 자라야만 큰 일을 맡길 수 있다고 가르치셨다. 그가 세상의 재물을 어떻게 다루는지 알아야만 그에게 다른 이들을 위한 영적 책임인 "진짜 재물"을 맡길 수 있다. 2년 기간 그룹의 초기에, 지도자의 가능성을 소유한 자들이 구별되고 간단한 직무들이 주어진다. 이것은 그들의 신실함에 대한 의도적이며 신중한 시험이다. 만약 그들이 작은 일에 신실함을 보이면 그들은 더 큰 책임을 맡을 후보자가 될 것이고, 만일 그렇지 않으면 되지 못한다.

세번째 문제는 영적 은사에 관한 것이다. 2년간의 제자 훈련 그룹이 끝날 때, 각 구성원은 자신의 은사와 능력을 공부하고 분별하도록 지도받는다. 우리 교회에서 선호하는 바는 "나와 함께 있으라" 단계에 선택되는 자들은 지도력의 은사를 지닌 자들로만 한정시키는 것이다. 지도자로서의 은사들은 가르침, 설교, 지도력, 행정, 권면 등등이 합체된 것들이다. 우리는 다른 이들을 이끌 수 있는 사람들을 원한다. 이슈는 배가생산이므로, 배가생산할 수 있고 훈련된 제자 삼는 자들에게 그 사역을 위임하는 데에는 지도력이 필요하다. 물론 지도자들은 만들어지는 것이다. 그러나 자질이 있을 때에만 그것이 가능하다. 우리는 그들의 지도력 여부를 일련의 시험들과 간단한 관찰을 사용해서 결정한다.

2년간의 제자 훈련 그룹 과정을 이수함. 간단히 제자 그룹을 졸업하는 것만으로는 충분하지 못하다. "나와 함께 있으라" 단계에 선택된 사람들은 사실 우등생들이다. 이 정도의 수준에 속하는 사람은 열심이 있고 거뜬히 그 과정을 마친다. 그는 그룹의 모든 방면에서 월등했고, 성경공부와 기도에 강했고, 원만한 대인관계를 발전시켰으며, 다른 이들이 자신들의 언행에 책임감있게 행하는 것을 도와주는 일에 지도자를 보조해 왔다. 게다가, 그는 전도에 대한 태도와 행동 그 모든 면에서 훌륭했던 것이다.

재삼 언급하지만, 그 기초훈련을 수료하지 못한 사람들은 더욱 커다란 훈련과 책임을 맡는 후보자가 되지 못한다. 이것은 불평만 하는 자, 골칫거리, 고집이 센 자, 그리고 교만한 자들을 제거한다. 그것은 구성원들을 제자들로 만들 뿐만 아니라, 누가 당신의 장래 지도자이고 누가 아닌지를 밝혀준다.

열망. 계속 정진할 수 있는 자들은 또한 계속해서 그렇게 할 열망을 가지고 있어야 한다. "미쁘다 이 말이여, 사람이 감독의 직분을 얻으려 하면 선한 일을 사모한다 함이로다"(딤전 3:1). "얻으려 하면"이란 말은 당신 자신이 많은 노력을 한다는 뜻이다. "사모한다"란 단어는 그것을 얻으려는 똑같은 의지를 확신있게 해준다. 후보자는 그 사역을 준비하기 위해 자기 자신을 한계점까지 밀어붙일 의지가 있어야 한다. 바울은 그 사모하는 것을 "선한 일"이라고 표현한다. 다른 번역본들은 그것을 "좋은 일"로 표현한다. 한 사람이 한계점까지 밀어붙이는 것은 그 사역의 지위를 얻기 위함이 아니라 다른 이들에 대한 사역을 위함이어야 한다.

그 과정은 사병이 기초훈련과정에서 처음에 뛰어난 것에 비교할 수 있을 것이다. 그 결과, 그는 장교 후보자 학교에 갈 수 있을 것이다. 장교 후보자 학교에서 성공하기 위해 후보자는 그 목표를 위한 소망으로 가득차야 한다. 그는 커다란 대가를 치르고 한계점까지 자신을 밀어붙이며, 그 목표를 향해 최대한의 노력을 쏟을 의지가 있어야 한다. 목표는 그 일을 하도록 준비되는 것이다. 이런 종류의 영적 훈련에 선택된 사람은 같은 소망과 희생하고 일할 각오가 되어 있어야 한다. 제자 삼는 자들을 배가생산하려는 사람은 훈련에서 얻은 능력을 소유해야 한다. 그의 마음은 다른 사람들을 향한 사역과 다른 이들을 통해 사역을 이루는 일에 전념해야 한다. 만일 이런 지점에 이르지 않는다면 그는 "나와 함께 있으라"는 훈련 단계와 아무런 관계가 없는 것이다.

선택되는 사람들은 적절한 성품과 믿음과 은사를 지닌 사람들이고, 2년간의 제자훈련 그룹을 훌륭하게 수료한 자들이며, 재생산하는 제자 삼는 자의 일을 하려는 불타는 욕망을 가진 자들이다.

훈련된 제자 삼는 자의 모습은 어떤 것인가? 여기에 대해서는 여러 방법으로 그 윤곽을 잡아볼 수 있다. 필자는 그 설명을 위해 두 가지 종류 즉, 성품과 사역 기술 - 그가 누구이며 무엇을 하는지 - 로 나누었다.

성품. 본인 스스로가 자신의 활동을 지배한다. 성품은 기반이다. 그러나 사람의 성품을 그의 행동과 따로 분류하는 것은 불가능하다. 사람은 담당하는 직무와 동등한 영적 깊이를 가지고 있어야 한다. 영적인 지도자는 대부분의 그리스도인들이 잘 알 수 없는 심각한 영적인 전쟁에 참가할 각오를 가지고 있어야 한다. 효과적인 사역을 위한 판단력과 인내심은 타협할 수 없는 것이고 이것에 관해서는 예전에 설명한 바 있다.

사역 기술. 성서를 효과적으로 전달할 수 있는 기술. 여기에서의 강조사항은 전형적인 설교나 교육이 아니다. 만약 그 사람이 그런 것에 은사가 있다면 그것을 보너스로 여기라. 만약 그가 목회사역으로 옮겨가고 싶으면 어느 정도의 전문적인 훈련은 당연할 것이다. 이것은 유도된 토론을 잘 인도하고, 좋은 질문을 제시하며, 사람들을 성경본문으로 유도하고, 그들이 그것을 적용하도록 도와주는 능력을 요구한다.

성서를 효과적으로 전달한다 함은 그 훈련된 제자 삼는 자가 조직신학을 안다는 뜻이다. 그가 조직신학을 안다는 의미는 그가 추가되는 정보를 담을 수 있는 체계를 지니고 있고 거짓 교리로부터 자신의 체계를 수호할 수 있는 기준을 가지고 있음을 말한다.

훈련된 제자 삼는 자는 성경에 대한 확고한 믿음을 소유한 자여야 하며 그 내용에 대한 실제적인 지식을 소유해야 한다. 온전한 성경해석학적 기반과 함께 성서신학과 조직신학은 성경을 전달하는 자에게 있어서 필수적이다. 그들의 훈련과정은 다음 부분에서 다룰 것이다.

제자 삼는 사역 철학을 효과적으로 상술할 수 있는 기술. 풍부한 성경지식을 기반으로 해서 훈련된 제자 삼는 자는 제자 삼는 사역에 대한 자신의 철학을 세운다. 그는 성경에 견고하게 뿌리박은 확신들에 의해 움직인다. 이것은 그가 제자 사역의 타당성과 이유들에 대해 능히 설명할 수 있다는 뜻이다. 이 능력은 매우 간단한 과정에 의해 습득된다. 첫째, 당신은 그런 가르침을 받는다. 둘째, 자신이 직접 가르침과 실천을 통해 그것을 적용하려고 노력한다. 셋째, 당신은 도전받고 당신의 생각을 방어하려고 시도한다. 넷째, 당신은 돌아가서 더욱 열심히 공부하고는 문제점들을 확실히 밝히기 위해 당신에게 도전한 자들을 다시금 맞부딪친다. 이러한 반복적인 과정은 훈련된 제자 삼는 자가 제자 사역 철학에 대한 설득력있는 옹호자가 되도록 만들어준다.

제자 삼는 자가 자신의 철학을 상술하고 방어할 수 없는 한, 그는 현저하게 재생산을 하지 못할 것이다. 열정을 가지고 그는 다른 사람들이 자신의 계획을 받아들이도록 설득할 수 있어야 한다. 그것이 바로 당신이 사역을 배가하기 위해 다른 사람들을 발굴하고 개발시키는 방법이다.

다른 사람들을 관리하거나 코치할 수 있는 기술. 당신이 보듯, 제자 삼는 자의 기술들 - 성경을 전달하는 일, 사역 철학에 대한 상술 및 방어,

그리고 다른 이들을 관리함 - 은 배가생산에, 즉 다른 사람들을 통해 일을 성취하는 것에 그 초점을 둔다. 이러한 관리에 대한 기술은 우리 대부분의 사람들에게 있어서 가장 어려운 일이다. 그 일은 비전을 형성하고, 사역을 구성하며, 그 사역에 적합한 사람들을 선택하는 것을 포함한다. 적당한 지침들과 책임감과 더불어, 적당하게 그 일을 맡기는 것이 다음 단계이며, 그 다음으로는 다른 사람들이 또 다른 사람들을 가르칠 수 있도록 가르치는 능력이 뒤따른다. 그러므로 다른 사람들을 통해 일을 하고 또한 일을 분담시키는 것이 아직도 오늘날의 관리에 있어서 제일 급선무이다.

이러한 기술은 코칭과 매우 흡사하다. 사람들에게 무엇을, 왜 하는지 말해주고 어떻게 하는지를 보여주며 그들과 함께 하고 자신들이 스스로 하게끔 한 후, 마침내는 그들을 배치(파송)시키는 것이다. 만약 배가생산이 일어나고 보다 많은 사람들을 사역에 참여시키려면 지도자들은 다른 사람들을 통해서 효과적으로 일할 필요가 있을 것이다.

다른 사람들에게 동기를 부여하는 기술. 확신이 없이는 어떠한 장기적인 동기 부여도 있을 수 없다. 예수님께서는 여섯 단계 교수법을 통해 제자들에게 확신을 불어넣으셨다. 당신이 어떤 것을 진실이라고 믿으며, 그 믿음을 확인시켜 주는 연관된 체험을 하면 당신은 확신을 가지고 살게 되는 것이다.

열정은 일반적으로 확신과 함께 온다. 열정적인 확신을 소유한 사람은 동기를 부여할 수 있을 것이다. 그런 사람이 하는 가장 자연스러운 일은 자신의 길이 옳다는 것을 다른 사람들에게 설득시키는 것이다. 동기를 부여하는 방법은 그렇게 하는 이유들보다 훨씬 덜 중요하다.

가장 큰 문제에 봉착하는 제자그룹 지도자들은 그룹의 구성원들이 긍정적인 실행을 하도록 그들을 이동시키는 일에 대한 확신이 결여되어 있다. 그들은 그런 분야에 대한 개인적인 긍정적 경험을 해보지 못했기 때문에 그런 실행을 방어하는 데 어려움을 겪는다. 그러므로, 그들은 설득의 수단으로서 아무런 실제적인 열정을 소유하지 않은 것이다. 다른 사람들에게 동기를 부여하는 능력은 제자 삼는 사역에 필수적이다. 열정을 품은 지도자가 사람들에게 나아가야 할 길을 보여주고 그들을 감화시키기 전까지는, 그들은 어떤 희생도 감수하지 않을 것이고, 어떤 모임에도 참석하지 않을 것이며, 아무런 사역도 안할 것이다.

다른 사람들을 교정할 수 있는 기술. 이 주제는 이미 전에 다루었다. 제자 삼는 사역에 있어서 "…내가 너희에게 분부한 모든 것을 가르쳐 지키게 하고…"라는 부분은 바로 사람들을 교정하는 일을 요구한다. 훈련받은 제자 삼는 자는 사람들이 하나님께 대한 자신의 약속들을 지키도록 그들을 기꺼이 돕고 그렇게 할 수 있는 능력을 보여 왔다. 제자 삼는 자는 교정되어야 할 사람이 온전한 일을 행할 능력이 부족한 것인지 아니면 그렇게 할 마음이 없는지를 분간하도록 훈련받는다. 동일한 질문은 교정을 해주는 사람에게도 적용된다. 대다수 지도자들은 다른 사람들을 교정하려 하지 않을 것이다. 그것은 다른 사람들을 교정할 능력은 없지만 그것에 대해 배우려는 의지가 있는 사람과 일하는 것보다 훨씬 더 어렵다. 지도하는 훈련된 제자 삼는 자는 잘못을 저지르는 사람들을 교정해 줄 마음과 능력을 소유한다. 교정은 제자를 삼는 일에 있어서 사랑어린, 그리고 필수적인 것이다.

개인 전도에 능숙하고 불편함이 없다. 훈련된 제자 삼는 자는 사람들을 그리스도께 인도하고 사람들이 또 다른 사람들을 그리스도께로 인도하게끔 훈련시키는 일에 성공적이다. 흔히 교회 지도자들은 전도에 대한 훈련을 받지 못했고, 재생산을 해본 일이 전혀 없으며, 전도하는 일을 두려워한다. 이것은 지도력에 있어 상당한 병적 현상을 초래한다. 사역 구조가 마치 사역인 양 여겨지고 또한 그 구조를 유지하는 데 초점을 두며, 재생산을 하지 않는 지도층은 결실을 맺지 못하는 교인들을 만들 것이며, 그리고는 그러한 지도층의 핵심원들은 이 방면에서 위험스러운 행동과 책임감으로부터 자신들을 보호하고자 거의 온갖 수단과 방법을 다 동원할 것이다.

훈련된 제자 삼는 자는 자신이 확신을 소유하고 있으므로 다른 사람들을 통해 전도를 성공적으로 성취한다. 그는 재생산의 기쁨을 경험했기 때문에 열정이 있다. 그는 분명한 확신을 가지고 말할 수 있으며, 그 말엔 진실이 있다. 또한 그는 자신의 가르침을 경험담을 통해 뒷받침할 수 있는 것이다. 그의 확신과 열정은 사람들로 하여금 이 방면에서 모험을 감수하도록 고무시킴으로 그들의 두려움과 거부함을 극복할 수 있다.

지금까지 우리는 두 가지 질문 - 누가 선발되는가? 훈련된 제자 삼는 자들의 모습은 어떤 것인가? - 에 대한 대답을 했다. 이제 제자 그룹의 우등생을 어떻게 훈련된 제자 삼는 자들로 졸업시킬 수 있는 가에 대해 알아보자.

어떻게 그들을 훈련시키는가? 다시금, 필자는 훈련 방법들을 두 부류로 나누기로 했는데 즉 교실 또는 인지적인 요소와 현직 훈련이다.

여러 일반적인 기본 신조들이 우리의 훈련을 좌우한다.

1. 가장 좋은 훈련은 예수님께서 본을 보이신 여섯 단계 교수법이다.
2. 우리가 사용하는 훈련 수단 중 가장 좋은 것은 바로 우리가 가르친 원리들을 적용하도록 사람들을 사역에 참여시키는 것이다.
3. 자신들이 훈련받은 우리의 현재 체계 속으로 그들을 다시금 배치시키는 것보다 더 훌륭한 방법은 없다.
4. 만일 그들이 당신의 사역 철학을 재생산하기 원한다면, 그들이 그 체계의 모든 수준들을 경험하도록 해야 한다. 이것은 새신자로서 교회에 들어와 그 체계를 통해 성장하는 사람이 누리는 이점이다. 그 사람은 그 체계의 소산이고 그 원리들을 배우며, 그가 받는 훈련의 극치는 자신들을 창조한 그 원리들을 또 다른 사람들에게 가르치는 것이다. 그 원리에 의해 창조된 자들은 그들이 그 원리들을 믿는, 주목하지 않을 수 없

는 이유이다.

교실. 배운 바를 실행해 볼 수 있는 기회가 없이는 아무도 훈련을 받기 위해 선발되지 않을 것이다. 교실 강의는 필수 불가결하지만, 현직 훈련이 그것을 살아 움직이게끔 하지 않는 한 교실 강의는 학구적인 그리스도인들만을 만들어 낸다.

교실 훈련은 훈련의 목표, 즉 상기한 여섯 가지 사역 기술들을 중심으로 형성된다. 그러므로, 훈련은 각 기술을 통해 체계적으로 활동하는 것으로 이루어진다. 선발된 사람들은 매주 한 번씩 두 시간 정도 만나게 된다. 모임은 두 부분으로 나누어져 있는데, 첫 30분 동안에는 그들의 사역 과제들을 평가한다. 난해한 부분들을 복습하고, 문제를 해결하거나 기술이 향상될 수 있는 방법들을 나누며, 사역에 대한 보고가 있고, 질문들을 하며, 사역을 향상시킬 수 있는 아이디어들과 기술들을 나눈다.

두번째 부분은 90분 정도 계속되는데, 여기서 우리는 그들의 개인적인 개발에 필요한 정보에 전념한다. 각 구성원은 그 여섯 가지 기술들에 비추어 보아 자신들을 평가한다. 모든 사람들은 여섯 가지 사역 기술을 배우는 모든 부분에서 동등하게 참여하지만, 지도자는 또한 그 모임 이외에도 일대일로 만나는 시간을 통해 섬세하게 가다듬는 일을 도와준다. 그 훈련은 다음과 같다.

첫째 기술: 성경을 효과적으로 전달한다. 그 훈련은 교리에 관한 공부를 포함한다. 각 주마다 구성원들은 어떤 하나의 교리에 대해 혼자 공부하고는, 다음 모임 때 거기에 대한 토론을 벌인다. 이 일은 모든 주요 교리들이 다 다루어질 때까지 계속된다. 그런 후, 그 교리에 대한 구성원들의 지식을 측정하는 시험이 있게 된다.

그들은 소그룹 토론을 지도하는 법과 소그룹과 밀접하게 관련된 모든 역동성에 대해 배운다.

둘째 기술: 제자 삼는 사역에 대한 철학을 효과적으로 상술할 수 있다. 상기된

동일한 방법을 사용할 수 있는데, 즉 구성원들은 과제물들을 통해 배우고, 시험을 통해 사역 철학을 상술할 수 있는 자신들의 지식을 측정할 수 있다. 다시금, 현직 훈련은 구성원들이 자신들과 동일한 생각을 다른 이들이 받아들이게끔 설득하는 능력을 확증시켜 준다.

셋째 기술: 다른 사람들을 관리하거나 코칭할 수 있다. 학생들은 관리에 관한 원리를 배운다. 그들은 그리스도께서 어떻게 다른 사람들을 통해 일을 이루셨는지를 공부한다. 이전에 언급한 바 있는, 직무에 대한 확인과, 그 직무를 위한 조직, 일꾼 선발과, 일의 분담, 그리고 일의 완료를 위한 계속적인 후원 등이 정보로서 가르쳐진다.

진짜 시험은 자신의 제자그룹이나 사역에 대한 임무 등에서 어떻게 효과적으로 지도자가 다른 사람들을 통해 일을 하는가 하는 것이다. 현직 훈련은 이런 기술이 가장 중요하다. 그 정보는 그가 그의 생각과 기술을 정밀하게 하는 데 필요한 정도로만 중요하게 된다.

넷째 기술: 동기를 부여할 수 있다. 동기에 관한 기술이 고려되지만, 사실상 중요한 점은 지도자가 가진 확신과 그 지도자가 다른 사람들에게 그 확신을 열정적으로 전달할 수 있는가 하는 점이다. 사람들이 일반적으로 두려워하는 방면의 일을 제자들로 하여금 실행하도록 하는 지도자의 능력이 바로 그 지도자가 지닌 동기 부여 능력에 대한 척도이다. 이것은 각 경우마다 평가된다.

다섯째 기술: 다른 사람들을 교정할 수 있다. 이것은 대부분의 사람들에게 가장 어려운 부분이다. 아무도 대립하는 일을 좋아하지는 않는다. 우리는 각 사람을 각각의 경우를 통해 코치하고 기본적인 대립 기술들 - 어떻게 말을 하며, 어떤 것을 말하지 않는가 - 을 가르친다. 이 방면은 사람들의 용기 수준을 드러낸다. 다른 사람을 돕기 위해 자신의 아픔을 감수할 의지를 지녀야 한다. 그것이 대립을 위한 성품을 개발하는 일에 필수적인 것이다. 다른 이들을 교정하는 것이 참으로 중요하다는 것을 지도자가 이해할 때 그는 그 일을 할 것이고 또 잘 해낼 것이다.

여섯째 기술: 전도하는 일과 다른 사람들이 전도하게끔 훈련시키는 일에 효과적이다. 그 장래 지도자가 이 지점까지 도달하면 자신의 믿음을 나누는 법에 대한 기본적인 점들을 안다. 사실 "나와 함께 있으라"는 단계의 필수요건 중의 한 가지는 그가 자신의 믿음을 불신자와 한 주일에 한 번씩 나누는 것이다. 먼저 그는 자신이 가르치는 바에 대한 본을 보이고, 다른 이들로 하여금 전도하도록 동기를 부여한다. 그는 배가생산을 하는 사람인가? 그는 이 일을 2년간의 제자그룹을 통해 연습해 왔다. 이제 그는 이 방면 - 어떻게 반대와, 거부와, 어려운 영적인 질문이나 철학적인 질문들을 다룰 것인가 하는 점 - 에서 잘 다듬어질 것이 요구된다. 이것은 교실에서의 강의를 통해 다뤄질 수 있다.

현직에서. 도표 5를 참조하면, 대부분의 "나와 함께 있으라" 단계에 있는 사람들이 제자훈련 그룹들을 지도하고 있음을 알 수 있을 것이다. 그들은 그룹 수준에서 그리고 그룹 지도자의 수준에서 책임감을 형성시켜 왔다. 보통 그들은 한 주일에 제자그룹 모임과, 필자와 함께 하는 두 시간의 모임, 그리고 그 두 모임을 위해 준비하는 시간 등을 갖는다. 거기에 덧붙여, 그들은 전체 한햇동안 있는 수양회들과, 세미나들, 그리고 다른 강도 높은 훈련 기간들을 갖게 된다. 또한 우리는 그들이 자신들의 그룹 구성원들과 그룹모임 밖에서도 관계를 형성하기를 기대한다.

다른 현직 훈련은 그리스도를 위해 사회의 부분 부분을 침투하려는 봉사팀 또는 소회중들을 지도하는 일을 포함한다. 한 가지 규칙은 이것이다. 모든 사역 과제들은 제자 삼는 사역에 대한 원리들을 실행에 옮기도록 만들어야 한다. 현직 훈련은 교실 훈련과 반드시 병행되어야 한다. 그것은 피훈련자가 자신을 입증해 보이고, 생산적이 되며, 제자 삼는 사역과 지도자적 기량을 과시하기 위한 기회를 제공해야만 한다.

"나와 함께 있으라"고 불리는 2년간의 훈련은 그 결과로서 제자 삼는 지도자로 생산해내야 한다. 그전의 2년간의 훈련이었던 "나를 따르라"는 단계와 마찬가지로 이 2년간은 모든 퍼즐 조각들이 제자리를 찾기에 충분한 시간을 허용한다. 품성과, 다른 사람들과의 대인관계와, 사소한 실책들과, 긍정적인 면들이 정련과 훈련을 위한 성경적인 정밀검진을 통해 확실히 드러났다. 가장 훌륭한 결과로서는, 이 사람이 영원히 없어지지 않는 결실을 맺었다는 것이다. 훈련을 마친 후, 이제 그는 그리스도의 교수법 중 여섯번째 단계에 들어설 준비가 된 것이다.

제4단계: "내 안에 거하라"

파송(배치)란 당신의 생산품을 수출하는 작업이다. 그것은 제자 삼는 과정에 실제적인 의미를 부여한다. 여기에서 훈련된 제자 삼는 이들은 그 사역과 새로운 관계에 돌입한다. 예수님께서는 이 새로운 관계를 "내 안에 거하라"는 것으로 정의를 내리셨다. 예수님은 그들을 성령님의 선하신 손길에 맡기셨다. 그들은 분명히 관계상의 주요한 변화에 직면했다. 관계상의 그 변화는 파송(배치)의 두 가지 형태에서 다 존재한다. 그러나 두번째보다는 첫번째에서 더욱 현저하게 나타난다.

전문적인 파송(배치). 도표는 지도자의 은사를 가진 훈련된 제자 삼는 자들은 전문적인 사역에 들어가게 되는 목회자나, 교회 개척자, 그리고 선교사들 등을 위한 집합소가 됨을 보여준다. 제자 삼는 사역은 이 부류에 해당되는 많은 사람들을 파송(배치)시킬 것이다. 이 사람들이 파송(배치)될 때, 그들은 이제 교회를 떠나 멀리서 당신과 함께하는 것이다. 교회는 이런 종류의 파송(배치)을 권장해야 하며, 이렇게 떠나는 이들을 위해서는 상당한 송별식을 베풀어야 한다. 교회가 그 자체의 사역을 통해서 그런 잘 훈련받은 헌신된 사람을 파송(배치)할 수 있을 바로 그때는 그 교회의 사역을 축하해야 할 때인 것이다.

지역적인 평신도 파송(배치). 첫째, 필자는 평신도라는 용어를 사용하는 것에 대해 용서를 구한다. 필자는 사실 의사전달을 위해서 그 용어를 사용할 뿐이다. 교회에 남아 있는 이 제자 사역의 소산들이 사실 전문직에 들어가는 사람들보다도 더욱 어려운 일이다. 전문 성직자들은 떠나가므로 그 과정에 약간의 마무리 혹은 결말이 있게 된다. 평신도는 지역적으로 파송(배치)될 준비가 갖추어진 것인데, 이 일은 보다 많은 일과 창조력을 요구한다.

평신도가 이 수준에 도달하기까지 그들은 자신들이 교회에서 효과적이고 입증된 지도자들임을 밝혔다. 물론 그들은 장로 후보감들이다. 이 사람들은 당신이 교회의 결정권을 위임하는 사람들인 것이다. 그러나 장로의 직책만으로는 불충분하다. 그들은 장로직만을 수행하기에는 너무도 잘 훈련되었다. 당신은 그들로 하여금 사람들을 그리스도께 인도하고, 다른 이들에게 자신들이 하는 일을 또 반복하도록 가르쳐서 변화를 일으키게끔 하는 사역을 사랑하도록 가르쳤음을 기억하라.

봉사팀. 제자 삼는 사역의 최종적인 소산은 지역사회에 들어가 다른 사람들을 그리스도께로 인도할 훈련된 멤버들이다. 그러면 그들은 회심자들을 교회의 환경 속으로 끌어들여 그들을 제자도라는 길로 출발하도록 이끌 것이다. 평신도로서 훈련된 제자 삼는 이들은 원대한 꿈을 지니고 나가서 그런 꿈들을 현실로 만드는 장본인들인 것이다. 그들은 그리스도를 위해 사람들에게 영향을 미칠 무언가 다르고 특별한 일들을 담당하도록 격려받아야 한다.

영향권 밖에 있는 그룹을 겨냥하고, 계획을 세우며, 일꾼들을 모집하고는 과감히 나아가라. 그것이 바로 그들을 위한 훈련이고 그들의 정신인 것이다. 제자 삼는 사역이 뛰어난 것은 바로 당신이 이런 종류의 사람들을 생산할 것이라는 점이다. 너무도 많은 교회들이 그런 소산들을 일부러 생산하지 않기 때문에 이 지점에 절대로 도달하지 못한다. 그 일이 피난민들에게 영어를 가르치는 것이든, 극빈자들과 주거지가 없는 자들을 도와주는 일이건, 또는 골프 클럽 회원들에게 그리

도표 5
교회 중심의 제자 삼는 사역 구조

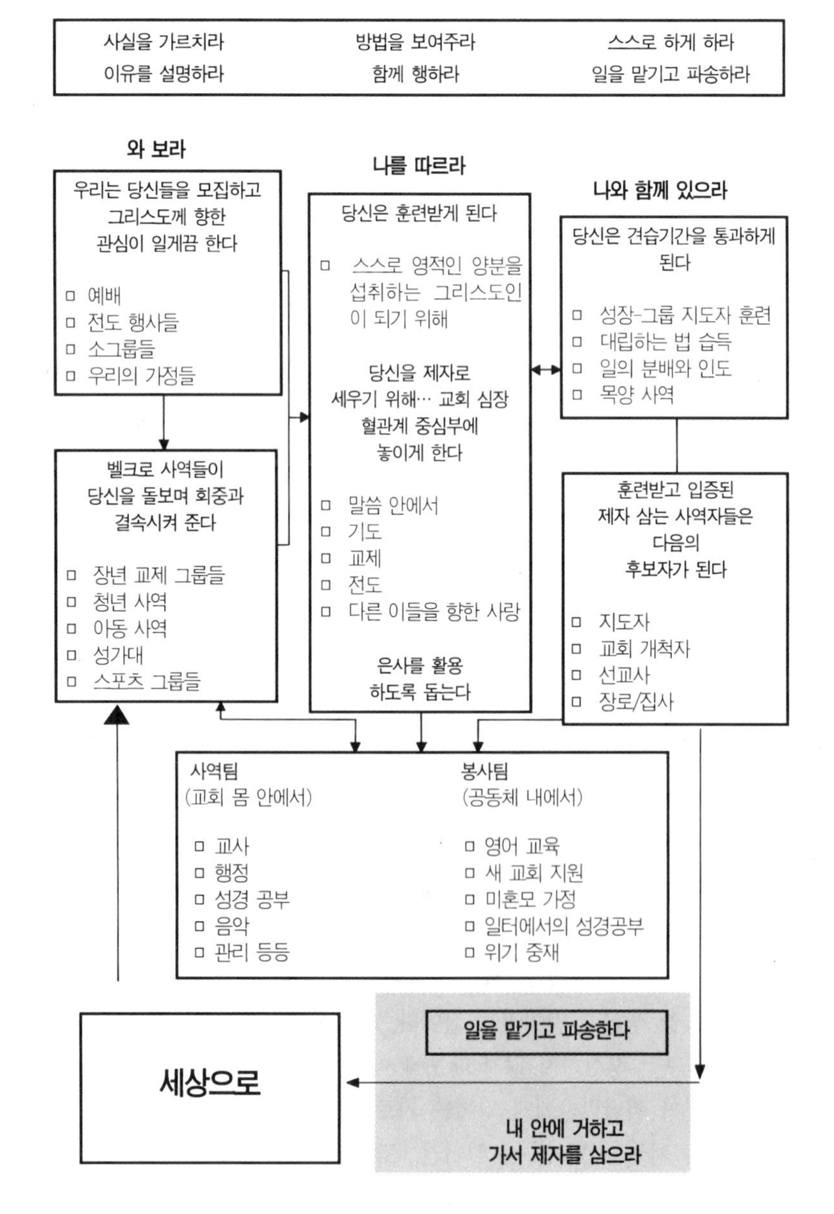

스도를 전하는 일이건 간에, 잘 훈련되고 사기가 진작되어 있는, 파송(배치)된 평신도들은 그런 일들을 해낼 수 있다. 이것은 제자도의 흐름을 가져온다. 그 체계 스스로가 양분을 공급하는 교회에서는 그 체계는 바울이 묘사한 것과 같은 스스로 영속하는, 성장하는 유기체이다. "그에게서 온몸이 각 마디를 통하여 도움을 입음으로 연락하고 상합하여 각 지체의 분량대로 역사하여 그 몸을 자라게 하며 사랑 안에서 스스로 세우느니라"(엡 4:16).

필자는 만일 교회가 이번 장에서 제시한 모델을 사용한다면 그 모델이 그 교회에 훌륭하게 적용될 것이라고 확신한다. 필자는 그리스도의 원칙을 실행하는 방법 중 오직 한 가지만을 제시했을 뿐이다. 교회가 그것을 어떤 식으로 다루든 간에, 가장 결정적인 문제는 각 교회가 제자를 만들기 위해 무엇인가 의도적으로 하는 것이다. 교회는 사람들이 그리스도에 대해 생각하는 것으로부터 온 세상을 향해 나아가라는 그분의 분부에 대한 온전한 헌신으로 옮겨가도록 돕는 수단을 갖추어야 한다. 교회는 사람들이 성숙하게끔 인도해야 한다. 그런 교회의 성도들은 하나님을 경외하고, 재생산과, 배가생산을 하며, 제자 삼는 사람들을 훈련시키고는 그 제자들을 추수터에 파송(배치)시킬 것이다. 그러면 그 교회는 건강할 것이고, 그리스도의 복된 소식은 온 세상 만민에게 전해질 것이다.

주(註)

제1장

1. Elton Trueblood, *The Best of Elton Trueblood: An Anthology* (Nashville, Tenn.: Impact Books, 1979), 34.
2. 갤럽 여론 조사.
3. Elton Trueblood, ''A Time for Holy Dissatisfaction,'' *Leadership Journal* (Winter 1983), 19.
4. Ibid.
5. George Barna, *Vital Signs: Emerging Social Trends and the Future of American Christianity* (Westchester, Ill.: Crossway Books, 1984). Italics added.
6. Os Guinness, *Gravediggers File* (Downers Grove, Ill.: Inter Varsity Press, 1983), 233.
7. Francis Schaeffer, *The Great Evangelical Disaster* (Westchester, Ill.: Crossway Books, 1983).
8. Dr. Kenneth Kantzer, *Christianity Today* (November, 1983).

제2장

1. Lyle Schaller, *It's a Different World* (Nashville, Tenn.: Abingdon Press, 1987), 60.
2. Richard Neuhaus, 1987년 9월, 워싱턴 D.C. 성서 회의에서 연설했다.
3. Tony Walter, *Need The New Religion* (Downers Grove, Ill.: Inter Varsity Press, 1985), 142.
4. D. Elton Trueblood, 존 존스턴과의 사적인 대담에서, *Will Evangelicalism*

Survive Its Own Popularity? (Grand Rapids, Mich.: Zondervan, 1980), 38.

제3장

1. Gerhard Kittel, ed., *Theological Dictionary of the New Testament,* Vol. 4 (Grand Rapids, Mich.: Eerdmans Pub. 1967), 441.
2. Ibid., 457.

제4장

1. R. Laird Harris, Gleeson Archer, Bruce Waltke, *Theological Wordbook of the Old Testament* (Chicago, Ill.: Moody Press, 1980), 852.
2. F. Wilbur Gingrich, *Shorter Lexicon of the Greek New Testament* (Chicago: University of Chicago Press, 1957), 176.
3. 로버트 사우시의 탁월한 논문 *The Church in God's Program* (Chicago: Moody Press, 1972), 140–152을 보라.
4. Bruce Shelley, *Church History in Plain Language* (Waco, Tex. Word Books, 1982), 85.
5. Paul Brand and Phillip Yancey, *Fearfully and Wonderfully Made* (Grand Rapids, Mich.: Zondervan, 1980), 24.

제6장

1. 빌 헐의 *Jesus Christ, Disciplemaker* (Colorado Springs, Colo.: Nav press, 1984)을 보라.
2. F. Wilbur Gingrich, *Shorter Lexicon of the Greek New Testament* (Chicago: University of Chicago Press, 1957), 78, 79.

제7장

1. Howard Hendricks, 80년대 제자사역에 관한 회의에서 연설, October, 1983.
2. Charles Swindoll, *Strengthening Your Grip* (Waco, Tex.: Word Books, 1982), 238.
3. F. Wilbur Gingrich, *Shorter Lexicon of the Greek New Testament* (Chicago: University of Chicago Press, 1957), 162.

4. Rienecker, Fritz Rogers, *Linguistic Key to the Greek New Testament* (Grand Rapids, Mich.: Zondervan, 1976), 602.
5. *Shorter Lexicon,* 18.
6. Ibid., 30.

제8장

1. Elton Trueblood, *The Best of Trueblood: an Anthology* (Nashville, Tenn.: Impact Books, 1979), 140.
2. Howard Hendricks, 지도력 개발에 관한 세미나, 80년대 제자사역에 관한 회의에서의 연설, October, 1983.
3. 이 구절에 대한 전면적인 언급은 빌 헐의 *Jesus Christ, Disciplemaker* (Minneapolis, Minn.: Evangelical Free Press, 1988), 15–59 에서, 그리고 A.B.브루스의 *The Training of the Twelve* (New Canaan, Conn.: Keats Publishing, 1979), 11, 12 에서 발견할 수 있다. 또한 이 구절은 그리스도의 초청이나 부르심의 근간을 형성하는 훈련의 세가지 부문을 인정한다.
4. Hull, *Disciplemaker,* 65–67.

제9장

1. A. B. Bruce, *The Training of the Twelve* (New Canaan, Conn.: Keats Publishing, 1979), 11–18, 39.
2. "살아있는 교회들"은 그와 같은 소그룹을 위한 기본 계획과 자료, 훈련교범 등을 제공한다. 그들의 주소는 Box 3800, San Bernardino, CA 94213-3880이다.

목회자가 제자 삼아야 교회가 산다

1994년 4월 16일 · 초판 1쇄 발행
1995년 4월 7일 · 초판 4쇄 발행
지은이 · 빌 헐
옮긴이 · 박경환
펴낸이 · 이상대
펴낸데 · **요단출판사**
135-090 서울특별시 강남구 삼성동 43-3 금강BD
편집부 ☎ (02) 511-6142~3
영업부 ☎ (02) 512-1732~3
FAX (02) 511-5675
등록 · 1973. 8. 23. 제13-10호

정가 4,800원

ISBN 89-350-0108-2 03230

"보이지 않는 전쟁"의 작가, 전대미문의 이야기꾼
프랭크 페레티의 최신 대작

예·언·자

사람들은 그를 미친 예언자라 불렀다.

텔레비전 방송국에서 벌어지는 엄청난 음모.
화면 뒤에 숨은 마(魔)의 그림자.
미친 예언자는 의혹 속에 살해되고……

온갖 문명의 이기와 부,
넘쳐 썩어나는 음식들 가운데서
우리 그리스도인들은 과연 어떻게 살아야 하는가?
미친 예언자는 무어라 외치는가,
우리의 폐부를 파고드는 영적인 충격!

요단출판사

요단출판사 신앙양서 소개

디사이플 주석 성경 • 댄 G 캔트 외 99명 저/편역위원회 역/2,036쪽/25,000원
디사이플 주석 성경은 성경 전체를 27개의 주요 교리를 기둥으로 해서 분석 해설해 놓았기 때문에 성경을 읽고 이해하는 데 큰 도움을 준다. 또한 제자의 삶을 살도록 부록을 첨가하여 그리스도인의 삶의 지침을 제시한다.

당신은 죽어요, 그런데 안 죽어요 • 안이숙 저/532쪽/5,800원
살아있는 순교자 안이숙 여사의 세번째 작품으로 86편의 아름다운 간증이 실려있다. 매편마다 흥미와 감동을 더해주고 있으며 세상에서 찌들린 완악한 마음을 변화시켜 주는 귀한 책이다. 현재 최고의 베스트셀러를 기록하고 있다.

그럴 수도 있지 • 안이숙 저/549쪽/5,800원
"축복의 문은 믿는 데서부터 열린다. 말씀을 믿고 행할 때 축복의 문으로 들어가는 것이다. 그리고 길표(성경)대로 가면 축복의 샘에 도달할 수 있다." 안이숙 여사의 또하나 주님께 바치는 선물로서 주님을 향한 그의 정성과 사랑과 헌신의 믿음이 잘 표현되어 있다. 이 책을 통하여 그가 가졌던 주님과 깊은 교제를 누려보기 바란다.

낫고 싶어요 • 안이숙 저/348쪽/5,000원
안이숙 사모님의 성경 해설서라고 할 수 있는 책이다. 그러나 단지 성경만이 아니라 그분의 체험이 한데 곁들여 있기 때문에 우리의 삶과 성경 인물들의 삶이 어떻게 연결되는지를 잘 알 수 있도록 하였다.

솔직한 노래 • 안이숙 저/351쪽/5,000원
이 책은 안이숙 사모님의 시모음집이다. 그는 그리스도인의 진지한 체험을 감동적인 간증으로 들려주었으나, 이제 그의 그리스도인으로서의 삶은 시라는 형식을 통해 우리에게 '솔직한 노래'로 다가온다. 우리는 이 시모음집을 통해서 그리스도인이 어떻게 그의 삶을 문학으로 진솔하게 나타낼 수 있는지를 볼 수 있다.

주님을 만난 사람들의 이야기 • 로버트 E. 콜만 저/배병균 역/181쪽/3,000원

우리는 신약성경에서 예수님이 어떻게 사람들을 만나셨는지를 살펴볼 수 있다. 고기를 잡다가 예수를 만나기도 하고, 밤중에 아무도 몰래 예수를 찾아와서 만나기도 하고, 우물가에서 물긷다가 예수를 만나기도 한다. 우리는 이런 만남들을 자세히 탐구함으로 예수를 만나게 하는 예수 전도의 삶을 소중히 키워 본다.

청중을 깨우는 강해설교 • 이동원 저/308쪽/4,800원

이동원 목사의 설교학 서적. 저자가 최초로 저술한 설교학서로서, 하나님의 말씀인 설교의 준비 과정과 선포, 그리고 설교자의 자격과 설교개발 방법을 제시하였다. 이는 모든 설교하는 이들의 필독서이다.

나루터의 새아침 • 이동원 저/338쪽/4,500원

종말의 시대를 살아가는 오늘의 성도들에게 주의 날을 준비하고 예비하는 믿음의 성도가 되자고 선포한 이동원 목사의 설교집이다.

그 다음엔 또 어떻게 • 윤영준 저/208쪽/3,200원

윤영준 목사의 예화집, 10여 년간의 미국 이민 목회생활에서 발굴한 보화와 같은 이야기들로 가득 차 있다. 어느 페이지를 열어도 결코 실망치 않을 것이다.

잊을 수 없는 경례 • 윤영준 저/296쪽/4,000원

「그 다음엔 또 어떻게」의 저자 윤영준 목사의 두번째 예화집. 첫번째 책보다 더 깊은 감동을 줄 내용들로 엮어진 책이다. 묵상서적, 예화자료로서 설교준비를 포함한 모든 방면에 지혜와 도움을 줄 책이다.

인생을 다시 한 번 • 배훈 저/271쪽/4,000원

배훈 목사의 미주지역 목회 기간 7년 동안 교회 주보에 게재하였던 글 중에서 200여 편을 엄선하여 편집한 예화 교훈집이다. 『그 다음엔 또 어떻게』, 『잊을 수 없는 경례』와 함께 3대 교훈집으로서 한편 한편의 글들이 새롭고 생명력있는 예화들이며 목회자들뿐만 아니라 모든 평신도들에게 유익한 책이다.

영적 지도력 • J. O. 샌더스 저/이동원 역/261쪽/4,000원

오늘날 우리는 역사의 다른 어떤 시기보다도 지도력(Leadership)에 대한 요구가 증가하는 위기 속에 살고 있다. 모든 독자들은 이 책을 통해 성경 다음가는 충격과 도전을 받게 될 것이다.

요단출판사

요단출판사

사 · 요단출판사 · 요단출판사 · 요단출판사 · 요단출판사 · 요단출판사 · 요단